DESCUBRA O SEU ECONOMISTA INTERIOR

tyler cowen

DESCUBRA O SEU ECONOMISTA INTERIOR

use a economia para se apaixonar, sobreviver ao seu próximo encontro e motivar seu dentista

Tradução de
CÁSSIO ARANTES

EDITORA RECORD
RIO DE JANEIRO • SÃO PAULO
2009

CIP-BRASIL. CATALOGAÇÃO-NA-FONTE
SINDICATO NACIONAL DOS EDITORES DE LIVROS, RJ

Cowen, Tyler
C915d Descubra o seu economista interior / Tyler Cowen; tradução de Cássio Arantes. – Rio de Janeiro: Record, 2009.

Tradução de: Discover your inner economist
ISBN 978-85-01-08435-4

1. Economia – Aspectos psicológicos. 2. Motivação (Psicologia). I. Título.

CDD: 330.019
09-1208 CDU: 330:159.9

Título original em inglês:
DISCOVER YOUR INNER ECONOMIST

Direitos exclusivos de publicação em língua portuguesa para o Brasil adquiridos pela
EDITORA RECORD LTDA.
Rua Argentina 171 – 20921-380 Rio de Janeiro, RJ – Tel.: 2585-2000
que se reserva a propriedade literária desta tradução

Impresso no Brasil

ISBN 978-85-01-08435-4

PEDIDOS PELO REEMBOLSO POSTAL
Caixa Postal 23.052 – Rio de Janeiro, RJ – 20922-970

Sumário

1

Eu quero uma banana, eu compro uma

SERÁ QUE AINDA é possível aprender algo novo sobre se apaixonar? Ou sobre como evitar as entediantes reuniões de escritório? A resposta é sim — a enfadonha velha ciência da economia de fato pode contribuir para uma vida melhor. A economia oferece uma compreensão de mercados, dos incentivos que governam o comportamento humano e de como os seres humanos podem trocar objetos de valor. Este livro vai lhe mostrar como utilizar os princípios econômicos fundamentais para conseguir obter mais do que você precisa.

No cenário econômico mais simples possível, compradores e vendedores criam mercados para se reunir e praticar o comércio. De fato, às vezes parece haver mercados por toda parte. As ideias de comércio, e de ganhos advindos do comércio, permeiam praticamente todos os aspectos de nossas vidas. Você quer uma banana, você compra uma. Quer que alguém conserte seu carro, sua camisa ou seu encanamento, você paga alguém para fazê-lo. Basta dar uma olhada no jornal local ou no quadro de avisos de algum lugar público. Você quer ter acesso a toda informação do mundo? Ligue para um provedor de Internet, compre uma conexão e então dê uma busca no Google para procurar o florista certo para o Dia dos Namorados.

Há mercados ainda mais exóticos. Uma mãe certa vez ofereceu quinhentos dólares no site Craiglist.org da Filadélfia a qualquer garota que se dispusesse a acompanhar seu (sem dúvida encantador) filhinho ao baile de formatura. Pode-se comprar jogos de realidade virtual para jogar com, e contra, seus animais de estimação. Um ateu de 22 anos de idade convida pessoas religiosas a pagarem para que ele vá a uma igreja; mas claro que ele promete comparecer de mente aberta. Cobra por hora. Você pode pagar a um grupo de "artistas" para que o sequestrem e depois humilhem. William Shatner, o famoso capitão Kirk de *Jornada nas Estrelas*, vendeu seu cálculo renal no eBay por 25 mil dólares. Na Índia é possível contratar temporariamente uma multidão para sua próxima manifestação pública.

Os mercados podem simplificar nossas vidas. Quer uma banana? Vá ao mercado, ou o armazém local, e compre uma banana. Talvez seja de alguma serventia reconhecer quais são os melhores supermercados ou saber se uma banana passou do ponto, mas de resto o procedimento é razoavelmente direto. Porém, quando se trata de muitos outros desejos humanos, usar dinheiro em um mercado não funciona muito bem, e às vezes não funciona de modo algum. Ter o que queremos nem sempre é tão simples.

Vamos dizer que você esteja na pior porque desmanchou com um namorado ou namorada. Os personagens dos sitcoms televisivos geralmente aconselham a "compraterapia"; a tese segundo a qual quem pensa que dinheiro não compra felicidade é porque não sabe em que loja entrar no shopping center. Isso está completamente errado. Os Beatles chegaram mais perto da verdade quando cantaram "Can't Buy Me Love", você não pode me comprar amor.

Mais do que saber onde comprar, o importante é saber *como* comprar, e também saber quando *não* comprar. Para se sair bem na vida, para se apaixonar de verdade, por exemplo, acho que devemos aprender o que pode ser obtido numa troca — monetária ou de outra ordem — e o que não é comercializável. O conceito central em economia não é o dinheiro, mas antes incentivo. De modo bem simples, incentivo é tudo que motiva o comportamento humano ou encoraja um indivíduo a tomar uma decisão em lugar de outra. Um incentivo pode ser financeiro, mas também pode ser uma dica, um sorriso, um gesto elogioso. Um incentivo pode ser a promessa de devoção para toda uma vida. Então, sim, você pode usar incentivos para se apaixonar, mesmo que os Beatles tenham dito que dinheiro não funciona.

A sacada econômica fundamental, por mais estranho que pareça, é que *nem tudo pode ser comprado com dinheiro*. Isso parece tão óbvio para o cidadão comum que a maioria de nós nem sequer pensa a respeito. Nosso Economista Interior sabe que dinheiro não compra amor, respeito, paz de espírito. Nossos chefes — ou empregados — sabem que um bônus não vai resolver todos os problemas do local de trabalho. Se não pode ser comprado com dinheiro, então simplesmente não existe mercado para o objeto de desejo.

Já que não existem mercados por todos os lados, temos de motivar as demais pessoas, e motivar nós próprios, para chegar aonde queremos. Compreender e lidar com esse problema é a função deste livro. Usar incentivos e usar mercados das formas mais efetivas é muito mais difícil do que simplesmente sair para comprar uma banana.

Inúmeras limitações dos mercados estão enraizadas nas imperfeições da mente humana. Os mercados sempre interagem com as complexidades da motivação humana e, quando elas são estabelecidas cruamente ou sem grande reflexão, tendem a fracassar. Por que não temos maior quantidade de mercados para o autoaperfeiçoamento? Não, não estou me referindo aos livros de autoajuda que compramos só para sentir que ao menos estamos tentando. Refiro-me a contratos verdadeiramente obrigatórios, pelos quais prometemos perder peso, mas se não o fizermos deveremos pagar uma soma a um estranho. É isso mesmo, empenhe algum dinheiro e contrate alguém para fazer sua dieta — soa bastante simples. Mas não, isso não vai fazer com que você *queira* perder peso, e consolidar esse desejo em geral é a única solução real de longo prazo.

Observadores frequentemente acreditam que os economistas defendem a total comercialização da vida cotidiana. Nós, economistas, somos acusados de ver todas as escolhas humanas em termos de dinheiro. Ou então supostamente acreditamos que os mercados são sempre bons, ou que podem resolver todos os problemas. Conheço de fato alguns economistas dotados desse ponto de vista, mas ele não advém dos princípios essenciais da economia.

Uma das mais importantes lições em economia é como lidar com a escassez. Nem sempre podemos colher bananas no pé, ou ter o melhor plano de saúde, ou comprar qualquer coisa no shopping center iluminado e com ar-condicionado. A economia se desenvolveu com base no reconhecimento do fato de que muitas coisas que valem a pena simplesmente não caem em nosso colo. Nem mesmo coisas pessoais comuns como se apaixonar, sobreviver à próxima reunião e motivar seu dentista. O verdadeiro propósito da economia é obter mais das boas coisas da vida.

Claro, a economia também diz respeito à escala nacional e global a que assistimos nos noticiários noturnos, aos preços das ações e aos fóruns econômicos mundiais. É um sonho antigo dos economistas tornar o mundo um lugar melhor. E, sim, a análise econômica explica por que os cidadãos de alguns países estão tirando deliciosas férias em Paris enquanto outros trabalham numa lavoura de milho sob um sol de quase quarenta graus. Os fundadores da ciência econômica a desenvolveram porque sentiam que o mundo era repleto de injustiças e desperdício de oportunidades de vida. A economia, uma estimada criação do Iluminismo do século XVIII, deriva da mesma crença na liberdade e no progresso que influenciou o nascimento da república americana. Os Pais Fundadores acreditavam no poder da liberdade humana, ou seja, uma sociedade baseada na ideia de indivíduos livres e responsáveis. É um fato profundamente importante, que retomarei com mais detalhes no capítulo seguinte, que não se pode compreender como os incentivos funcionam se você não compreende a importância do respeito pela liberdade humana.

A economia, quando serve para impulsionar "a riqueza das nações", nas palavras de Adam Smith, conduz as pessoas da carência e miséria à saúde e plenitude. Tudo que existe de verdadeiro e importante. Mas para este livro vamos começar com nossos empregos, nossas escolhas e nossos relacionamentos pessoais como as pedras fundamentais de todas as decisões subsequentes. "Salvar o mundo" terá de esperar até o capítulo nove.

Para falar a verdade, este não é o único livro que aplica a economia à vida cotidiana. Meus colegas e amigos David Friedman, autor de *Hidden Order: The Economics of Everyday Life*, e Steven Landsburg, autor de *Fair Play*, promovem ambos a economia como ferramenta de reflexão universal. Eles nos estimulam a aplicar as ideias de incentivos, mercados e direitos de propriedade a nossas famílias, trabalhos e alocação pessoal de tempo. Mas eu muitas vezes discordo de suas recomendações e receio que, com todo seu brilhantismo, eles acabem interpretando o papel do economista caricato. A abordagem deles sugere que a vida comum tem mais a ver com comprar bananas do que normalmente pensamos. "Simplesmente saia e use mercados e incentivos" é seu mantra. Esta, na melhor das hipóteses, é uma recomendação arriscada.

Em minha opinião a complexidade e diversidade das motivações humanas deveriam estar subjacentes às próprias fundações do raciocínio econômico. O modo como as pessoas determinam suas escolhas em geral depende do contexto social, como que motivações percebemos naqueles que nos cercam e como achamos que nossos colegas nos veem. Se queremos tomar decisões melhores de modo a conseguir mais das boas coisas da vida, devemos aprender a distinguir um contexto social de outro. Se oferecemos um ramo de oliveira nas negociações, isso será encarado como magnanimidade ou fracasso? Se nos vestimos casualmente para uma entrevista de emprego, isso é um sinal de força ou fraqueza? Temos de imaginar como as outras pessoas identificam e distinguem diferentes contextos e desse modo o que acham que estão fazendo e o que acham que nós estamos fazendo. Precisamos compreender as crenças humanas.

Por esse motivo, a economia aplicada é tanto uma arte como uma ciência. Os economistas não podem solucionar todos os nossos problemas, mas contemplar a complexidade da motivação humana ajudará a tomar melhores decisões. Podemos aprender quando é o momento de apenas comprar algo — como uma banana — e quando uma abordagem mais indireta se faz necessária. Olharemos para a vida comum usando duas ferramentas primárias: uma compreensão do poder (e dos limites) dos incentivos e um reconhecimento da complexidade e diversidade dos seres humanos.

• • •

A MAIOR PARTE DAS PESSOAS acha economia um saco. Muitos economistas acadêmicos constroem suas reputações especializando-se em uma única área específica de conhecimento. Um artigo de 1996 na *American Economic Review* — o periódico mais importante da profissão — era intitulado:

"Aggregation Without Separability: A Generalized Composite Commodity Theorem" [Agregação sem separabilidade: Um teorema de commodity compósita generalizada]. Quem iria ler um livro inteiro sobre isso? A economia não está associada à melancolia científica à toa.

Como profissionais de qualquer campo, os economistas tendem a se esconder atrás da terminologia e do jargão. Nós economistas temos um fraco em particular por esmiuçar nossas afirmações ao ponto de obscurecê-las. Harry Truman certa vez pediu que lhe arrumassem um economista de um braço só, assim ele não iria ouvi-lo dizer "*on the other hand...*".*

É um pressuposto universal esperar incompreensibilidade da parte dos economistas. Charles Sykes, em seu livro *ProfScam*, conta a história de como um ator foi contratado para se fazer passar por um economista eminente e proferiu uma palestra sobre "teoria dos jogos", um dos domínios mais abstrusos da ciência. O ator não conhecia teoria dos jogos coisíssima nenhuma, aliás, tampouco sabia o que quer que fosse de economia, mas se mostrou capaz de sustentar o blefe por toda sua aparentemente formidável apresentação técnica. Ninguém do público se deu conta do embuste. Ao final da conferência o orador recebeu elogios por sua clareza e inteligência.

Na China, um tal de Matthew Richardson foi convidado a dar palestras sobre economia no prestigioso curso da Universidade de Pequim. O economista previamente convidado desistira de participar e, mediante um misto de equívocos chineses e má-fé britânica, esse graduando da Universidade de Oxford deu um jeito de obter um convite para substituí-lo. O detalhe era que aos 23 anos Richardson cursava especialização em engenharia e não entendia patavina de economia. Quando Richardson apareceu recebeu um cheque de mil libras e foi hospedado em um hotel. Ele proferiu nove horas de palestras ao longo de dois dias. As palestras se basearam em páginas que ele arrancou de um livro didático de economia do secundário.

No segundo dia do curso, Richardson começou a ficar sem material; ele também suspeitou que o tradutor talvez estivesse percebendo seu embuste. Na hora do *coffee break*, se mandou do auditório para nunca mais voltar. Na

*Literalmente, "na outra mão", significando "mas por outro lado"... (*N. do T.*)

descrição da BBC os chineses ficaram "furiosos". À parte o fato de que ele os deixou falando sozinhos, ninguém gosta de ser feito de otário.

A economia, se praticada do modo adequado, pode em grande parte superar as ciladas da desumanidade, da verborragia e da embromação excessiva. Eis aqui três princípios para distinguir boa economia de má economia.

1. **O Teste do Cartão-Postal**

   Deve ser possível tomar um bom argumento econômico e escrevê-lo no verso de um cartão-postal de tamanho razoável. Se um argumento tem passos demais, pelo menos um deles fatalmente estará redondamente incorreto. Ou, ainda se tem passos demais, não saberemos como todos esses diferentes passos se encaixam uns nos outros para estabelecer a conclusão do argumento.

   Quando meus alunos de pós-graduação me aparecem com ideias novas, a primeira coisa que faço é dizer com a voz mais desagradável de que sou capaz: "Traga-me a versão de cartão-postal." Os que já me conhecem bem entram em minha sala gritando: "Eu tenho o cartão-postal!" Os que dizem que é necessário ler todo seu ensaio de 46 páginas para captar a mensagem central são mandados de volta à prancheta de trabalho.

2. **O Teste da Vovó**

   A maioria dos argumentos econômicos deve ser compreensível para sua avó. A vovó pode até não concordar, mas no mínimo precisa entender do que o economista está falando. Se a *vovó é* a economista da família, e abusa ela própria do jargão, tente um de seus recalcitrantes primos.

3. **O Princípio do A-há**

   O Princípio do A-há é uma extensão do Teste da Vovó. Se os conceitos básicos forem bem apresentados, o economês tem de fazer sentido. Bons economistas acreditam que vivemos nossas vidas segundo princípios que qualquer um pode entender. Talvez aconteça de nem sempre compreendermos o que estamos fazendo quando tomamos decisões, mas os argumentos econômicos e os mecanismos devem ser reconhecíveis. Afinal de contas, o argumento é sobre nós. Assim, se alguma observação econômica claramente expressa é objetiva, deve estimular as áreas "A-há" de nosso cérebro. Sei que isso pode soar um pouco metafísico, mas a ideia é que uma observação econômica claramente expressa deve de fato fazer alguma diferença para nós no nível pessoal. Ela tem de ser uma revelação.

Como você se sentiria se lesse uma biografia de sua vida e descobrisse que nenhum dos eventos soava familiar, nem mesmo depois de refletir longamente? Talvez você comece a pensar que há qualquer coisa errada, e o mesmo vale para as afirmações dos economistas. Se alguma sacada econômica não faz sentido para você, geralmente tem qualquer coisa errada com ela, não com você. Por outro lado, como todo mundo sabe, momentos de "A-há" podem ser tão poderosos e tão convincentes que chegam a moldar nossas vidas por anos a fio.

Quando o "A-há!" dispara, é nosso Economista Interior falando. Este livro diz respeito a gerar esses A-hás!, e desse modo diz respeito a descobrir, liberar e fortalecer o Economista Interior.

• • •

PODEMOS ACHAR QUE sabemos alguns bons princípios econômicos e tentar viver por eles. Mas apegar-se a ideias equivocadas parece um aspecto inescapável da velha falibilidade humana. Nossas teorias sobre como o mundo funciona, sejam explícitas ou implícitas, levam-nos a cometer erros. Nossas opiniões sobre o mundo e até (sobretudo!) nossas opiniões sobre nós mesmos estão cheias de falácias que podem ser observadas pelas lentes da boa economia.

Seu Economista Interior vê padrões que você talvez não enxergue a um primeiro vislumbre. Esse livro é sobre descobrir esses padrões ocultos no mundo, e em nossas escolhas. Reconhecimento de padrões é uma das chaves para tomar decisões melhores. Se não estiver nos ajudando a enxergar mais padrões, não é economia da boa.

O psicólogo A. deGroot realizou algumas fascinantes experiências com reconhecimento de padrão no contexto do xadrez. Ele arrumou as peças de xadrez sobre o tabuleiro como aconteceria no curso normal de um jogo. Permitiu tanto a mestres enxadristas como a principiantes do xadrez observar o arranjo. As peças eram então derrubadas e os mestres e os principiantes desafiados a recriar a colocação das peças. Os mestres se saíram significativamente melhor do que os principiantes. Até aí, nenhuma surpresa. Mas deGroot repetiu o mesmo experimento com peças colocadas no tabuleiro aleatoriamente, sem ordenação particular. Quando lhes foi solicitado que recriassem o padrão observado, os mestres não fizeram muito melhor que os principiantes. Os mestres se lembravam das posições das peças não porque recorriam a uma memória infalível, mas porque reconheciam padrões familiares e os ordenavam de um modo que fizesse sentido. Os mestres, dispondo de um repertório de padrões muito maior no qual se apoiar, lembravam bem mais do que os noviços. Mas esse inventário de padrões não tinha utilidade para os mestres quando as peças eram dispostas ao acaso. Outros estudos demonstraram que mestres enxadristas não possuem memória superior em outras áreas.

Ser um ótimo jogador (humano) de xadrez não diz respeito a sondar todas as combinações possíveis. Jogadores de primeiro nível continuam excelentes quando jogam a uma velocidade muito alta; um estudo indicou que mais de 81% das variações em habilidades enxadrísticas podem ser explicados pelo modo como os grandes mestres jogam com menos de 5% do tempo normal disponível. A característica fundamental para se tornar um grande mestre enxadrista é a capacidade de adquirir e reter cerca de 30 mil a 50 mil diferentes padrões de amostras de reconhecimento na capacidade cognitiva da pessoa. Isso é parte da lógica por trás da hipótese de Malcolm Gladwell em *Blink*,* a saber, nossa capacidade de fazer avaliações imediatas de forma rápida, mas precisa, em inúmeras áreas da vida. Em geral reconhecemos um padrão relevante de nossa estocagem mental de possibilidades embutida na mente, mesmo que não tenhamos consciência disso.

---

*Edição brasileira: *Blink: A decisão num piscar de olhos*, Rio de Janeiro, Rocco, 2005. (*N. do T.*)

A questão da analogia com o xadrez é que podemos usar a economia para expandir nosso conjunto de "amostras de reconhecimento" para enxergar padrões no comportamento humano, incluindo nosso próprio comportamento e, é claro, nossos erros.

A economia tem muitas facetas. Alguns economistas focam na medição estatística do comportamento humano. Steven Levitt, o famoso autor de *Freakonomics*, fez seu nome estudando estatísticas sobre áreas inusuais ou pouco exploradas, como criminalidade, corretores imobiliários e lutas de sumô. Outros economistas tentam prever o próximo ciclo no mundo dos negócios ou a futura cotação das ações. Há ainda os que constroem modelos matemáticos ainda mais complicados para o comportamento humano, às vezes sob a rubrica da "teoria dos jogos". Os economistas dos *think tanks* reivindicam uma política pública atrás de outra. Em um nível mais simples, muitos livros didáticos ensinam terminologia básica e o modo como lidar com gráficos e símbolos. Este livro não faz nada disso.

Pelo contrário, vou me concentrar na utilização da economia para aperfeiçoar nossas habilidades de reconhecimento de padrão — em outras palavras, como descobrir nosso Economista Interior. Em cenários mais realistas, não dispomos do tempo ou da propensão para "mastigar os números", mesmo na eventualidade improvável de que todos os dados estejam diante de nossos olhos (você sabe qual é a devolução do imposto de renda de seu dentista, informação necessária para calcular um bônus ideal pelo seu bom trabalho?). Temos de tomar decisões rápidas, entretanto, queremos tornar possíveis as melhores decisões. Mesmo que tenhamos meses para ponderar, em geral não dispomos de mais informações do que os fatos essenciais com que começamos. Porém a realidade não se resume a uma "*buzzin', bloomin' confusion*", ou um "diacho de uma confusão atordoante", para tomar emprestadas as palavras de William James. Há de fato uma ordem — às vezes, oculta — no universo social.

Veremos que há bons motivos para não perder a esperança. Pequenos aperfeiçoamentos na compreensão podem acarretar um uso *muito* melhor dos incentivos, levando a decisões *muito* melhores e vidas *muito* melhores. A imperfeição humana não é o fim de uma história, mas antes o início de uma busca por todos os tipos de riquezas.

2

Como controlar o mundo, o básico

O DINHEIRO PODE TER comprado a traição de Judas e o infame governo local da sociedade Tammany Hall, em Nova York, mas normalmente não constitui o melhor motivador de todos, seja na família, seja no trabalho. Se você pretende controlar melhor o que acontece a sua volta, precisa aprender a equilibrar os tipos de incentivos que tem a oferecer.

O economista Colin Camerer fez uma pesquisa no Fórum Econômico Mundial de Davos, que recebe inúmeros gigantes dos negócios e gurus de ideias do mundo todo. Quando perguntados sobre o que fazia as pessoas funcionarem, os participantes da pesquisa mencionaram "reconhecimento e respeito" como fatores motivacionais primordiais no local de trabalho. "Realização pessoal e dos objetivos" vinha em segundo.

Mas não tão rápido — não se pode simplesmente dispensar o dinheiro. É óbvio que economias sem boas recompensas financeiras apresentam desempenho pobre. Comunidades utópicas entram em colapso porque ninguém se presta ao trabalho pesado. O Estado socialista da antiga União Soviética levou a filas e privação, não à solidariedade. Mais do que tentar fazer os consumidores felizes, os administradores iam ao encontro das metas artificiais dos planejadores centrais — trapaceando e mentindo, se necessário. Pouca gente fez um grande trabalho "pelo bem da Pátria Mãe". O mais comum era que os cidadãos soviéticos trabalhassem para melhorar seu status social e obter os bens geralmente reservados aos membros da burocracia comunista. Uma retórica marxista às avessas, era impossível contribuir sem incentivos financeiros. A União Soviética simplesmente tinha uma versão inferior — e menos justa — das recompensas e punições. Dinheiro faz diferença.

Robert G. Swofford Jr., funcionário dos correios de Seminole County, Flórida, ganhou 60 milhões de dólares na loteria. Ele levou mais de um mês para aparecer e reclamar seu prêmio. Não, ele não estava planejando a cobertura da mídia. Ele ficou de bico calado e se divorciou da esposa, de quem havia se separado três anos antes. Mais tarde, o casal chegou a um acordo sobre a divisão dos valores: a ex-esposa ficou com 5,25 milhões de dólares e uma pensão de um milhão para o filho de 11 anos do casal, concordando, em troca, em não tentar obter nem mais um tostão dos ganhos do marido.

(A propósito, se você se interessa por justiça cármica, Swofford posteriormente levou vários tiros, por acidente, de dois policiais que investigavam um crime. Ele sobreviveu e mais tarde teve de fazer um acordo adicional com a irmã da ex-esposa, com quem também tivera um filho.)

Então, como equacionar essas diferentes perspectivas? Em que medida dinheiro *realmente* importa? E quando o dinheiro não é suficiente para motivar as pessoas, o que fazer?

A análise clássica de conduta sugere que não devemos oferecer bônus a menos que tenhamos bons indicadores de sucesso. Não pague o mecânico por finalizar o trabalho até dar partida no carro. Os hospitais resistem a dar bonificações aos médicos que obtêm uma alta taxa de sucesso nas cirurgias de coração. Muitos médicos acabariam relutando em assumir os casos mais complicados por medo de manchar a ficha de seu desempenho.

Os argumentos contra premiações indiscriminadas ficam ainda mais fortes quando os trabalhadores acham que os chefes usam bônus para recompensar subalternos de sua predileção. Esses trabalhadores veem os bônus como a estruturação de uma poderosa coalizão de forças injustas, não como um incentivo moral no local de trabalho.

Mesmo assim, as bonificações ainda são uma forma comum de compensação. Uma breve análise econômica pode fornecer um bocado de insights conflitantes. De que maneira poderemos saber como conseguir os melhores resultados em determinadas circunstâncias? Forneço três parábolas para ajudar aqueles que estão em busca de descobrir seu Economista Interior: a Parábola da Louça Suja, a Parábola do Vendedor de Carros e a Parábola das Multas de Estacionamento. Essas anedotas não muito dramáticas, por mais insignificantes que pareçam, ilustram diretrizes para a aplicação de punições e recompensas. Mas para entender que parábola se aplica e quando, teremos de aprender a lidar com o tato destro de nosso incipiente Economista Interior.

• • •

1. **A Parábola da Louça Suja**
A maioria de nós já teve experiência de morar com alguém com o costume de negligenciar suas responsabilidades. A roupa suja fica na máquina de lavar por dias a fio. Pilhas de pratos sujos crescem sobre a pia, sobretudo se o estoque de pratos limpos na lava-louças ou no escorredor ainda não terminou. Quanto mais a louça fica ali, maior a probabilidade de que o problema permaneça sem solução. O mais apropriado é lavar o que foi usado, logo após a refeição. Uma vez que a louça se torna uma "tarefa velha", é porque o devido responsável falhou no cumprimento de sua missão. Nesse ponto, muita gente simplesmente se esquece disso por completo.

Para compreender os limites do dinheiro, vamos tentar uma experiência. Vamos chamar um de nossos filhos e *pagar* para que lave a louça.

Ao contrário do que reza a interpretação mais ingênua da economia, o dinheiro — ousarei chamar isso de "subornar seu filho"? — normalmente não resolve o problema. Na verdade, pesquisas indicam que a pia provavelmente vai ficar ainda mais suja ou, na melhor das hipóteses, igual.

O fracasso da propina reflete a complexidade da motivação humana. As pessoas se deixam motivar por fatores externos, tal como dinheiro, e também por fatores internos a sua psique, como prazer, orgulho ou necessidade de fazer um bom trabalho pelo mérito que isso traz em si mesmo. Às vezes o pagamento leva as motivações externas a tomarem o lugar das internas. Contudo, em alguns casos as motivações internas é que constituem a garantia do trabalho feito. Um pagamento pode ser contraproducente.

Se você disser a sua filha que ela é obrigada a lavar a louça, ela não vai se esquecer. Ela pode até negligenciar o dever vez ou outra, mas sentirá a necessidade de cooperar e corresponder às expectativas. A criança pensa: "Meus esforços fazem diferença para a família. Estou contribuindo." Além do mais, sua filha vai respeitá-lo, ou respeitá-la, por acreditar que você é o chefe da família, que ela lhe deve alguma obediência intrínseca.

Quando pagamos uma criança, a história muda de figura. Ela diz a si mesma: "Lavar louça é trabalho em troca de dinheiro", e não o sente como uma obrigação. O pai ou a mãe se torna um chefe, mais do que um alguém a quem se deve lealdade. É uma relação de mercado. A filha é tão obrigada a lavar a louça quanto a se formar em direito ou comprar chiclete. Afinal, mercados dizem respeito a escolha, certo? Podemos esperar pratos mais sujos, e solapamos a integridade da família em um pequeno grau.

Uma filha não obtém muito status entre seus colegas ganhando um dinheirinho por lavar a louça. O mais provável é que o status advindo de trabalhar para os pais seja negativo. Não pense que ela vai se gabar com os amigos sobre como ganhou o dinheiro. Ter o próprio emprego — sinal de idade adulta e independência — é muito mais interessante. Dinheiro de pais, que cheira a mesada para um dependente imaturo, não vai funcionar como uma boa motivação para lavar os pratos. Mas o pagamento vindo de um patrão no supermercado — quanto mais rude melhor, nem que seja apenas para fazer com que ela se sinta no mundo real — vai ensiná-la o valor da pontualidade. A mesma filha que sempre negligencia a louça vai fazer tudo que puder para receber um extra por trabalhar aos domingos.

Quando dinheiro não funciona, às vezes o melhor modo de obter resultados é elogiá-la pela aptidão e talento no desempenho da função, correspondam ou não os elogios à verdade. Aqueles que se mostram um pouco relutantes em mentir, podem ver o falso elogio como uma espécie de tentativa de ajudar na concretização de uma profecia, não como uma inverdade deliberada. Não é o ideal, mas de fato apela ao desejo de fazer um bom trabalho.

Em um estudo, dois métodos para manter uma escola limpa foram comparados. Os coordenadores podiam a) instruir os alunos a manter a ordem e a limpeza ou b) cumprimentá-los por manter a ordem e a limpeza. Advertir não teve efeito algum, mas com os elogios a coleta de lixo aumentou em três vezes. Os alunos enxergaram um ganho em ser identificados como pessoas limpas e conscientes; reprimendas, se é que fazem alguma diferença, só tornam essa autoimagem mais difícil de ser adotada.

Pesquisas confirmam que o pagamento nem sempre leva à execução de um melhor trabalho. Economistas e psicólogos puseram pessoas em situações artificiais e lhes pediram para realizar tarefas, desde adivinhar o número de feijões em um jarro até desempenhar serviços domésticos e resolver palavras cruzadas. Em geral, os pesquisados se saem tão bem quanto, ou às vezes ainda melhor, quando nada está em jogo. O exemplo da louça foi tirado de minha própria casa, mas esse episódio é típico. O resultado básico já foi observado e reproduzido com muitas tarefas.

Às vezes o problema é outro; seres humanos se sentem ofendidos com a ideia de comercializar tudo em mercados. Li uma carta numa coluna de aconselhamento escrita por uma mulher cujo marido prometeu "pagar por quilo" para que perdesse peso. Suspeito que esse casamento não seja dos mais felizes. Também suspeito que ela não vai perder muito peso nem se sentir atraída pela oferta.

O próprio ato de comercializar contradiz alguns de nossos valores mais caros. Pagar por sexo é relativamente fácil. Pagar por um determinado tipo de sexo — digamos com amor ou beijos apaixonados — pode ser impossível.

Isso posto, ainda precisamos imaginar quando o dinheiro vai fazer uma grande diferença.

2. A Parábola do Vendedor de Carros

É a mais simples das três anedotas. Se você não paga as pessoas, elas não vendem carros.

Vendedores de carros normalmente recebem bônus pela quantidade de carros vendidos e é claro que suas bonificações são uma percentagem do preço obtido. É por isso que são tão inflexíveis na hora de negociar. Dificilmente alguém vende carros porque gosta.

Olhando pelo lado positivo, incentivos de fato significam que muitos carros sejam vendidos. Embora o vendedor tente conseguir o preço mais alto possível, um vendedor que abusa dos clientes perde negócios.

A parábola do vendedor de carros é a mais simples de nossas três e está inserida no cerne do raciocínio econômico padrão. O macete é saber quando ela não se aplica.

3. A Parábola das Multas de Estacionamento

Mostra como as pessoas em geral reagem ao mesmo incentivo de maneiras muito diferentes.

Até 2002, diplomatas das Nações Unidas gozavam de imunidade legal para qualquer multa por estacionamento proibido em que incorressem no cumprimento de missões para os Estados Unidos. Eles podiam estacionar onde bem entendessem, incluindo na frente de hidrantes, e ignorar todas as punições legais. Não é de surpreender que inúmeros diplomatas se aproveitavam desse privilégio. Entre novembro de 1997 e o fim de 2002, em Nova York, diplomatas das Nações Unidas incorreram em mais de 150 mil infrações de estacionamento.

A infração mais comum era de longe estacionar em áreas de "Proibido — Carga e Descarga". Estacionar diante de hidrantes totalizava 7% das multas.

A distribuição dessas infrações entre os países com representação na ONU era muito desigual. Os 31 diplomatas noruegueses e suecos não tiveram nenhuma multa de estacionamento não paga nesse período de tempo. Diplomatas de Canadá, Irlanda, Holanda, Reino Unido e Japão também não.

Por outro lado, os diplomatas do Kuwait incorreram em mais de 246 infrações não pagas de estacionamento por diplomata. Os representantes do Egito ocuparam um distante segundo lugar com meras 139,6 infrações por diplomata. Os oito piores infratores seguintes, na ordem, eram: Chade, Sudão, Bulgária, Moçambique, Albânia, Angola, Senegal e Paquistão.

Não acredito que esses países tenham um monte de diplomatas daltônicos incapazes de enxergar as faixas amarelas. Na verdade, a maioria desses diplomatas apenas não morre de amores pelo cumprimento da lei. Muitos são corruptos, pura e simplesmente, ou eram corruptos em seus respectivos países de origem.

A questão é: os diplomatas da Suécia e do Kuwait se viram diante dos mesmos incentivos imediatos quando decidiram estacionar e pagar ou não suas multas. Contudo os resultados foram muito diferentes.

Por que será? Vamos recuar um pouco e considerar o contexto.

Não é fácil obter uma descolada atribuição diplomática em Nova York em lugar de um posto no serviço público da glamourosa N'Djamena, capital do Chade. Veja essa matéria turística de alguns anos atrás: "A capital do Chade vagarosamente recupera a reputação que tinha antes da guerra como uma das cidades mais animadas da África Central. Os buracos de balas nos edifícios servem como lembrança de tempos difíceis, mas a atmosfera por aqui é cada vez mais otimista."

Só que, ops, eis aqui uma matéria do *Washington Post* de apenas alguns anos mais tarde: "O fogo pesado de morteiros e metralhadoras ecoava pela capital do Chade na terça-feira conforme os rebeldes baseados na região do Darfur, no oeste do Sudão, marchavam para dentro da cidade e combatiam tropas do exército, segundo testemunhas e novos informes. A tevê estatal transmitia imagens de corpos ensanguentados de rebeldes, alguns ainda se contorcendo, empilhados nos degraus da Assembleia Nacional em N'Djamena, a capital. Testemunhas relataram ter visto corpos em outras áreas da cidade, disseram as agências de notícias, e os moradores podiam ser vistos fugindo com os helicópteros sobrevoando."

Chade claramente não é um dos países mais estáveis. Em lugares como esse a cultura da meritocracia é rara. Quanto mais pobre o país, mais provável que seus diplomatas tenham recebido tratamento especial a vida toda, e a expectativa deles é de que esses privilégios continuem. Corrupção engendra subsequente irresponsabilidade. Na verdade, *quanto mais elevado o índice de corrupção doméstica em que um país figura, mais elevado o número de multas por estacionamento proibido não pagas na cidade de Nova York recebidas pelos seus diplomatas das Nações Unidas.*

Isso nos leva a um ponto fundamental na aplicação de recompensas e punições: a forma como uma pessoa percebe o que está em jogo ao fazer sua escolha é importante na sua percepção dos incentivos. Não se trata apenas de entender direito a combinação de incentivos, é preciso também saber alguma coisa dos valores ou culturas do povo com quem você está lidando.

Em nosso exemplo específico, suecos muito provavelmente consideram os governos — seja os seus próprios, seja os dos outros — moralmente legítimos. Desse modo é mais provável que obedeçam às leis, mesmo na ausência de qualquer motivação egoísta imediata. Suecos também, em média, são muito ciosos de cultivar sua reputação como cidadãos cumpridores da lei, nem que seja apenas em prol de suas futuras carreiras. Às vezes há outro diplomata no carro, então nem todas essas infrações de estacionamento são segredo.

Diplomatas de Kuwait, Egito ou Chade muito provavelmente ganham a vida por meio de corrupção, ligações familiares especiais e desrespeito à lei. Eles veem o hidrante como um aborrecimento, não como um bem público para o benefício da comunidade local.

Não é nem mesmo uma questão de valores civis. As pessoas expressam suas predileções e antipatias indiretamente. O número de multas por estacionamento também mostra que se um país tem opinião favorável sobre os Estados Unidos, seus diplomatas menos provavelmente terão menor quantidade de multas não pagas. Uma pesquisa de opinião pública do instituto Pew de 2002 indicava que os Estados Unidos eram mais populares entre os cidadãos de Honduras, Venezuela, Gana, Filipinas e Nigéria. Esses países obtiveram desempenho melhor no índice de multa por estacionamento do que seria de se esperar com base em suas outras características. Nesse mesmo levantamento, os países que exibiam uma opinião menos favorável dos Estados Unidos eram Egito, Paquistão, Jordânia, Turquia e Líbano. Egito e Paquistão estavam ambos entre os dez piores transgressores das multas de estacionamento. Em outras palavras, os diplomatas são mais propensos a se comportar de modo irresponsável quando sentem desprezo pelo país onde vivem.

O número de multas de estacionamento não pagas sobe consideravelmente conforme os diplomatas passam mais tempo na cidade de Nova York. Pode ser que aprendam a realidade da imunidade diplomática. Ou talvez eles aprendam que existem poucos lugares onde é permitido estacionar no centro de Manhattan. Em todo caso, os diplomatas encaram o jogo da multa por estacionamento de forma diferente. E a mudança de percepção é maior entre os diplomatas dos países onde a corrupção é maior. Em pouco tempo eles descobrem quais leis devem ser respeitadas (por exemplo, não ofereça dinheiro a um policial) e quais podem ser burladas.

Controlar gente exige uma compreensão do contexto social da pessoa que se está tentando controlar com recompensas e punições. Ele ou ela enxerga cooperação ou "defecção" quanto à opção *default* escolhida por seus colegas?

É uma supersimplificação alegar que algumas sociedades são "simplesmente mais cooperativas" que outras. Por exemplo, no Kuwait existe uma tradição de extrema hospitalidade em relação a visitantes estrangeiros; na cultura beduína, é uma obrigação de longa data ajudar pessoas perdidas no deserto, mesmo se a ajuda implica considerável risco e despesas. Esse é um tipo de cooperação. A Suécia, mais rica, mais segura e mais individualista, mostra bondade para com estrangeiros de outras formas, como acolhendo os imigrantes, mas o provável é que vejam suas responsabilidades mais em termos de política do governo nacional do que de relações de clã ou tribais.

Ninguém é cooperativo o tempo todo. O que para muitos americanos é visto como comportamento não cooperativo é concebido como socialmente aceitável na Escandinávia; os escandinavos desprezam deveres, leis e procedimentos apropriados.

Qualquer um que visite a Suécia ou a Noruega vai notar sua população particularmente alta, vigorosa e sem dúvida saudável. As taxas de longevidade dos escandinavos estão entre as mais elevadas do mundo. Contudo, um estudo recente mostrou que em média cerca de 25% dos trabalhadores noruegueses se ausentam do trabalho em um dia comum. Geralmente estão "doentes", estão "passando por recuperação" ou sofrem de alguma incapacitação por longo período. A taxa de absenteísmo é particularmente alta entre os funcionários públicos, que constituem cerca de metade da força de trabalho. Os escandinavos não veem mal algum em decidir simplesmente ficar em casa. Na Noruega, o absenteísmo crônico enfrenta poucas punições. No primeiro ano de licença por doença geralmente o trabalhador recebe pagamento integral por um ano e 60% no segundo. Se um empregado é demitido, o seguro-desemprego é longo e generoso. As licenças de incapacitação por longo período superam os 20% desde 1990, embora a saúde geral dos noruegueses tenha melhorado, não piorado.

Os períodos de férias são de cerca de cinco semanas para a maioria das pessoas; a Noruega tem 11 feriados nacionais abonados e ainda há, é claro, os fins de semana. Apenas levando isso em consideração, os noruegueses deixam de trabalhar quase pela metade do ano civil, ou cerca de 170 dias. Doença, incapacitação e recuperação somam inúmeros dias livres extras.

Os noruegueses simplesmente são menos afeitos ao trabalho e estão acostumados com a ideia de que não precisam trabalhar e que é melhor não trabalhar. Eles não tendem a pensar que essa crença os torna não cooperativos. A Noruega é uma sociedade rica e, como a maioria da Europa ocidental contemporânea, ela exalta o lazer, não o crescimento econômico. Parabéns para eles, alguns de nós podem pensar. O tempo de lazer não é um dos maiores prazeres de todos?

Mas aí é que está precisamente a questão. Os noruegueses — e alguns de nós — julgam esse comportamento inteiramente aceitável. Mas o morador comum do Chade, que trabalha sete dias por semana, mesmo quando debilitado por malária ou disenteria, pode achar isso inacreditável ou terrível.

Os psicólogos escrevem sobre o "Erro Fundamental de Atribuição" ou "viés de correspondência", como é às vezes chamado. O erro é presumir que uma única instância de comportamento individual representa um traço de personalidade profundamente enraizado. Na verdade, o comportamento geralmente é resultante de influências situacionais. Por exemplo, se alguém fura a fila, tendemos a presumir que a pessoa é mau-caráter. Mas há uma boa probabilidade de que não tenha percebido o que estava fazendo, talvez devido ao estresse.

Os pesquisadores oferecem inúmeras explicações para nossa tendência a tipificar, mas na minha opinião há um fator particularmente comum. Presumimos que os outros concebem as escolhas do mesmo modo que nós fazemos. Para a outra pessoa, "o que está em jogo" é muitas vezes diferente do que acreditamos estar em jogo. Os diplomatas do Kuwait, a seus próprios olhos, não estão sempre "tirando vantagem cinicamente dos Estados Unidos para seu proveito pessoal na hora de estacionar". Às vezes estão incorrendo em "descaso discricionário comum para leis mal elaboradas, desnecessárias e inapropriadas".

A maioria de nós anda a 65 quilômetros por hora ou talvez até a 80 quilômetros por hora em uma zona de 40 quilômetros por hora. Onde moro, no norte da Virgínia, 55 quilômetros por hora é a velocidade média em uma zona de 40 quilômetros por hora. Racionalizamos nossa negligência pela lei observando que muita gente faz a mesma coisa e que de outro modo seria impossível andar por aí. Mas normalmente não corremos tanto assim em nossa própria rua, sobretudo se temos crianças pequenas. Não somos tão diferentes assim dos diplomatas kuwaitianos como gostamos de pensar.

A propósito, essa parábola mostra por que acionistas não contratam economistas para administrar as maiores e mais lucrativas corporações do mundo. Os economistas têm teorias maravilhosas, mas a manha é saber que teoria específica se aplica e quando. Interpretar e compreender as crenças de alguém é tanto uma arte como uma ciência.

No último ato dessa história de multas por estacionamento proibido, a opinião pública americana se ergueu contra o comportamento. As Nações Unidas são vistas com ceticismo de longa data nos Estados Unidos e diplomatas estrangeiros gozam de popularidade ainda menor. A municipalidade de Nova York foi ficando cada vez mais frustrada e o Congresso decidiu agir. A Emenda Clinton-Schumer de 2002 deu à cidade de Nova York o direito de guinchar os veículos dos diplomatas com multas de estacionamento pendentes. Multas subsequentes seriam subtraídas, por intermédio do Congresso, de uma cota de ajuda externa ao país em questão.

O número de multas por estacionamento proibido caiu imediatamente em mais de 90%. Mas o ranking dos países que acumulavam mais e menos multas não pagas permaneceu praticamente inalterado.

• • •

ENTÃO QUANDO É que cada parábola se aplica? Quando se trata de usar recompensas e punições financeiras, não podemos esperar que um único fator — a quantidade de dinheiro oferecida, o comprometimento da pessoa ou o grau de compreensão que ela tem sobre as expectativas alheias — determine o curso correto de ação. Temos de observar um aglomerado de fatores relacionados e então sopesá-los. A Parábola do Vendedor de Carros é a mais motivadora de pessoas quando uma combinação das seguintes condições vigora:

1. Oferece recompensas financeiras quando o desempenho em uma tarefa é altamente suscetível ao esforço extra.

   Trabalho burocrático exige atenção. Arquivar documentos em uma ordem correta é tedioso, mas é algo ao alcance da maioria de nós. Tudo que precisamos é tentar fazê-lo corretamente. Pagando mais por um bom resultado, tentamos com maior empenho. Isso já foi confirmado com experimentos de laboratório.

   Premiações e recompensas também melhoram a memória simples e a capacidade de se lembrar, novamente desde que as tarefas estejam ao alcance da maioria. Tarefas que envolvem comparação cuidadosa de informações, como contabilidade, pedem também por recompensas e bonificações. Prêmios também motivam os indivíduos a identificar erros tipográficos. Para os razoavelmente instruídos essa tarefa é em grande parte questão de atenção.

   Premiações e pagamentos induzem ainda os indivíduos a suportar mais dor. Em uma experiência, pediu-se a um grupo de mulheres que mantivessem as mãos numa água muito gelada — cerca de dois graus Celsius — por quatro a oito minutos. Cada uma receberia dois dólares por aguentar quatro minutos e um dólar adicional por cada minuto extra depois.

   As que recebiam dinheiro mantiveram as mãos na água fria por muito mais tempo do que as que não eram pagas; a diferença foi uma média de 307 segundos contra de apenas 110 segundos. Essa foi uma diferença maior da que as participantes haviam antecipado antes do início do experimento — a saber, médias de 355 segundos para o grupo pago contra 262 segundos para o grupo não pago. Em outras palavras, as pessoas que não recebiam dinheiro perdiam sua tolerância para suportar o desconforto mais rapidamente do que haviam imaginado. Às vezes, o dinheiro importa mais do que gostamos de pensar.

   Mas algumas atividades são tão fáceis e tão transparentes que uma premiação maior não ajuda. Por exemplo, quando indivíduos pechincham sobre o gasto de um dólar fazem um negócio quase tão bom quanto ao pechinchar cem dólares. Simplesmente não existe muito campo de manobra para tentar com mais empenho, e desse modo os interesses maiores não têm qualquer impacto.

Uma jovem lavando a louça é uma questão de esforço, e desse modo pode parecer que se encaixaria nessa categoria geral. De fato, é o caso quando um restaurante contrata uma adolescente para trabalhar na cozinha. Mas este item 1 em geral não se aplica a filhas ou a pessoas que mostram paixões, tanto positivas como negativas, quanto à tarefa em questão.

2. Oferecer recompensa monetária quando a motivação intrínseca é fraca. Minha esposa passa parte do tempo arrumando a sala de estar para a família. Eu seria louco se começasse a remunerá-la por isso. Ela já tem a motivação intrínseca para fazer o serviço e ganha um bom dinheiro como advogada. Não precisa de dinheiro para encorajar seu hábito de limpeza. Ousarei dizer que é apaixonadamente devotada a manter um bom lar, de modo que isso é uma forte motivação intrínseca? De minha parte, gosto de cozinhar para a família (as cozinhas mexicana, indiana e chinesa são minhas paixões) e me saio bem nessa tarefa mais porque sinto orgulho por meu desempenho do que por esperar pagamento.

Rland Fryer, um economista de Harvard, decidiu conduzir uma experiência e pagar alunos para obter melhores notas. Um novo programa-piloto vai recompensar crianças de escola se tiverem bom desempenho nas provas de leitura e matemática por todo um ano letivo. Uma média de 80, por exemplo, corresponderá a um bônus de 20 dólares, com posteriores pagamentos para melhoras subsequentes. Fryer explicou a um repórter: "Existem pessoas que se preocupam em dar às crianças incentivos extras por coisas que intrinsecamente já deveriam ser capazes de fazer [...]. Entendo isso, mas existe uma imensa lacuna de realização neste país, e temos de ser pró-ativos."

De fato, têm ocorrido experimentos com notas remuneradas. Uma escola perto de Detroit, no distrito escolar de Birmingham, começou a pagar aos alunos do terceiro ano "*Beverly Bucks*" ("grana de Beverly") por se saírem bem nas lições de casa e nas provas. Uma prova de soletrar vale $2. O "contracheque" vinha com a denominação em dólares mas o título era válido apenas na loja da escola. As crianças também pagavam impostos nos corredores e no parque. Podiam perder dinheiro, também. "Se eu acidentalmente bater em alguém, tenho que pagar $4 ou $5", disse Shane Holmes, 8 anos, parecendo achar um prejuízo desse tamanho aterrorizante.

Fryer ainda está por encerrar seu experimento, mas prevejo um resultado: esse método vai funcionar melhor em escolas ruins, onde as crianças de outro modo não veem qualquer motivo para fazer sua lição de casa ou prestar atenção nas aulas.

Há na verdade uma longa história de pagamentos a alunos para obtenção de boas notas. Isso já havia sido tentado em 1820, no sistema escolar municipal de Nova York, pela Society for Progressive Education. O sistema foi abandonado na década de 1830, sob alegação de que encorajava o "espírito mercenário", mais do que o aprendizado.

3. Pagar recompensas financeiras quando receber dinheiro por uma tarefa gera aprovação social.

   Os atores sabem que "chegaram lá" se ganham 20 milhões de dólares por filme. Eles se sentem bem com o dinheiro, não têm vergonha dele. Isso mais fortalece do que atrapalha as motivações internas para trabalhar duro e exibir seu talento.

   Gerentes de fundo livre recebem incentivos de ego com os milhões que faturam. São indivíduos determinados, obcecados tanto com dinheiro como com status. Novamente, as duas recompensas caminham na mesma direção.

   Para uma jovem intelectual de 18 anos de idade, um emprego na Borders é ao mesmo tempo divertido e descolado. O gerente pode pagá-la para reordenar as estantes de livros, mesmo que seu pai não consiga fazê-la lavar a louça nem pagando.

Uma vez que bonificações parecem contraproducentes em tantos experimentos, muitos psicólogos sociais têm se perguntado se uma economia moderna não deveria limitar significativamente o uso de pagamentos em dinheiro. Esse ponto de vista fantasioso deriva de um punhado de acadêmicos levando suas próprias vidas mal pagas a sério demais. Só porque muitos professores aperfeiçoam suas aulas sem nenhuma expectativa de retorno financeiro isso não significa que o mundo deva conduzir seus negócios na mesma base. Pagamentos em dinheiro no laboratório muitas vezes saem pela culatra, assim como acontece em casa ou no local de trabalho, porque muitas vezes são mal aplicados. Um laboratório é um lugar útil para ver o que pode acontecer, mas não pode nos dizer o que, no mundo real, *vai* de fato acontecer ou *deveria* acontecer. As pessoas que administram o laboratório não são as mesmas pessoas que cuidam dos negócios, nem podem criar as mesmas recompensas de status por uma realização. O mundo dos negócios é mestre em achar — e na verdade criar — situações onde pagamentos em dinheiro e o ímpeto por status trabalham juntos para levar as pessoas a se empenhar.

A verdadeira questão é saber quando recompensas em dinheiro funcionam e quando não funcionam. Se os fatores 1, 2 e 3 (listados acima) têm lugar, é provável que estejamos diante de um cenário Vendedor de Carros. Em outras palavras, devemos usar dinheiro como motivador quando o esforço faz diferença, quando há pouco desejo intrínseco de realizar o trabalho e quando o dinheiro promove o status social do sujeito que o recebe. A ausência desses mesmos fatores sugere um cenário Louça Suja.

Proponho mais alguns qualificadores para o uso de recompensas e punições financeiras. Por exemplo, devemos ser cautelosos em oferecer recompensas e punições para indivíduos que tragam premissas equivocadas para lidar com o problema, ou indivíduos que exagerem na resposta. Não tenho ideia de como bater numa bola de golfe em um campo e acertar o buraco. Alguém me pagar mil dólares para completar um circuito provavelmente só intensificaria minha aplicação de maus hábitos. Às vezes tentar com mais ênfase torna tudo mais difícil.

Em um estudo, dois grupos de pessoas receberam informações sobre vinte alunos e pediram-lhes que prognosticassem quais desses alunos "receberam honras". Foi dada a eles também uma fórmula para fazer o prognóstico e lhes disseram que era muito difícil superar a fórmula. Solicitou-se a um dos grupos que fizesse prognósticos, mas esse grupo sabia que não ganharia nada por acertar. A maioria das pessoas no grupo se ateve à fórmula e a taxa de acerto foi de 66%. O segundo grupo de pesquisados recebeu uma oferta de dinheiro por palpites corretos. Apresentaram maior tendência a abandonar a fórmula — estavam "se esforçando demais" — e apresentaram uma taxa de sucesso de 63%.

Recompensas mais elevadas podem, a longo prazo, estimular meu interesse em lições e no árduo processo de adquirir destreza real no golfe. Mas, a curto prazo, e muitas vezes a médio prazo, as recompensas vão intensificar equívocos básicos, enraizados. Quando nossa capacidade de avaliação é prejudicada logo de cara, e muita coisa está em jogo, sentimos necessidade de fazer "todo o possível". Essa compulsão nem sempre é saudável para a qualidade final do desempenho.

A maioria dos criminosos comuns reage a incentivos imediatos por dinheiro, mas se preocupam menos com longos períodos de prisão ou com o declínio das perspectivas de vida. Richard T. Wright e Scott Decker, em seu fascinante livro *Burglars on the Job* [Ladrões dedicados], documentaram essa propensão ao curto prazo. Eles entrevistaram 102 ladrões comuns para descobrir o que motivava seus crimes.

Os criminosos quase sempre percebiam eles mesmos como estando em uma situação de crise. Eles tinham necessidade de um paliativo seguro de experiências prazerosas imediatas — em geral mulheres e drogas — e suas ações visavam garantir essas experiências. Na ausência desses paliativos, os criminosos sofriam de ansiedade. A necessidade, tal como era percebida pelos criminosos, era eliminar a fonte de ansiedade o mais rápido possível. Se os criminosos não tivessem dinheiro suficiente no bolso, como em geral era o caso, eles organizavam um roubo. Trabalho diário honesto não aliviava suas ansiedades dentro de um período de tempo suficientemente curto. Além do mais, trabalho legítimo em geral requer subserviência a um chefe, talvez o pior destino possível para muitas dessas pessoas.

Fazer com que criminosos comuns pensem mais no futuro exigiria mais do que endurecimento das punições para reduzir os atos criminosos. Em geral, os criminosos se recusavam a empreender um planejamento de antemão ou calcular seu risco. Em termos objetivos, alguns senão todos esses sujeitos encontravam-se à beira da fome ou da pobreza extrema. Os criminosos eram impelidos pelos incentivos — impelidos até demais, alguém pode alegar —, mas eles buscavam recompensas imediatas e ignoravam os custos de longo prazo.

4. Recompensas elevadas tendem a fazer indivíduos "engasgar".

Ah, como temos medo de cometer enganos. Tentar executar uma tarefa, e correr o risco de falhar, acarreta estresse ou sentimentos de baixa autoestima. Vejo esses problemas frequentemente no papel de orientador de dissertações na universidade. Muitos alunos têm medo de não conseguir escrever tão bem quanto deveriam. Quanto mais coisas há em jogo, mais ficam paralisados e maiores os erros cometidos. Alguns alunos abandonam a dissertação completamente, apenas porque se sentem subjugados por sua importância. Essas pessoas — que são extremamente inteligentes — se saem melhor quando os riscos são menores.

Digamos que eu esteja na marca de arremesso livre de uma quadra de basquete e que tente fazer a cesta em uma única tentativa. Sou um amador ruim em basquete e não estou, para dizer o mínimo, acostumado com a pressão das situações de campeonato. Ninguém nunca me pediu para fazer o arremesso da vitória em jogo disputado (quer dizer, tirando no um contra um), muito menos em um contexto profissional. Que tipo de recompensa ou punição irá maximizar a chance de que eu acerte a cesta?

Suspeito que a premiação ideal no caso do basquete seja de cem dólares. É exatamente quanto basta para captar minha atenção e induzir minha plena concentração. Talvez até cinquenta dólares sejam suficientes. Se um tirano maligno, ou talvez um terrorista, ameaçar cortar minha cabeça caso eu não consiga fazer a cesta, não tenho certeza se reagiria muito bem. Duvido que a chance de fazer a cesta seria maior. Não quero que *haja coisas demais* em jogo. Uma enorme multidão me observando só tornaria tudo mais difícil.

No famoso romance de ficção científica *Ender's Game*, de Orson Scott Card, toda uma guerra intergalática é travada com o uso de crianças que disputam "jogos" de guerra na tela de um computador. Dizem às crianças que aquilo é uma importante competição e elas pensam que não passa de um game. Não fazem a menor ideia de que o próprio futuro da civilização humana está em jogo ou que um único tiro irá matar inúmeras criaturas de carne e osso em espaçonaves bem reais.

Pessoas estressadas tendem a se conformar mais facilmente à opinião da sociedade. Elas se sentem fora de controle e assim procuram a mentalidade do grupo e a proteção segura da aprovação alheia. Existe um "fora" melhor do que fazer o que os outros nos mandam fazer? Se um erro ocorre, não é de fato nossa culpa. Quais as implicações? Nunca estresse pessoas cuja avaliação é crítica para o sucesso de um projeto.

Isso me leva a meu segundo argumento qualificador sobre o uso de recompensas financeiras para controlar as pessoas, e vai direto ao âmago da questão. Devemos ser cautelosos com incentivos financeiros para pessoas que perderam o controle. Incentivos mal aplicados podem exacerbar essa sensação de desamparo e levar tais pessoas a se comportar destrutivamente ou a se rebelar apenas pela rebelião em si mesma. Em outras palavras, a aplicação de punições e recompensas pode fazer com que nos sintamos escravizados. O resultado é geralmente um desempenho pobre. *Todo mundo precisa sentir que está no controle de alguma coisa.*

3

Como controlar o mundo, saiba quando parar

VAMOS ANALISAR ESSA necessidade de controle em maiores detalhes.

Todo mundo sabe que fazer exercício é bom para a saúde, porém, muita gente passa tempo demais no sofá. Pelo menos superficialmente, um economista pode parecer que tem a resposta para esse problema. Podemos iniciar ou recorrer a mercados para nos forçar a fazer exercício.

Podemos "emitir uma debênture" para um amigo, esposo, parceiro de exercício ou qualquer pessoa para quem não iremos, ou não podemos, mentir. Preencha o cheque de antemão. O acordo é simples. Perdemos o dinheiro se não nos exercitarmos de acordo com um plano pré-elaborado com metas quantitativas bem definidas. Trinta flexões toda noite, mais uma visita à academia no dia seguinte. Se for necessário, servirei de monitor e descontarei seu cheque quando chegar pelo correio. Vou pedir fotos com data.

Ou a academia pode fazer o papel da força compelidora. A academia recolheria uma mensalidade maior e *nos pagaria* cada vez que comparecêssemos para completar um programa de exercícios sob sua supervisão. Quem melhor para monitorar a obediência do que profissionais no local?

Arranjos como esses, porém, podem nos afastar de vez dos exercícios. Apreciamos nos exercitar, mas não quando nos sentimos agrilhoados pela obrigação. Como no caso da Parábola da Louça Suja, excesso de incentivos externos pode diminuir as motivações internas. Se o exercício se torna uma arena regular da perda de dinheiro e humilhação, mais cedo ou mais tarde iremos evitar inteiramente a ideia de nos exercitar. Vamos parar de fazer esses contratos.

Sim, queremos nos exercitar mais, mas também queremos sentir que estamos no controle. Eis uma ânsia humana fundamental. Se nosso programa de exercício nos faz sentir como escravos — mesmo mediante obrigações *auto*infligidas — esse programa provavelmente está fadado ao fracasso.

É comum ouvirmos aquele bla-bla-blá sobre a "vida ser um processo" que podemos controlar. Em certo sentido isso é verdade, mas poucos reconhecem que nossa preocupação com processos está na raiz de inúmeros fracassos pessoais. Não obedecemos quando temos de fazê-lo. Quantos de nós escreveriam para as colunas de conselhos — refiro-me aos colunistas sagazes e criteriosos — se soubéssemos que teríamos de viver segundo a resposta recebida? Nossa preocupação quanto a estar no controle do processo é maior do que em chegar ao resultado desejado.

Assim, recompensas e punições muitas vezes falham quando os indivíduos sentem a perda de controle resultante. Quando empregamos incentivos, devemos revesti-los com respeito e pelo menos uma aparência de consulta. Tire as recompensas e punições da frente das pessoas, a menos é claro que essas recompensas acarretem status social. De outro modo, quanto mais conspícua a recompensa, maior a probabilidade de diminuir a motivação intrínseca.

Sentir a necessidade de estar no controle não é algo a respeito do qual possamos fazer muita coisa. A busca por controle deriva de impulsos psicológicos e biológicos profundos. É por esse motivo que câmaras de privação sensorial constituem uma forma de tortura tão eficaz; elas destituem a vítima de toda sensação de controle. Isso explica também por que trabalhar em um projeto próprio costuma ser tão satisfatório, ao menos se há boas chances de sucesso, ou se podemos nos iludir de que haja de fato.

A necessidade de controle é mais um motivo pelo qual uma filha não deve lavar a louça da família em troca de dinheiro. Ela receia ver um mundo onde se tornará uma marionete, continuamente à disposição do dinheiro dos pais. Essa é uma terrível desvantagem das recompensas e punições.

Nós as usamos para influenciar o comportamento de outras pessoas. E isso é precisamente o que leva as pessoas a sentirem falta de controle e falta de liberdade. Muitas pessoas se rebelam contra tais sentimentos, ou contra as origens desses sentimentos, e é por isso que incentivos podem ser tão ineficazes ou talvez até contraproducentes.

• • •

A IMPORTÂNCIA DE SE sentir no controle fornece mais algumas dicas sobre como melhorar o mundo, e como melhorarmos nós mesmos. Tentar controlar os outros pode ser desastroso. Às vezes simplesmente é necessário parar e seguir em frente.

Vamos voltar à Parábola das Multas de Estacionamento. Essa história mostra em que medida o tipo de pessoa — e o grau de cooperação dessa pessoa — pode fazer diferença. Em outras palavras, o que geralmente importa não é controlar as outras pessoas mas antes descobrir pessoas que pensem de modo similar, ou persuadir os outros a enxergar uma situação como você a vê.

A óbvia questão profissional aqui é em que momento devemos pagar por colaboradores de qualidade.

O mundo dos negócios tem uma velha máxima: "Pague para conseguir talento e pague para mantê-lo." É um clichê, mas agora temos uma percepção melhor de quando "ter as melhores pessoas" vale o custo. Quando recompensas e punições motivam, sobretudo com tarefas simples, a qualidade da pessoa importa menos. Contrate um burro de carga e pague a ele um bônus para arquivar aqueles documentos.

Devemos pagar mais pelo talento quando as bonificações e a motivação intrínseca operam juntas para elevar os níveis do esforço e da realização. Nesses casos o status social reforça, mais do que substitui, as recompensas financeiras. A vontade de obter um bom desempenho faz diferença. Aí estão os altos salários, e também os prêmios, para advogados importantes, grandes investidores e atletas. Quando tentam com mais afinco, os que se saem melhor sabem o que estão fazendo; não é como eu e meu ridículo suingue no golfe.

Também devemos pagar mais pelo talento quando a tarefa é socialmente importante mas as bonificações por desempenho do final do ano são fracas ou inexistentes. As instituições geralmente confiam na motivação intrínseca para contar com a execução do trabalho, e devemos nos assegurar de que estamos contratando pessoas com a motivação correta. Mais concretamente, devemos pagar melhor os professores, e não tenha dúvida de que isso me inclui.

Às vezes não se trata de pagar mais, mas antes de remodelar o ambiente de colegas circundantes. Em 1990, H. Wesley Perkins, um professor em Hobart and William Smith Colleges, descobriu que a maioria dos alunos achava que bebia menos do que a média dos alunos. Seu sentimento na verdade era de deficiência e covardia. Estudantes sentem pressão para beber mais para ser como os outros. Mas é claro que nem todos podem ficar abaixo da média, ou, aliás, acima da média. Esses sentimentos são em larga medida uma ilusão. É muito comum presumirmos que as outras pessoas estão saindo mais do que nós ou se divertindo mais do que nós. Na realidade estamos mais dentro do padrão do que gostamos de pensar.

Quando as estatísticas sobre bebida são divulgadas, os estudantes descobrem que poucos de seus colegas tomaram mais do que cinco copos numa festa. A pressão individual por mostrar que bebe diminui. O sistema universitário do estado da Califórnia aplicou essa abordagem de relações públicas com sucesso. Em vez de simplesmente dizer aos estudantes "Digam não ao álcool", o mais eficaz é dizer "Seja como a maioria".

Embora eu seja um otimista por vocação, sei que muitos problemas de incentivo são em grande parte insolúveis. Mas algum progresso, por mais modesto que seja, sempre é possível. Numa situação extrema, às vezes simplesmente precisamos saber quando desistir. Nunca dei muita sorte ao tentar fazer com que pessoas comodistas se tornassem pontuais. Em geral acabo tolerando seus atrasos ou pondo um ponto final na amizade.

No Equador, grupos civis e profissionais vêm desenvolvendo uma campanha por uma sociedade mais pontual. Os equatorianos são notórios por chegarem atrasados a tudo; um jantar marcado para as oito da noite não deverá começar antes das dez e meia. Chegar às nove causaria um choque nos donos da casa e seria visto como inapropriado. Esse arranjo pode funcionar para a vida social, mas é um desastre para os negócios. Segundo uma estimativa, o hábito de atrasar dos equatorianos significa um prejuízo de 4,3% da renda nacional.

Mas agora muitas empresas e órgãos do governo assinaram compromissos de pontualidade. Prometeram fechar as portas das salas de reunião na cara dos atrasadinhos. Placas com um texto de frente e verso vêm sendo feitas. Um lado diz: "Entre: você chegou no horário"; o outro diz: "Não entre: a reunião começou no horário." Um jornal local decidiu publicar regularmente listas de funcionários públicos que chegam atrasados a seus compromissos.

Um cartaz equatoriano diz o seguinte:

Sintomas: Raramente cumpre as obrigações a tempo, desperdiça o tempo das pessoas, deixa tudo para o último minuto, não respeita os demais.

Tratamento: Injete em si mesmo todas as manhãs uma dose de responsabilidade, respeito e disciplina. Recomendação: Planeje, organize as atividades e conserte seus relógios.

A campanha ainda não obteve qualquer efeito.

Muitas pessoas apresentam motivos emocionais profundamente arraigados para se atrasarem. Chegar antes as expõe a uma decepção caso a outra pessoa apareça mais tarde. Sentar sozinho e esperar é visto como uma dolorosa experiência de rejeição. Para prevenir essa humilhação é necessário chegar atrasado. A falta de pontualidade é uma rejeição preventiva da outra pessoa antes que o atrasado tenha chance de sentir algum desconforto ou até mesmo expectativa de desconforto. Mas e se ambos os lados sofrerem desse complexo?

Outras pessoas são pouco pontuais porque são indecisas. Não sabem bem o que fazer antes do compromisso, como fazer ou quando devem sair para chegar no horário. Para elas, a experiência de se comprometer com um curso de ação representa uma destruição das maravilhosas possibilidades da vida que se apresentam a sua frente. O compromisso para elas equivale a tristeza e negação da plenitude. O compromisso suprime o prazer da expectativa e não pressagia senão desapontamento. Resultado: mais um esperando plantado no Starbucks.

Um bom amigo meu é famoso pelo modo como faz planos. Ele espera até o último momento possível, e isso implica redefinir a palavra *possível*. Se vai viajar de avião para algum lugar pode ser que ele chegue no aeroporto com inúmeras reservas de voo. Ele faz inúmeras reservas em restaurantes para quando chegar, tanto dentro de uma mesma cidade como de uma cidade a outra. Apenas quando o check-in da empresa aérea está fechando ele decide o destino. O compromisso no restaurante fica para depois. Não é necessário dizer que está quase sempre atrasado.

Uma solução de abordagem econômica cobraria das pessoas — que tal um dólar por minuto? — que chegassem atrasadas para reuniões ou eventos. Mas, provavelmente, isso pouco funcionaria.

Para citar só um problema, o mais atrasado quase sempre é o chefe. Segundo um estudo, os CEOs americanos se atrasam em reuniões 60% do tempo. O índice de atraso dos CEOs equatorianos pode ser ainda mais elevado. Quem vai distribuir e cobrar as multas?

Além do mais, os não pontuais começarão a tratar as taxas como um preço por estar atrasado. Partirão do pressuposto de que tudo bem chegar atrasado, contanto que paguem. Para começar, pessoas importantes talvez concordem em fazer menos reuniões, em detrimento das comunicações corporativas. Atrasados sistemáticos exigirão bônus maiores para cobrir seus custos, enfraquecendo assim a força das punições. E quem vai querer que um gerente de departamento pare no meio de uma ligação importante simplesmente para chegar no horário em uma reunião e evitar a multa?

Um estudo conduzido numa creche revelou que as punições por atraso eram em geral contraproducentes. Dentre as principais regras, esperava-se que os pais pegassem as crianças em uma hora especificada. Afinal, a creche tinha de fechar. Não vale a pena pagar uma babá para esperar e ficar cuidando de uma única criança. E se o pai ou a mãe se atrasa demais e a criança começa a chorar por comida ou tem febre? Às vezes os pais se atrasavam, mas na maior parte aceitavam ser sua obrigação chegar a tempo. A creche instituiu assim taxas para pais que não chegavam na hora. As taxas sugeriam que chegar atrasado, embora inconveniente para a creche, era aceitável. Parecia óbvio que a instituição tinha um planejamento para os atrasos dos pais, ainda que esse planejamento exigisse fundos. Depois de tudo que vimos, o resultado não deve nos surpreender: a não pontualidade entre os pais subiu significativamente.

Em nossa cultura certas mostras de urbanidade estão sumindo, muitas vezes porque não temos certeza do que se espera de nós, dado o comportamento de nossos colegas. Por exemplo, é cada vez mais difícil obter um RSVP para um convite.

Organizadores de casamentos e eventos relatam que o problema vem crescendo. Gente muito ocupada normalmente não sabe quando terá tempo para relaxar, enquanto outras pessoas simplesmente não se dão ao trabalho de responder. Outros têm problemas emocionais com compromisso, mesmo que pequeno, como vimos acima. O site Evite.com registra que o índice de respostas a convites tem girado em torno de 63%. Muitas pessoas deixam para decidir no último minuto se vão ou não.

Parte do problema é "cansaço de convite". Imagine receber dez ou 15 convites por semana; muitas vezes a qualidade da oferta é difícil de discernir. Será que meu convite para o Conselho de Globalização é algo que vai mudar os rumos de minha carreira ou é uma perda de tempo? Na dúvida, aguarde. Nesse meio-tempo o Conselho não sabe se isso significa "não" ou se estou considerando a possibilidade de comparecer. Em geral não sei, tampouco.

O serviço Evite.com, combinado com e-mail, torna o problema pior. Recebe-se muito mais convites do que antes. O Evite também nos permite ver quem mais foi convidado e quem já aceitou. O ganho por "esperar e ver" agora é ainda maior. Só vou se a linda Jo Anne for também, caso contrário, não. Jo Anne por sua vez está esperando minha resposta, ou, sendo mais realista, está esperando para saber de Biff.

Se os organizadores ligam em seguida para saber, isso pode agravar o problema. Todo mundo aguarda para dar o RSVP, calculando que vai receber um telefonema de um jeito ou de outro. Afinal, quem quer ser incomodado repetidamente por um único evento?

Depósitos não restituíveis funcionam quando a ideia é embolsar o dinheiro e correr o risco de perder a amizade. É assim que ingressos para concerto são vendidos, mas fica mais difícil quando se está lidando com amigos.

Bob McGrew de The Cardinal Collective (cardinalcollective.blogspot.com) sugeriu um sistema de rifa. Distribua números para os convidados que respondam com um "sim" ao RSVP logo no começo e sorteie um vencedor na hora do evento. McGrew também propôs permitir às pessoas responder com probabilidade de aceitação, em vez do curto e grosso sim ou não. "A probabilidade de eu ir corresponde a 0,4." (Será que as pessoas vão errar para mais ou para menos as probabilidades informadas? Espero que para menos, de modo que o anfitrião fique feliz quando o convidado acabar aparecendo.) Permitir que o processo forneça maior feedback de informação talvez pareça um mamão com açúcar, mas envolve riscos. Convidados potenciais que de outro modo forneceriam uma resposta peremptória podem protelar e sugerir $p = 0{,}84681$. O que os anfitriões devem fazer com os números recebidos? Estimar uma função densidade de probabilidade? Será que isso vai de fato tornar mais fácil o cálculo do queijo e vinho a ser comprado para a reunião?

Motivar os atrasados ou *no-shows* é difícil por dois motivos. Primeiro, o evento em questão talvez não ocorra regularmente. Isso torna difícil estabelecer uma política mútua de compreensão ou criar precedentes. Segundo, é difícil tanto recompensar como punir quem simplesmente não aparece.

• • •

ALGUNS PROBLEMAS são ainda mais espinhosos. Como poderemos motivar alguém que sabe muito mais sobre qualidade de desempenho do que nós? Jerry Seinfeld diz em um episódio da série "Qual a diferença entre um dentista e um sádico?". Resposta: "Revistas mais novas." Todo mundo sabe que ir ao dentista dói. Mas será que podemos fazer doer menos? E como saber quanto deveria doer?

A dentista se preocupa com sua reputação a longo prazo como profissional atenciosa, mas isso só significa que ela objetiva uma qualidade média de satisfação de seus pacientes. Ela ainda irá inevitavelmente tratar diferentes pacientes com níveis variáveis de atenção. Minha preocupação é que a dentista não se esforce com empenho suficiente para aliviar *a minha* dor. Gostaria de receber o atendimento mais atencioso possível, mas provavelmente receberei apenas algo na média.

A psicologia behaviorista sugere que a duração de uma dor tem pouca relação com nossa lembrança de como a dor foi ruim. Em vez disso, tendemos a nos lembrar de como foi ruim a pior dor e também lembramos quanta dor sentimos no início e no fim da experiência. Relatos de pacientes, do modo como são filtrados no mercado, constituem um indicador imperfeito do talento ou da benevolência de um dentista.

Tenho considerado a ideia de pagar um bônus a minha dentista no fim da visita, pelo menos se achar que ela fez um trabalho particularmente bom. Mas aí talvez a dentista me faça passar por dor *de menos*. "Dente lascado? Não se preocupe, você pode ignorar isso." Os pacientes mais satisfeitos não são necessariamente os mais bem-tratados. O dentista pode objetivar satisfação de curto prazo em lugar de saúde dentária de longo prazo.

Se mantenho o mesmo dentista ao longo dos anos, um periódico presente de Natal não é má ideia. Um paciente menos confiável talvez tente se fazer passar por dentista ou quem sabe um encrenqueiro de tribunal. Já mencionei quantos amigos e conhecidos tenho, dando a entender que muitos deles podem precisar de cuidados dentários e me posicionando assim como um contato profissional potencialmente importante.

Com minha atual dentista finjo não ter medo algum. No fim da consulta comento o grande trabalho que fez. Espero um melhor desempenho apoiando sua autoimagem como boa dentista e, uma vez que não estou com ela há muito tempo, acho incentivos muito enfáticos de difícil aplicação. Em todo caso, punições estão além de meu alcance. Mas quem sabe um dia ela ainda ganhe um presente de Natal (mesmo sendo hindu).

Então não, não pense que posso controlar minha dentista ou receber um tratamento especial. Ao abrir mão dessa busca por controle, contudo, talvez eu consiga um atendimento um pouquinho melhor do que a média.

Enfrentei outro problema difícil quando visitei a cidade de Marrakesh, no Marrocos. Eu já havia lido sobre os "guias" e os caça-clientes, mas até chegar lá não compreendera plenamente as armadilhas que estavam à minha espera. Em cada esquina há um morador se oferecendo como guia.

Marrakesh é uma linda cidade árabe medieval e absolutamente fascinante. As muralhas da cidade datam do século XIII. Além dos muros há maravilhas de cair o queixo virtualmente a cada passo. O viajante se depara com um antigo Alcorão à venda, um encantador de serpentes, um joalheiro ou um comerciante de especiarias. E não, as partes velhas da cidade não estão reservadas prioritariamente aos turistas. É fácil encontrar uma odontologia árabe medieval sendo praticada em Marrakesh, claro que sem anestésico. Esse não é um serviço popular entre turistas estrangeiros.

Mas essas mesmas partes da cidade, por mais adoráveis e intrigantes que sejam, formam um labirinto. As ruelas e vias principais da almedina — onde não se vê uma placa — são virtualmente impossíveis de percorrer sem ajuda. Pelo menos se você pretende voltar para o hotel lá pelas seis da tarde.

O problema fundamental é este: durante a maior parte do dia eu não queria guia local de jeito nenhum. Mas eu precisava de um guia local para entrar e sair da almedina. E um guia teria sido útil para me levar para as duas ou três lojas que eu queria visitar, ao contrário das vinte lojas a que o guia queria me levar, para aumentar seus ganhos de comissões.

Talvez o mais importante de ter um guia seja se livrar de aborrecimentos. Quando caminhava sem um guia, era importunado incessantemente por todos os *outros* candidatos a guia. Era como escolher que sanguessuga gigante você queria ver agarrada a sua cabeça, sabendo que o espaço não vai permanecer vazio. Em Marrakesh, o principal propósito do guia é, muito simplesmente, manter os demais guias a distância.

Os guias não cobram logo de cara ("Eu ser amigo. Adorar Estados Unidos. Eu mostrar de graça. Very good friend. Não pagar nada."), mas no fim do dia eles pedem dinheiro. E pedir não é a palavra — quero dizer imploram, suplicam, bajulam, até finalmente, se preciso for, exigir com raiva. Poupar-se esse espetáculo — humilhante para ambas as partes — vale pelo menos vinte dólares. Nesse meio-tempo os guias conduzem suas vítimas às compras e ainda embolsam o deles por fora. Desse modo não podemos esperar que o guia faça nossa vontade ou nos leve aonde queremos ir.

O guia acha que simplesmente vamos adorar ver a fábrica de tapetes com seus preços chutados lá em cima, seu dono pegajoso nos empurrando chá e montes de crianças trabalhando.

Assim, como o visitante pode elaborar um "contrato de compensação ideal" para o guia? Como evitar ser arrastado para lojas que não quer conhecer? É possível minimizar a performance dramática do final do dia, quando não evitá-la? Sem dúvida não podemos confiar na "motivação intrínseca" do guia para fazer um bom trabalho.

Infelizmente o problema não é fácil de solucionar. Podemos pagar alguma coisa ao guia logo de saída, mas mesmo assim no fim do dia ele vai pedir mais dinheiro. Podemos usar o guia um dia e prometer requisitar outra vez seus serviços se fizer um bom trabalho, mas o guia sabe que é pouco provável voltar a nos ver. Além do mais, a expectativa do homem é de ganhar mais com nossa ida à loja de tapetes do que será com nossos pequenos pagamentos periódicos. Podemos prometer um grande pagamento no *fim* do dia, desde que o guia não nos leve a nenhum lugar aonde não queremos ir. Mas o guia vai acreditar em nossa promessa? Além disso ele pode achar que realmente queremos visitar a loja de tapetes e alguns turistas de fato querem.

O problema com o guia é um pouco parecido com o problema do dentista. Nos dois casos carecemos de informações sobre como atingir nossos fins. O guia conhece Marrakesh melhor do que nós. Uma vez no labirinto de ruas, estamos à mercê do guia. Não é tão fácil assim declinar da visita à loja de tapetes, uma vez que "fica bem no caminho".

A melhor aposta? Alguns hotéis oferecem "guias oficiais", disciplinados pelo hotel a se comportar direito. Mas claro que são relativamente caros, uma vez que são os preferidos dos turistas que não estão dispostos a lidar com as dificuldades de Marrakesh. E para isso é necessário se hospedar em um hotel relativamente caro.

Eis a conclusão: tapetes marroquinos custam tão caro porque os comerciantes sabem que os turistas não fazem muita ideia de quais tapetes são de fato valiosos. E poucos moradores estão interessados em ajudar, em vez de esperar tirar algum proveito financeiro. O resultado é que o comerciante de tapetes, direta ou indiretamente, oferece mais pela lealdade do guia do que nós. Nessa situação é tolice pensar que sejamos capazes de exercer grande controle.

• • •

MELHORAR A QUALIDADE das reuniões é uma das tarefas mais difíceis deste mundo ou de qualquer outro. Os problemas com reuniões são numerosos e graves. Um levantamento relacionou "conversa desconexa, redundante e digressiva" como a principal praga. E que tal objetivos mal delineados, ausência de decisões ou de delegação de tarefas, duração excessiva, atrasos, interrupções e "perda de tempo geral de todos os envolvidos" como pontos negativos extras?

E contudo as reuniões continuam e na verdade constituem uma parte cada vez maior de como os gerentes gastam seu tempo. Um levantamento sugeriu que em média um gerente gaste um quarto de sua semana total em reuniões. Gerentes do meio para cima gastam em média dois dias por semana em reuniões. Alguns executivos seniores gastam quatro dias por semana em reuniões.

Isso soa familiar? Tendo em vista esses números, um marciano em visita ao planeta poderia concluir que reuniões são altamente produtivas e deliciosamente divertidas. Bem...

A literatura sobre reuniões é escandalosamente ruim, talvez porque tenha sido escrita por pessoas que compareceram a reuniões demais. Entrei no site da Amazon, digitei "meetings" e comprei o livro listado como o número um, a saber, *The Manager's Guide to Effective Meetings*, de Barbara J. Streibel. Esse livro fornece pérolas de sabedoria como:

> Explique o propósito da reunião.
>
> Pergunte se há alguma mudança a ser sugerida [na agenda].
>
> Mantenha o foco e o progresso da discussão.

Se essas são as melhores ideias, ela é exatamente o tipo de pessoa com quem odeio ter de fazer reuniões. Sem dúvida o economista dotado de senso prático e imune a disparates pode fazer um pouco melhor. Já ouvi falar — ou em alguns casos vivi diretamente — das seguintes ideias mais radicais para melhorar reuniões:

1. Obrigue todos a ficarem de pé até que a reunião acabe.
2. Promova a reunião por telefone, mesmo que todos ocupem um mesmo corredor. Isso impede o bate-papo e as conversas laterais.
3. Dê aos participantes um cronômetro de xadrez para limitar o número de minutos que podem falar.

A regra é simples: faça com que cada um ponha o relógio para funcionar ao falar. O relógio registra quanto tempo já passou. Quando a lingueta vermelha cai, o tempo disponível termina e o jogador perde a partida ou, nesse caso, o direito de continuar a falar. Participantes mais calados podem doar suas reservas de minutos — passando seus relógios — para outros mais articulados e prestativos.

4. Controle as emoções durante a reunião. Essa ideia é proposta pelo blogger e polímata Randall Parker:

> Auxiliado por minúsculos sensores e transmissores chamados PAL (Personal Assistance Link) sua máquina (com sua permissão) vai se tornar um antroscópio — um equipamento de investigação de seus sinais vitais imediatos, explica o chefe do projeto Sandia, Peter Merkle. Ele vai monitorar sua transpiração e batimentos cardíacos, ler suas expressões faciais e movimentos de cabeça, analisar seu tom de voz e correlacionar tudo isso para mantê-lo informado com um relatório atualizado sobre como você está se sentindo — algo que talvez você ignore —, em vez de aguardar passivamente por suas perguntas efetivas. Também transmitirá essas informações para os demais no grupo de modo que todos possam trabalhar juntos com maior eficácia.

Em outras palavras, cigarras disparam quando todo mundo fica irremediavelmente entediado. Temo que se esse dispositivo fosse amplamente utilizado, eu nunca poderia comparecer a reunião nenhuma.

Outra opção é estimar o preço do tempo individual. Quando os participantes entram na sala de reuniões, eles privadamente registram seu salário anual em um computador. O computador então vai calculando o custo total da reunião, em termos do valor de tempo despendido. O chefe da reunião pode então anunciar: "Okay, gastamos 1.500 dólares do dinheiro da empresa — o que aprendemos aqui?"

Sou grande entusiasta dos experimentos voluntários, de modo que costumo tentar pôr em prática essas ideias. Como antigo jogador de xadrez, sou particularmente afeito à proposta do relógio. Contudo, há um motivo pelo qual é tão difícil melhorar reuniões. Não é apenas porque o resto do mundo é estúpido e injusto, por mais comum que isso seja. As reuniões cumprem funções valiosas, porém ocultas.

Reuniões nem sempre dizem respeito à troca eficiente de informação ou à descoberta de alguma ideia nova. Muitas reuniões apenas fingem estar voltadas para esses fins. Na verdade, a maioria das reuniões é uma espécie de fraude, servindo a outra finalidade além do propósito declarado. Às vezes reuniões são exibições de poder, concebidas para mostrar qual é a coalizão dominante. Nesse caso o tempo "desperdiçado" pode ser necessário. Se um lado tenta seguidas vezes, mas sem sucesso, enfraquecer a coalizão, os participantes observam que a coalizão é robusta. Pode ser necessário demover os oponentes de uma ideia.

Uma reunião também pode dar aos seus membros o sentimento de fazer parte e estar ao encargo de decisões, de deter talvez alguma sensação ilusória de controle. Já observei esse motivo com especial frequência nas burocracias. Mas isso significa que esses participantes devem ter a oportunidade de falar e oferecer sua contribuição. O que parece ser uma perda de tempo é um exercício de construir e conservar uma coalizão. Uma vez que as pessoas compram a ideia que estava sendo discutida na reunião, irão implementá-la com maior entusiasmo.

Como visto acima, recompensas e penalidades podem dar para trás se os indivíduos não partilham de uma sensação de controle. Reuniões compensam essa tendência ao — em essência — tomar as pessoas que nos frustram e fazer com que se sintam influentes. (Isso deveria nos fazer sentir melhor?) Afinal de contas, todo mundo ficou sentado em torno escutando o que diziam. Essas reuniões são tão dolorosas precisamente porque o objetivo é dar ouvidos a todo mundo, não só às pessoas de maior conhecimento ou que vão direto ao ponto com mais rapidez. É particularmente importante escutar o que têm a dizer os fanfarrões e obstrucionistas.

Eis a amarga verdade: a médio e longo prazo, reuniões aparentemente ineficazes trazem ao local de trabalho recompensas e punições para a vida. Reuniões ajudam-nos a investir em nossa autoimagem como gente que coopera, em vez de transgredir. As reuniões também dão às pessoas o contexto social de que necessitam para se portar de acordo com esses incentivos.

Nesse sentido, uma reunião pode prover informação sobre status. Quem fala? Quem se mostra? Quem acha necessário elogiar a quem? Podemos observar o funcionamento interno de um local de trabalho — ou confirmar nossas suposições — observando suas reuniões. Um local de trabalho sem reuniões sofrerá de confusão e ignorância social. Pessoas produtivas devem antes de mais nada ter conhecimento suficiente para se orientar no cenário social do local de trabalho.

Em resumo, se queremos entender as reuniões, devemos voltar à importância dos incentivos intrínsecos. Uma boa reunião transforma alguns problemas do local de trabalho da Parábola do Vendedor de Carros na Parábola das Multas por Estacionamento, mas com diplomatas suecos, não kuwaitianos.

Na verdade, muitas reuniões não têm esperança de conserto. Assim que as pessoas passam pela porta tornam-se difíceis de controlar. Você acredita mesmo que vão apertar o pino do relógio de xadrez toda vez que apresentarem uma intervenção estúpida? Um jeito simples de melhorar as reuniões é limitar seu número e duração. Mas, se seguirmos por esse caminho, precisaremos de outros meios de favorecer a orientação social e os sentimentos apropriados de controle individual. Teremos de realizar mais churrascos com os empregados. E pedir a todos que contribuam com comentários por escrito sobre o novo planejamento de negócios. Uma maneira de controlar as reuniões é simplesmente parando de fazê-las.

• • •

POR TRÁS DE NOSSAS três parábolas, e dos conselhos práticos, há uma lição social mais ampla. Não é fácil fazer com que os incentivos funcionem direito. Nenhum planejador central ou burocracia governamental tem uma boa oportunidade de fazê-lo. Nenhuma empresa solitária irá, começando do zero, fazer uma boa ideia de como as recompensas e punições no local de trabalho devem operar.

Se o setor privado é em alguma medida bem-sucedido, isso se deve ao fato de nos basearmos na experimentação de longo prazo, por tentativa e erro. Copiamos da experiência de outras pessoas o que funciona e o que não. Ideias muito boas normalmente conhecem o sucesso e então são copiadas por outros. Empreendimentos com sistemas de recompensa ruins tendem a perder parcelas de mercado. O processo competitivo compreende assim uma sabedoria implícita sobre que cenouras e chicotes funcionam melhor. Em geral não sabemos sequer o que estamos fazendo nem por que quando estruturamos recompensas ou punições de um modo particular. Apenas sentimos "lá no fundo" que não devemos dar bonificações a professores se os alunos tiram dez.

Uma das virtudes menos propaladas do capitalismo é o modo como ele amalgama e combina diferentes tipos e misturas de recompensas e punições. O capitalismo não se resume a dinheiro, dinheiro e mais dinheiro. É também o melhor sistema para mobilizar motivações intrínsecas no sentido de um bem maior para a humanidade. E isso inclui permitir às pessoas ter a sensação de controle.

O capitalismo diz respeito a saber quando mudar incentivos e saber quando parar de pensar em dinheiro. O problema com o comunismo soviético não era apenas que os incentivos saudáveis fossem fracos demais, mas também que os incentivos ruins eram fortes demais. Para a maioria das pessoas na União Soviética, o único modo de viver uma vida decente era cortejar o Partido Comunista. Era uma pressão onipresente e opressiva. A escolha se resumia a ser um completo rebelde — o que normalmente acarretava terríveis consequências — ou flertar com o poder, ou ao menos tolerá-lo. Virtualmente, toda decisão social e econômica era influenciada por esse cálculo.

Claro que isso não constituía incentivo dos mais salutares, mas também não era o único problema. É menos comumente compreendido que a União Soviética oferecia menos margem de atuação para um comportamento livre de incentivos do que faz o capitalismo. Uma economia controlada pelo Estado levou a menos ludicidade, sobretudo no que dizia respeito à criação e implementação de novas ideias de negócios. O comportamento lúdico ficava essencialmente restrito a amizades próximas ou às relações familiares. O resultado foi cada vez menos criatividade e cada vez menos investimento humano pessoal em fazer de nosso mundo um lugar melhor.

E esse é um importante motivo pelo qual o comunismo fracassou.

4

Possua toda grande arte que já foi criada

ALÉM DE CONTROLAR, o que queremos de fato? A economia supostamente é obcecada com dinheiro, mas quando é o caso da aplicação de incentivos, a ideia mais importante gira em torno da carência ou escassez. Isso diz respeito ao fato de que a maior parte das coisas que queremos não é oferecida livremente. Claro que algumas carências são maiores do que outras.

Um bom economista intuitivo aborda um problema prático perguntando: "Qual a carência relevante nesse caso que está estorvando um resultado melhor?" Se ainda não fizemos essa pergunta, nem aventamos ao menos o começo de uma resposta, corremos o risco de naufragar. Por exemplo, podemos cometer o erro de injetar mais dinheiro em um problema quando dinheiro não é o mais necessário. Identificando a carência relevante, aprendemos para onde direcionar os incentivos.

A ideia de carência vai além do simples fato de que gostaríamos todos de ter mais dinheiro. À medida que a sociedade fica mais rica, as carências preponderantes já não são os bens materiais. Em nossa sociedade altamente civilizada, as carências que noto com mais frequência são de *atenção* e *tempo*.

No domínio da cultura, aprender a suplantar essas carências vale mais do que gastar um bilhão de dólares em pinturas a óleo. Vamos dizer que o que realmente achamos difícil de conseguir é um sentimento de relaxamento com nossa programação. Ou seja, gostaríamos de ser o tipo de pessoa que encontra tempo para cinema, pintura, escultura, música, literatura e as artes e culturas do mundo.

Mas não é apenas questão de achar espaço na agenda, também precisamos de incentivos para completar o programa de consumo cultural que temos em mente. Assim, se queremos aprender mais sobre cultura e apreciar mais cultura, temos de aprender para onde direcionar as punições e recompensas. O segredo está no seguinte: incentivos não são apenas para influenciar outras pessoas; incentivos podem significar a superação de nossas próprias imperfeições. Precisamos de incentivos para fazer com que prestemos mais atenção, nos importemos mais e tenhamos a mente mais aberta quanto a novos gêneros de cultura. Temos de aplicar os incentivos *em nós mesmos*.

Nossas imperfeições pessoais muitas vezes são um empecilho mais sério do que a falta de dinheiro. Sobretudo na cultura, o dinheiro sozinho nem sempre traz o que queremos. Claro, podemos comprar um Picasso importante se tivermos 100 milhões de dólares sobrando. Mas o simples fato de possuir o quadro não é garantia de usufruto. Já conheci colecionadores de arte que guardam algumas de suas obras mais notáveis no sótão, num depósito. Já vi obras assim penduradas atrás de uma privada. Falta de curiosidade sobre a pintura de alguém talvez seja o pior pecado de todos; uma paisagem brilhante pode estar exposta acima da lareira e ninguém notar.

O ganho potencial vem de apreciar pinturas e usar pinturas para aperfeiçoar nossas vidas. Se a pessoa for capaz de desenvolver uma aptidão para apreciar a criatividade, e cultivar a forma certa de atitude aberta e relaxada, até mesmo com um rendimento de 50 mil dólares por ano ela está melhor, em termos culturais, do que um bilionário sem noção.

• • •

CARÊNCIA DE ATENÇÃO significa que em algum momento nós simplesmente não queremos mais saber de tal coisa. Sou um bibliófilo ardoroso, mas acho difícil passar mais do que oito horas seguidas lendo. Isso cai para quatro ou cinco horas se a letra for pequena ou se o livro for difícil. Após cinco horas de música, ou menos que isso, meu ouvido fica insensível. Minha canção favorita se torna uma dor de cabeça, mais do que um estímulo. Vou bem em *Das Rheingold*, de Wagner, um CD duplo ou às vezes triplo, mas minha atenção foge durante *Die Götterdämmerung*, geralmente com quatro CDs. Adoro a música (parte dela), mas para ser honesto fico feliz, não triste, quando a apresentação acaba. Duas ou três horas é meu limite em um museu de arte, por mais interessantes que sejam os quadros. As pernas incham, as costas doem, não consigo continuar a digerir as pinturas na parede. Começo a reclamar.

Qualquer marqueteiro compreende o que é carência de atenção. Por que, afinal de contas, comerciais estúpidos e sem informação seriam repetidos infinitamente se não fosse para ficar na cabeça? Por que os hotéis vendem itens dos quartos, de toalhas a abajures de leitura? Eles sabem que constituímos um público cativo e temos poucas coisas em que prestar atenção durante nossa estada. Por que os editores investem tanto tempo e dinheiro em dar capas atraentes e títulos espertos aos seus livros? A esperança deles, e minha, pelo menos em um caso, é de que prender a atenção dos clientes da livraria vai fazê-los comprar o livro. A atenção precisa ser cativada justamente por ser tão escassa.

E assim que um livro é vendido, a pessoa vai ter tempo de ler? Cerca de quarenta livros desejados mas não lidos residem aqui em casa, sem mencionar os que eu gostaria de reler. Tenho uma pilha de mais de vinte CDs que nunca escutei. Em um mês bom a pilha talvez encolha para dez. Mais uns cinquenta que ouvi uma vez só. E gostei. Já aprendi a mexer com o iTunes mas nunca tive tempo de baixar inúmeras de minhas canções favoritas. Os 99 centavos não são nenhum problema quando se trata de uma "I'll Be Doggone", de Marvin Gaye. Moro perto do Smithsonian, que oferece 19 museus de graça e inclui, é claro, exposições variadas. A maioria das mostras é excelente. Em termos relativos sou um ávido frequentador de museus, embora vá a apenas duas ou três exposições por mês.

Todo ano mais de duzentos filmes são lançados por Hollywood. Assisto cerca de quarenta filmes por ano, fora os DVDs, mas ainda perco muita coisa boa, sobretudo de outros países. Desenvolvi um gosto por Bollywood, mas a Índia realiza mais de oitocentos filmes por ano, sem mencionar as décadas de filmoteca do passado. O típico filme bollywoodiano tem mais de três horas de duração. Larguei a Netflix. O serviço não ficava caro, mas eu achava os DVDs sem assistir em cima da televisão um fardo opressivo e um sinal de culpa.

E se você mora em Manhattan, Paris ou Londres, bem, não sei como faz para terminar o que quer que seja. Quando levamos em consideração a carência de atenção e a carência de tempo, e seu impacto no comportamento humano, é um milagre que algum tipo de cultura comum ainda permaneça possível.

Telas originais à parte, a maioria das experiências culturais é notavelmente barata, sobretudo se você vive próximo a uma cidade grande e está conectado à Internet. As obras completas de Shakespeare podem ser compradas por cinco dólares no eBay. Uma gravação completa das 32 sonatas para piano de Beethoven — o ápice de sua produção — sai por meros quarenta dólares. Arquitetura maravilhosa geralmente pode ser vista de graça. Bibliotecas públicas e das instituições de ensino oferecem a maior parte do tesouro mundial de graça. Podemos viver uma vida cultural notavelmente rica sem possuir um Vermeer, e para falar a verdade nenhuma coleção particular hoje possui um Vermeer autêntico.

De modo que se manter às boas com a cultura não é primordialmente uma questão de dinheiro. Tampouco de instrução formal. Pessoas instruídas tendem a "tirar mais" da cultura, especialmente a alta cultura, mas a instrução em si não é a chave para usufruir e aprender. No mundo de hoje, frequentar a escola ou a universidade está correlacionado com inteligência, persistência e outras qualidades que tornam a cultura mais fácil de apreciar. Mas nem sempre foi o caso. Ninguém na plateia ouvindo Beethoven, ou na Florença do século XVI, tinha um doutorado ou, se formos por essa linha, tampouco um mestrado. E contudo muitas dessas pessoas dedicavam à cultura todo seu intelecto e paixão. O filósofo George Santayana observou que os antigos gregos foram um povo sem instrução na história europeia; e no entanto em termos culturais se saíram bastante bem.

Na maior parte, extrair muito da cultura é uma habilidade adquirida, que depende de nossa imersão periódica em um ambiente cultural, combinada à vontade de aprender e de superar dificuldades. Podemos nos sair ainda melhor com a cultura focando em dois princípios de incentivos de autogerenciamento:

1. Começar se perguntando "Qual é minha carência?". Tempo, atenção ou, no caso de querer possuir um Picasso, dinheiro.
2. Admitir que não nos importamos com a cultura — pelo menos com nenhum aspecto particular de cultura — tanto quanto gostamos de pensar. Se nos forçamos a "usufruir de tudo do modo apropriado", muitas vezes terminamos por evitar a cultura completamente. Melhor reconhecer as próprias imperfeições e usá-las a nosso favor.

Mas esses princípios soam demasiado gerais e abstratos. Como colocá-los em prática no mundo atribulado e ruidoso em que vivemos?

• • •

VAMOS DIZER QUE gostaríamos de visitar o Metropolitan Museum of Art, mas não nos temos na conta de entendidos em arte. O museu tem 17 diferentes curadorias (a maior parte desses departamentos daria um museu cada um pelos próprios méritos) e possui mais de 2 milhões de objetos de arte. Ele se distribui por quatro quarteirões e tem três andares. Na seção de antiguidades, uma única sala pode ter mais de cinquenta objetos. Podemos passar semanas andando de uma exposição a outra. Como extrair a mais tranquila, rica e completa experiência que o museu tem a oferecer?

Muita gente passa mais tempo lendo as placas do que vendo o que está exposto. O mero relance em cada descrição requer um movimento separado do olho, desviando a atenção. Apenas ler as datas e a origem de cada obra tomaria toda uma visita. Vários visitantes observam detidamente as primeiras salas em que entram, depois seus olhos perdem o foco e eles se dispersam. Além disso, logo percebemos que vários homens e mulheres visitando o museu são, a seu próprio modo, objetos tão belos e interessantes quanto a arte. Não é missão das mais fáceis para a arte prender nossa atenção. Não há incentivo suficiente para um olhar mais de perto.

Um historiador da arte, ou talvez um professor, nos diriam para ler um livro sobre o assunto ou talvez pesquisar informações na rede antes de ir ao museu. Essas estratégias podem ser úteis, mas não resolvem o problema fundamental da sobrecarga estética. Na verdade, ler mais pode *agravar* essa sobrecarga. A leitura provavelmente fará com que tenhamos consciência dos inúmeros tesouros que temos diante de nós, mas nem por isso estaremos mais aptos a lidar com eles. Não temos o tempo nem a energia para absorver todas as maravilhosas mostras.

O crítico de arte tenta fazer do espectador uma pessoa melhor. Isso soa bom — afinal, quem vai se opor a "pessoa melhor", ou pessoa mais informada? Mas não é necessariamente o modo de resolver o problema, que é fundamentalmente de atenção e interesse. Ao contrário do crítico de arte, nosso Economista Interior começa reconhecendo que nossa atenção é escassa e trabalha com essa restrição. Sendo assim, recomendo o seguinte:

1. Em cada sala, pergunte a si mesmo que quadro você levaria para casa — se você pudesse escolher apenas um — e por quê.

   Isso nos força a pensar criticamente sobre as exposições. Se o sistema de alarme fosse desligado e os guardas fossem embora, será que eu levaria o Cézanne, o Manet ou o Renoir? Em uma sala de antiguidades egípcias, qual prende minha atenção? E por quê? Devemos discutir a questão com quem nos acompanha.

   Falando rudemente, temos de nos obrigar a continuar prestando atenção. Classificar as pinturas concentrará a atenção em nossas obras favoritas. Também concentrará nossa atenção em nós mesmos, o que é na verdade nosso verdadeiro assunto. Eu, eu, eu. Soa rude, não? Mas se o "Fator Eu", como chamarei, estiver operando contra a arte e não trabalhando a favor, nosso caso de amor com os museus não vai durar muito.

   Finalmente, é divertido se imaginar como ladrão. Roubar é emocionante e valorizamos os objetos ainda mais quando somos capazes de pensar em como seria possuí-los. Isso também faz parte do Fator Eu.

   Claro, temos de ignorar a censura das pessoas sofisticadas. Críticos muito cultos talvez aleguem que pinturas não podem ser classificadas, o valor é multidimensional ou subjetivo, ou que tal conversa representa uma abordagem totalizante, colonizadora, possessiva, pós-capitalista, imperialista ocidental hegemônica. Nada disso vem ao caso. Quando se trata de arte, lidar com a carência de nossa atenção é mais importante do que tudo, incluindo respeitar os artistas.

2. Finja estar comprando quadros com um orçamento.

   Provavelmente temos mais treinamento em comprar do que em olhar retratos. Então podemos fazer alguma pesquisa básica com preços (por exemplo, navegando pela Internet ou visitando uma casa de leilões). Como gastar 20 milhões de dólares no Met?

   E que tal 500 mil dólares? O orçamento menor nos empurra do mercado de grandes telas para nichos menores da pintura. Esse exercício vai nos ajudar a concentrar a atenção, forçar-nos a elucidar nossas intuições e melhorar a qualidade de nossa observação. A questão das compras coloca o Fator Eu, embora disfarçadamente, de volta ao centro da experiência.

   Ver arte em uma casa de leilões é útil para aprender alguma coisa sobre preços. Na cidade de Nova York, novembro e maio são geralmente os melhores meses para ver de antemão materiais indo a leilão. Mas casas de leilão locais exibem obras o ano todo. Em geral a qualidade da seleção é pior do que em um museu de arte, com seu acervo pré-selecionado. Contudo, quase sempre constitui uma experiência e tanto, nem que seja para ver os preços, os compradores e a mentalidade de procura induzidos pelo cenário.

3. Ao visitar uma exposição muito badalada, fuja completamente da primeira sala.

   O tráfego de gente é intenso demais, porque as pessoas ainda não admitiram para si mesmas que não se importam com o que está pendurado na parede. Talvez você também esteja entre eles, mas vai se importar mais se puder relaxar no fingimento.

4. No fim da visita, pergunte-se que pinturas ficaram em sua memória. Você se pegou pensando no Munch, no Pollock ou nas tapeçarias medievais? Uma semana mais tarde, faça-se a mesma pergunta. *Agora sim* procure ler alguma coisa sobre a arte e os artistas do período. Isso é um procedimento mais útil do que a leitura de antemão.

Essas recomendações derivam dos princípios gerais expostos acima. Nosso tempo e atenção são escassos. A arte não é tão importante para nós, independentemente do que gostaríamos de pensar. Então é melhor parar com a autoilusão e começar a admitir para nós mesmos que não adoramos simplesmente "a arte pela arte". Nosso amor pela arte é geralmente temporário, depende do estado de espírito, e nosso amor pela arte é subserviente a nossa demanda por uma autoimagem positiva. O modo como vemos a arte deve levar em consideração essas imperfeições e trabalhar em torno delas.

A arte tem um papel social, além de seu valor estético. Gostamos da arte pela maneira como ela complementa nossa autoimagem e nosso relacionamento com os outros. Sendo por natureza um amante da teoria, identifico-me mais com o abstracionismo reticulado de Mondrian do que com a bela pintura vitoriana. Quando era solteiro, ficava desconfiado se a pessoa com quem saía gostava mais de Monet do que de qualquer outro artista. Ele é um pintor maravilhoso, mas eu receava que ela acharia meus gostos — que incluíam Bruce Nauman e Jeff Koons — estranhos demais e que eu a acharia *mainstream* demais. E sim, extraio especial prazer de ver uma exposição no Louvre sobre a qual meus amigos apenas leram a respeito. Esse é novamente o Fator Eu.

Às vezes um museu volta a exibir seu acervo permanente mas chama isso de exposição especial. A frequência em geral aumenta, até mesmo quando os quadros não mudaram de fato. Os visitantes também prestam mais atenção. Eles sentem que estão absorvendo alguma coisa especial e assim dão maior importância. *Eles* se sentem especiais, e isso motiva o maior interesse.

Admitir o Fator Eu é uma grande vantagem. Fingir qualquer coisa em contrário significa que a ida ao museu se torna um fardo. A longo prazo, isso nos leva a restringir as visitas e em última instância pegar rancor da arte e achá-la entediante.

Às vezes vamos a um museu e achamos quase tudo sem atrativo, independentemente da estratégia seguida. Como pode ser? Primeiro, nem todos os museus são bons. Segundo, nem todas as pinturas em bons museus — até mesmo museus de primeiro nível — valem a pena ser vistas. A maioria dos artistas, até os famosos, pintaram um bom número de obras ruins, passáveis ou medianas. Mas os museus expõem essas obras mesmo assim porque o nome do artista traz prestígio e atrai mais visitantes ou talvez doadores. Mesmo que estejamos errados de vez em quando, precisamos nos sentir confortáveis dizendo que a pintura é ruim.

Isso não é (mais) uma diatribe contra a arte contemporânea. Exposições de estátuas greco-romanas geralmente constituem as mais maçantes de todas. Muitas exposições de ruínas antigas são uma chatice. A maior parte da arte contemporânea não vai passar no teste do tempo, simplesmente não sabemos ainda quais delas ficarão. Ou um museu precise talvez gastar dinheiro doado em uma área na qual jamais poderá ter esperança de se sobressair ou em que outros museus já adquiriram as principais obras. O Getty Museum em Los Angeles tenta comprar bons Rembrandts e Velhos Mestres, mas a maioria das melhores obras nessa área já não estão mais à venda.

De um modo geral, tenha em mente: os museus não estão ali para fazê-lo feliz. Quer que eu repita? *Os museus não estão ali para fazê-lo feliz.* Talvez isso soe estranho. Afinal, estamos acostumados com instituições que tentam nos fazer felizes. O McDonald's tenta nos fazer (alguns de nós) felizes, pelo menos os clientes regulares (prefiro o Chipotle). Se a maioria dos clientes quer um tipo diferente de fritas ou sanduíche de peixe, o McDonald's vai tentar imaginar o que é e mudar. Quanto à minoria que preferia o velho cardápio, talvez algum outro restaurante preencha o vazio. Restaurantes, como a maioria dos negócios privados, dependem da satisfação do cliente para sobreviver.

Mas museus não dependem do "cliente" ou dos compradores de ingresso na mesma medida. Em um museu de arte típico, a receita das bilheterias não cobre um décimo do custo de suas operações. No caso do McDonald's, os clientes são responsáveis por virtualmente toda a receita; nunca soube de ninguém que doasse dinheiro a uma cadeia de fast-food, mas talvez já tenha acontecido.

Os museus são muito mais dependentes de seus doadores e às vezes de subsídios do governo. Subsídios diretos são a mais importante fonte de receita museológica na Europa Ocidental, não nos Estados Unidos, então vamos nos concentrar nos doadores. Na maioria dos museus de arte americanos, eles respondem por bem mais da metade do orçamento anual. A verdadeira influência dos doadores é muito mais forte, uma vez que são também a fonte mais importante de pinturas e esculturas emprestadas ou doadas. Os doadores também podem se oferecer voluntariamente, ajudar os museus a organizar exposições ou usar seus contatos para conseguir obras de arte emprestadas de outros museus. Afinal de contas, os doadores mais importantes dos museus são pessoas ricas e influentes. Um museu que não deixa seus doadores felizes vai perder importância em comparação com museus mais orientados para eles. O incentivo de um museu é agradar seus doadores.

Os doadores não desejam exatamente a mesma coisa que os frequentadores. Os visitantes querem que o museu seja divertido e fácil de usar. Os doadores estão mais preocupados em que os museus lhes confiram status nos campos da alta cultura, da alta sociedade e talvez das altas finanças. Os doadores gostam de recepções badaladas, sendo esse o motivo pelo qual os museus as dão.

Em parte, os museus se interessam pelos visitantes por motivos indiretos, de modo que os donos não sintam estar sustentando uma casa vazia. Mas os interesses de visitantes e doadores em geral não coincidem, e não podemos esperar que a opinião dos frequentadores seja mais importante. (Observe que zoológicos, que normalmente dependem mais de ingressos vendidos e menos de doações que os museus, tendem a ser projetados para divertir.) Consequentemente, nem todo museu é fácil de usar. Não espere que seja. Acostume-se com isso. Trabalhe em volta disso. Use a readequação mental para tornar o museu mais parecido com instituições adaptadas para nos satisfazer.

Um problema bem diferente de atenção surge quando olhamos para a mesma imagem muitas vezes. A superexposição pode causar decepção com pinturas ou museus, especialmente de nível superior. Em algum momento deixamos de nos interessar e até perdemos a capacidade de ter interesse. Todo mundo deveria gostar da *Mona Lisa*, muitas vezes descrita como a maior pintura do mundo. É mesmo? Sou mais pelas obras posteriores de Ticiano, paisagens de Giorgione ou os retratos de Velázquez. Mas, honestamente, não sei dizer quanto a *Mona Lisa* é boa, e não sei nem mesmo como eu poderia saber.

Não estou invocando um ceticismo pós-moderno sobre a arbitrariedade de padrões de valor objetivo. *Não sei nem mesmo em que medida gosto de pintura*. Quando se trata da *Mona Lisa*, é difícil para qualquer americano ou europeu de hoje ver a pintura com olhar renovado. O comentarista de cultura James Twitchell sugeriu uma lista exatamente desse tipo de arte superexposta:

1. A *Mona Lisa*
2. *American Gothic*, de Grant Wood (você sabe, o retrato dos "Cornflakes")
3. *Washington atravessando o Delaware*
4. O *Davi* de Michelangelo
5. A *mãe* de Whistler
6. O *grito* de Munch (ainda estamos por ver se os recentes roubo, restituição e dano não irão ressuscitar sua atratividade estética)

Eu acrescentaria o retrato de George Washington — o da nota de um dólar —, feito por Gilbert Stuart, a essa lista. Tampouco me animo com a "bolsa Mondrian" ou o "xampu Mondrian". Twitchell vai além e sugere que: "Monet, Picasso, Degas, Cézanne, Gauguin e Van Gogh estão à beira de se tornar clichês". Os economistas chamam esse fenômeno de "a tragédia dos comuns". Uma tragédia dos comuns ocorre quando as ações individuais, tomadas juntas, destroem o valor de um ativo ou recurso.

Nesse caso o valor perdido é a surpresa e o poder da arte. Muitas fontes, como autores, editores e publicitários, exibem uma imagem, mas no processo o famoso começa a parecer ordinário. Resultado: a surpresa é usada rápido demais e as imagens nos causam antes tédio que assombramento ou prazer. É como ter um monte de pessoas nos contando a mesma piada no período de uma semana. Por melhor que seja a piada, em algum momento deixa de ter graça e talvez chegue até a aborrecer.

A exaustão da surpresa é um problema menos frequente na música, que penetra mais diretamente em nosso sistema nervoso. Mas ainda sou incapaz de ouvir "Liberty Bell March" de John Philip Sousa sem ver um pé gigante surgir do alto para anunciar o início de *Monty Python's Flying Circus*. A *Rapsódia húngara n.º* 2 de Franz Liszt me lembra inúmeros personagens do Pernalonga; felizmente, assisti poucos desenhos seus. Mas os episódios televisivos vistos na infância de *The Lone Ranger* arruinaram a "Abertura Guilherme Tell" de Rossini para mim.

A importância do contexto sugere que os resultados do teste do tempo são difíceis de prever na arte. Uma imagem pode parecer poderosa em 2006 mas em 2030 talvez seja trivial. As cores dos impressionistas franceses não parecem dissonantes ou chocantes para o observador moderno; passam uma ideia de conservadorismo e beleza. Depois do Led Zeppelin, Gene Vincent não soa mais como um roqueiro pesado. Os dinossauros do *Jurassic Park* de Steven Spielberg foram uma revelação de efeitos especiais na época e deliciaram milhões de espectadores. Hoje parecem efeitos amadorísticos, como que saídos de um jogo de computador feito sem verba nenhuma do Leste Europeu.

Por sua vez, outras imagens e outros produtos culturais ganham em força. O fusion, funk e caos generalizado das últimas gravações de Miles Davis foram um mistério para a maioria dos críticos de jazz, na época. Eles não conseguiam compreender por que ele abandonaria o bop ou o sedoso trompete pelo que soava como barulho. Essas gravações hoje são vistas como precursoras seminais do jungle, trance, rap e ambient music. Winslow Homer foi considerado superficial em sua época, mas nós modernos captamos suas referências sofisticadas a questões raciais e sua obsessão com a mortalidade humana.

Tais relações encerram uma lição concreta de como devemos ver os museus de arte. Devemos ver pinturas repetidamente, mas sobretudo depois de ter passado algum tempo com outras obras de arte. A melhor forma de entender um museu de arte é visitar outro museu de arte com uma coleção relacionada, mas não idêntica.

Essas ponderações irão mudar no dia em que a observação repetida e frequente se tornar possível no âmbito doméstico. No futuro talvez a tecnologia torne possível reproduções em alta qualidade das grandes obras-primas. Viver com as *Demoiselles d'Avignon* de Picasso ou *Os comedores de batata* de Van Gogh mudaria fundamentalmente o modo como pensamos sobre arte, e é claro que acharíamos mais fácil contemplar imagens famosas e poderosas o tempo todo.

Atualmente, as cópias das obras-primas são pouco confiáveis, de baixa qualidade e produzidas uma de cada vez. E se pudéssemos escanear pinturas de Rembrandt e criar milhares de cópias boas assim como gravamos CDs cheios de música? Reproduções em livros (pelo menos até hoje) não dão ideia das texturas nem reproduzem as cores com fidelidade. Elas não são páreo para um holograma preciso, detalhado e em tamanho real e tridimensional pendendo da parede e indistinguível do objeto verdadeiro.

No início os museus ficariam relutantes em licenciar cópias de suas obras de arte, mas a pressão pública cresceria e mais cedo ou mais tarde as imagens seriam liberadas. As pinturas originais talvez retivessem um status sagrado em nosso íntimo, mas na prática ninguém mais precisaria ir a um museu para conhecer as mais elevadas realizações da raça humana. Se a pessoa quisesse, poderia ter uma imagem perfeita da *Madonna Sistina* de Rafael pendurada acima da mesa da cozinha.

Algumas obras-primas sofreriam superexposição. A longo prazo nossos padrões estéticos talvez mudassem. Provavelmente as pinturas mais valiosas seriam as que se submetessem à exposição repetida sem perder seu valor de surpresa. Pinturas baseadas na ideia de "mistério perpétuo" — como a *Mona Lisa* — talvez não ganhassem essa competição. Formas e cores agradáveis, de apelo mais básico, talvez se saíssem melhor. Assim como a reprodução em massa (ou seja, gravação) conduziu a música dos estilos "clássicos" para o rock, mais visceral, a pintura pode evoluir para gêneros com impacto emocional mais direto e menos aspectos intelectualmente mais refinados. Os pintores poderiam ganhar dinheiro e fama atraindo as massas.

Acredito que a maioria das pessoas acharia opressivo viver com "arte elevada", como o conceito é tradicionalmente compreendido. Elas *preferem* a versão inferior. Gostam das paisagens tépidas que penduram nas paredes. Mesmo se o preço fosse baixo, o mercado para reproduções perfeitas de

Caravaggio é menor do que imaginamos. Para a maioria das pessoas, as pinturas escuras e sombrias de um artista seiscentista possivelmente delinquente e boêmio que privilegiasse o homoerótico não ajudaria muito o Fator Eu.

Só porque as pessoas vão a museus, não pense que elas querem possuir uma cópia de Caravaggio ou até de Leonardo. Nesse novo mundo, possuir reproduções perfeitas desses objetos provavelmente não traria grande status.

Quantas dessas pessoas, bem agora, possuem uma gravação da complexa *A arte da fuga* de Johann Sebastian Bach? Em maio de 2007, a versão mais bem vendida da peça ocupava o número 5.072 na lista de vendas da Amazon. As compras são lentas, e não é porque todo mundo já possui sua cópia dessa obra-prima.

Queiramos ou não, a maioria das pessoas prefere arte que as torne felizes ou que na opinião delas vai deixá-las mais relaxadas. Veja os preços do mercado. Pinturas com cores leves vendem melhor do que pinturas com cores escuras. Retratos de gente sorrindo vendem mais que de viúvas. Quadros horizontais são mais fáceis de pendurar sobre lareiras e sofás. Eis mais algumas regularidades do mercado:

1. Paisagens podem até triplicar de valor quando há cavalos ou figuras no plano de fundo. Evidência de industrialização em geral diminui o valor de uma pintura.
2. Uma natureza-morta com flores vale mais do que com frutas. Rosas estão no topo da hierarquia das flores. Crisântemos e lupinos (identificados com a classe trabalhadora) estão na base.
3. Há uma hierarquia de preço para animais. Cães de raça ajudam mais a vender do que vira-latas. Spaniels valem mais que collies. Cavalos de corrida valem mais do que de carga. Quando se trata de aves de caça, a *rule of thumb** é o seguinte: quanto mais dispendioso atirar no animal, mais se acrescenta ao valor da obra. Um tetraz vale mais que um pato silvestre, e o pintor deve mostrar a ave de frente, não de costas.

*Literalmente, "régua de polegar": expressão que designa um princípio geral útil para diversas situações, mas que não pode ser considerado 100% confiável. (*N. do T.*)

4. Água valoriza a pintura, mas somente se estiver serena. Naufrágios são proibidos.
5. Obras redondas e ovais são extremamente impopulares entre os compradores.
6. Um esboço de nu feminino do pintor setecentista François Boucher pode valer dez vezes mais do que um similar masculino.

Em um caso como no outro o Fator Eu está em operação.

• • •

MUSEUS DE ARTE são apenas uma parte de nossa cultura e apenas um meio de se tornar um bilionário cultural. A leitura não é uma fonte menor de aprofundamento e inspiração; de fato, parece que mais vidas foram transformadas nos tempos modernos pelos romances do que por pinturas ou esculturas.

Mas como devemos "atacar" romances clássicos que parecem chatos a um exame preliminar? Uma resenha no site da Amazon diz que *O som e a fúria* de William Faulkner "é como uma namorada insensível. Você faz o melhor que pode para compreendê-la e não obtém nada em retribuição". Muitos outros leitores, talvez ilustrando de forma menos imaginativa, sentem da mesma forma.

Tendo em mente nossos princípios fundamentais — escassez de tempo e atenção e não estar nem aí para a arte — vamos a algumas dicas para ler. A chave é manter o envolvimento, em vez de tentar imitar o comportamento de um professor de literatura em Yale. Se a pessoa continua interessada em um produto — como seu jogo de computador favorito — ela emprega tempo extra para entendê-lo.

Isso posto, tente alguma combinação do seguinte:

1. Leia algum capítulo do meio ou do fim primeiro. Podem espicaçar seu interesse. Não fique obcecado com a sequência.
2. Vá até o fim do romance da primeira vez, seguindo cada voz ou personagem, pulando trechos se achar que é melhor fazê-lo. Desenvolva interesse por ao menos um personagem, mesmo que os demais não

lhe digam nada. Então releia o livro como um todo na ordem. Isso funciona particularmente bem para obras com múltiplas vozes como *Enquanto agonizo* de Faulkner.

3. Leia as primeiras cinquenta páginas três vezes seguidas antes de prosseguir. Certifique-se de ter compreendido pelo menos parte do livro.
4. Não tenha receio de pular parte do material e voltar mais tarde. Isso é necessário nas primeiras cinquenta páginas de *Nostromo* de Joseph Conrad. A parte que destrói nosso interesse pelo livro é negativa, independentemente da importância que adquire para o desenvolvimento da trama ou do personagem. Afinal, uma vez que será impossível você se lembrar de tudo que há no livro, não se sinta tão culpado em pular trechos importantes. Você pode rir sozinho enquanto pula, se quiser.
5. Leia o livro inteiro da primeira vez sem parar, mas não tente entender o que está acontecendo. Encare isso como um investimento no livro, algo como pegar o carro para ir à livraria, mais do que um fórum de julgamento. Depois volte ao livro novamente, mas agora fazendo alguma ideia do encaminhamento das situações.
6. Comece por ler alguns comentários secundários sobre o livro difícil. Mais uma vez o objetivo é cultivar interesse. Não aprecio as CliffsNotes, entre outras coisas porque são chatas e tiram o brilho das obras que sumarizam. Mas não tenha medo de "descer muito baixo" ao procurar ajuda. Não comece pelos críticos literários renomados a menos que tenha certeza de que irão envolvê-lo ou diverti-lo.
7. Anote nomes e características mais importantes dos principais personagens. Escreva essas anotações na folha de rosto do livro ou em qualquer papel acessível.
8. Desista. Lembre-se das palavras de Samuel Johnson: "Um homem deve ler só até onde sua inclinação o levar; pois o que lê como uma tarefa vai lhe trazer pouco benefício."

Alguma combinação desses truques quase sempre funciona. Na maior parte dos casos, apreciamos mais a leitura quando sentimos estar no controle (outra vez essa palavra). Harold Bloom afirma, corretamente, que devemos ler: "para fortalecer o eu e descobrir seus interesses autênticos." É difícil ir ao encontro desses objetivos se passamos o livro todo nos sentindo como perfeitos idiotas.

Uma recomendação comum, encontrada em *How to Read a Book*, de Mortimer Adler, é ler o livro em voz alta para você mesmo ou para outros. Essa abordagem pode trazer resultados maravilhosos, mas desconfio dela enquanto recomendação geral. Normalmente o resultado é muito oito ou oitenta, significando que adoramos ou abandonamos completamente o livro. Quando falamos em voz alta, é difícil digerir uma passagem ou frase mal compreendida. Tanto o ouvido como o olho estão ocupados na regulagem da leitura. Algumas pessoas vão reagir se esforçando com maior empenho e mergulhando ainda mais no livro; outras vão simplesmente desistir. A menos que sejamos leitores soberbos, para começo de conversa, terminamos por nos sentir como tolos virtualmente após cada parágrafo. Ler em voz alta é uma estratégia arriscada, mais útil para alguém de fato envolvido.

Tenha em mente que livros, como museus de arte, nem sempre são voltados para os desejos do leitor. Talvez pensemos que deveríamos gostar de livros difíceis, mas será? Quem disse? Muitos escritores produzem para uma subcamada muito restrita do público leitor qualificado. Em épocas mais antigas muitos escritores escreviam para agradar ou atrair patronos, incluindo nobres no poder. Hoje, muitos escritores trabalham em universidades e buscam estabilidade. Ou são ricos o bastante (nem que seja por um casamento útil) e escrevem para agradar a si mesmos ou agradar uma panelinha literária especializada.

Às vezes, vamos querer dizer simplesmente "deixe pra lá". Mas outras vezes teremos nossos próprios motivos para querer compreender os clássicos da literatura. A pior coisa a fazer é presumir que temos obrigação de gostar do livro e então sentir culpa quando isso não acontece. Isso vai nos afastar da leitura. *Muitas vezes não era de se esperar que gostássemos do livro* no que respeitava ao autor. Quando James Joyce escreveu *Ulisses* ele não tinha em mente satisfazer o gosto dos leitores.

Pense em aprender a gostar de um livro como uma espécie de truque para tapear o autor. Se preferir, extraia prazer da ideia de tapear e subverta o propósito do escritor e seu público visado. Volte ao autor e torne o livro parte do entendimento de seu plano e de sua vida, não do autor.

• • •

MUITAS VEZES O MERCADO de livros não tem nada a ver com os livros propriamente ditos. Segundo um levantamento, mais de um terço dos frequentadores de livrarias londrinos admitem que costumam comprar livros "apenas para parecer inteligentes". Claro que a porcentagem de farsantes autênticos é mais alta, e que os farsantes não se limitam a Londres. Um em cada oito jovens pesquisados admitiram que às vezes compram livros "apenas para serem vistos com o último título dos mais vendidos". Traduzindo: os finalistas de um Booker Prize. (Dada a visibilidade do Booker Prize no Reino Unido, desconfio que esse é um fenômeno mais inglês que americano, mas temos nossos livros da moda, também, incluindo as escolhas da Oprah.) Para quem tem mais de cinquenta, apenas um de cada vinte admitirá motivos similares de ostentação; afinal de contas, os jovens são mais suscetíveis ao olhar alheio.

É difícil encontrar uma evidência sistemática de como muitos americanos realmente leem os livros que compram. Já ouvi editores sugerindo que a porcentagem não ultrapassa a metade. Jerrold Jenkins, também do mercado editorial, alegou que 57% dos que compram livros novos não os leem até o fim, mas o método por trás desse número não fica claro. Nenhum estudo submete os compradores de livro a um monitoramento verdadeiro, então todos os números estão em última instância baseados no relato voluntário. Claro que na medida em que as pessoas valorizam mais a imagem que a substância, esse é precisamente o tipo de fonte nada confiável.

"Ler um livro" também diz respeito mais ao grau do que ao tipo de leitura. Como os capítulos foram terminados, e o leitor prestou atenção o tempo todo? Vejam essa resenha do *Trópico de Câncer* de Henry Miller, na Amazon: "Esse livro é um dos piores livros que já li na minha vida. Cheguei na página 3-4."

A percentagem de leitores genuínos depende da natureza do livro. Livros de autoajuda em geral são comprados para serem lidos; de todo modo, não dá muito status se gabar de ter o livro ou sair exibindo-o por aí. Pouca gente lê *coffee-table books* de fotografia, e de fato eles não foram concebidos para serem lidos. Descobri que o texto nesse tipo de livro é surpreendentemente bom, talvez porque o autor — ou, mais importante, o editor — não sinta necessidade de agradar.

Minha lista sugerida de best-sellers amplamente não lidos inclui *Sexual Personae* de Camille Paglia (quantos terminaram aquele capítulo sobre *The Faerie Queenie* de Edmund Spenser?), o catatau de 784 páginas *Mason & Dixon* de Thomas Pynchon e *Uma breve história do tempo* de Stephen Hawking. Observe-se que em 2005 Hawking publicou uma "sequência" de mais fácil digestão chamada *Uma nova história do tempo* (em inglês, "uma mais breve" história do tempo). O primeiro livro tinha apenas 208 páginas; o segundo foi aparado para 176 páginas. É como diz uma camiseta nerd: E AÍ, QUE PARTE DA MECÂNICA QUÂNTICA VOCÊ NÃO ENTENDEU?

Às vezes, o melhor seria que algumas pessoas não lessem livros clássicos. Quando o livro não se encaixa em sua visão do Fator Eu, os resultados podem nos fazer titubear. Vejam esta resenha no site da Amazon sobre o *Senhor das moscas* de William Golding:

> Sou louco pelo Survivor, então achei que devia ser divertido. ERRADO!!! É incrivelmente chato e nojento. Fiquei muito incomodado quando vi meninos pequenos matando uns aos outros. Acho que qualquer pessoa com consciência concordará comigo.

Ou tente esta, também da Amazon, sobre um dos livros favoritos de minha esposa, *A ponte de San Luis Rey*, de Thornton Wilder:

> Basicamente o que acontece é cinco pessoas morrerem numa pontezinha de nada e então o autor começa a discutir a vida dessas pessoas. Que TÉDIO. A menos que você seja um nerd filosófico, não vai gostar NEM UM POUCO do livro. Se eu fosse o autor dele eu diria a mim mesmo que precisava cair um pouco na real.

• • •

QUANDO É O CASO de aperfeiçoar nossas aquisições musicais, temos de nos lançar no Amor pela Novidade.

A maioria das pessoas compra apenas música muito recente, em vez de escavar a história atrás da melhor música do passado. Fãs de algum nicho — como música clássica — tendem a se concentrar em gravações recém-lançadas ou relançadas, mesmo quando a obra é antiga. Como qualquer um, eles ficam empolgados com o que acaba de chegar ao mercado. Alguns de fato nada mais querem do que Verdi ou Mozart, mas esse é um dos motivos pelos quais música clássica responde por menos de 5% de lançamentos no mercado de gravações.

De vez em quando relançamentos causam sensação. O catálogo dos Beatles foi relançado por volta de 1976 e muitas canções viraram hits outra vez. Mas casos bem-sucedidos como esse são exceção e não a regra. "Every Day", de Buddy Holly, foi uma das canções mais encantadoras do início dos anos 60. "Bewildered", de James Brown, está entre os dois minutos de música mais poderosos do século XX. Ambas são acessíveis e fáceis de apreciar. Porém, não há nenhum estímulo para relançar as duas canções em nível amplo o suficiente para competirem pelo status de hits. Existem pilhas de relançamentos, incluindo gravações desses artistas, mas seu público-alvo é uma geração relativamente pequena do *baby boom* já com certa idade ou então colecionadores. Ninguém pretende fazer com que essas canções voltem a ser hits outra vez.

Presumivelmente, executivos de gravadoras não acham que certas canções renderiam grande coisa extra. Os lucros não valeriam o investimento com marketing.

A maior parte da música nos Estados Unidos é comprada por pessoas com menos de 30 anos de idade. Posso afirmar com segurança que a maioria dessas pessoas não é já uma possuidora dessas canções. A maior parte da música mais antiga simplesmente não aparece em suas telas de radar.

Mas por que não? Buddy Holly e James Brown são *ótimos*. Certo, alguns de vocês podem estar pensando que este Tyler aqui não passa de um velho conservador. Talvez Buddy Holly e James Brown estejam, refletindo bem, totalmente "por fora". Questão de gosto. Mas não há muita música sendo relançada — objetivando o status de hit — de 1969. Tampouco de 1970. Tampouco de 1980. Tampouco de 1990. Sacaram a parada? O fenômeno vai muito além dos possíveis defeitos de minhas velhas canções favoritas. Não é possível que seja tudo uma droga. Compradores querem o novo. Por quê? Olho para o Fator Eu. Música diz respeito a identidade. Também diz respeito a *diferenciação* de identidade.

O problema com a música mais velha é simples. *Algum outro já gostou.* Pior ainda, que esse alguém possa ter sido o pai ou mãe de alguém. Ou os avós. Acredito que os ídolos do vovô são menos ultrajantes que os dos pais, mas dificilmente seria por causa da animação juvenil.

No momento em que Elvis se tornou popular entre gente mais velha — ao terminar o serviço militar — ele perdeu o cartaz com os mais jovens. Deixou de ser um rebelde. Os jovens de 1975 (sei disso, eu era um deles) consideravam Elvis um *crooner* gordão, parecido com Wayne Newton e adequado para velhas senhoras em visita a Las Vegas. Estava um degrau acima de Lawrence Welk ou Liberace. Só muito mais tarde fui ouvir as Sun Sessions e comecei a ver Elvis como um mensageiro lascivo da obscena cultura blues afro-americana e importante revolucionário musical.

Em inúmeros mercados culturais — na música mais do que todos — vários compradores estão atrás da secessão artística. Isso significa gostar de alguma coisa nova, ou pelo menos gostar de alguma coisa que vai parecer nova em seu círculo de relações. Essa secessão não ocorre todo ano. Se o Nirvana atinge um pico de popularidade em 1994, as pessoas que começam a escutar "música *cool*" em 1995 não precisam rejeitar o Nirvana. O Nirvana está associado com a classe escolar um ano à frente e é claro que com os irmãos ligeiramente mais velhos. Embora os sentimentos juvenis para com os ligeiramente mais velhos sejam decididamente mistos, existe um forte elemento de emulação e algum grau de tolerância. Os dois grupos simplesmente não são assim tão diferentes. O Nirvana pode continuar a ser *cool* por um ano (ou mais) depois de passado o pico de sua popularidade.

Mas à medida que os anos se acumulam, o Nirvana perde o status aceitável. Para a classe de 2004, o Nirvana era adorado pelos caras mais velhos de 27 anos terminando seu MBA. Ou talvez seja adorado por aquele "mané na bomba de gasolina" ou o "sujeito que cuida dos hortifrutis". O que tem de *cool* nisso? A desconfiança se instala. Em algum momento o Nirvana não é mais um meio de estabelecer a identidade de alguém. Muitos fãs atuais de indie gostam do Nirvana com um interesse lateral (afinal de contas, eles definitivamente influenciaram posteriormente bandas indie como The White Stripes), mas poucos apostam sua identidade no grupo.

Pouca gente descolada investe toda sua identidade na ideia de retrô, como usar calças boca de sino ou escutar Abba. Mas melhor pensar nisso como uma rebeldia contra todos os demais períodos, e como uma forma nova e mais radical de ser diferente, mais do que um desejo de introjetar as verdadeiras vibrações da predileção retrô escolhida. Poucas dessas pessoas apreciam os programas de tevê ou os carros do mesmo período, a não ser como fonte ocasional de diversão.

Para aqueles que não acreditam que os mercados musicais dizem respeito em larga medida a identidade, como pode acontecer de os gostos musicais serem tão previsíveis? Pegue uma garota de 20 anos de idade, criada no subúrbio de Connecticut, judia, especializada em Inglês em alguma universidade da Ivy League. Qual a probabilidade de que seja uma fã ardorosa de heavy metal? Muito pequena. Mais provavelmente seus gostos vão na direção do indie. Também pode ser que ela goste de música clássica, sobretudo se cresceu tocando um instrumento. Country & western vai fazer com que se encolha de horror. Entretê-la com os esplendores de um Hank Williams, Sr., e de um primeiro Johnny Cash dificilmente deixarão alguma marca nessa armadura.

Estudos têm mostrado que, conforme aumenta o grau de instrução do indivíduo, mais cresce o desprezo por gêneros musicais de "baixo status", mais do que cresce a identificação com os gêneros de "status elevado". Um estudo sobre gostos musicais revelou que, dentre todos os gêneros, o heavy metal é o mais intensamente odiado pelo maior número de pessoas. O rap vem em segundo. Heavy metal e rap são os dois únicos gêneros onde mais pessoas marcaram "Odeio" em vez de meramente "Não gosto".

Claro que quanto mais pessoas rejeitarem um gênero, mais outras pessoas vão se identificar com ele. Pegue um atendente de posto de gasolina bebedor de cerveja de 23 anos em Oklahoma que nunca foi à faculdade. A melhor aposta para seu gosto é música country & western. Mude para 17 anos e o jogue no centro de Michigan e as chances de obter um metaleiro e adorador da guitarra vão lá em cima. Fumar baseado também tem poder profético. Não é particularmente provável que o lado masculino do lugar aprecie REM, Beck, Coldplay ou outros ícones do suave rock independente, ou mesmo Mozart ou Louis Armstrong, por falar nisso.

Não que os adolescentes brancos de Michigan sejam geneticamente predispostos a gostar de heavy metal. Seus gostos musicais servem para reafirmar o que são, o que não são e qual seu lugar no mundo. Se o adolescente de Michigan for preto em vez de branco, o rap provavelmente ocupará o metal em suas preferências.

E quem são as pessoas que gostam de quase tudo, de música de pipa chinesa a Bach, do rai argelino a Stockhausen, de bebop a blues dos anos 20? Ou são músicos profissionais ou profissionais nerds de classe média, em geral com alguma experiência de ter vivido fora. Meu caso. Infelizmente, não sou menos previsível que o maconheiro de Grand Rapids.

Até mesmo a maioria dos cosmopolitas musicais poderia ir mais fundo em sua busca pelo novo. Country e gospel são comumente populares nos Estados Unidos (duas das três categorias favoritas), mas não são apreciados por esses que alegam ser musicalmente tolerantes e que gostam de muitos gêneros. Quando perguntados, ouvintes cosmopolitas muito mais provavelmente vão expressar sua preferência por música latina, jazz, blues e rhythm and blues. Na verdade, ouvintes cosmopolitas — disso dá a medida os inúmeros gêneros musicais de que alegam gostar — nutrem especial desprezo por country e gospel, comparados ao público americano em geral.

Em outras palavras, poucos de nós fogem à necessidade de se rebelar contra alguma coisa. Isso, como você já deve ter adivinhado, é uma forma de estabelecer uma sensação de estar no controle.

Os mercados musicais são obcecados em encontrar os novos modelos populares de rebeldia porque os jovens consumidores dominam esses mercados. Houve uma época em que o mundo era mais pobre, as mesadas eram menores e os pais exerciam maior controle. Antes da segunda metade do século XX, não eram os adolescentes que compravam a maior parte da música neste país. Por esse motivo, até a década de 50 a música tinha menos a ver com rebeldia.

Para dar uma ideia, veja aqui parte das músicas mais vendidas em 1951, 1961 e 1971:

> **1951:** Trilha sonora do musical *Guys and Dolls*. Mario Lanza. Yma Sumac. The Weavers. Les Paul. Tony Bennett.
>
> **1961:** Bert Kaempfert. Trilha sonora do filme *Exodus*. Lawrence Welk. Judy Garland. E também: Elvis, Connie Francis, Brenda Lee e Paul Anka. O gosto adolescente começava a ficar em alta, assim como suas mesadas. Connie Francis, sem dúvida, é um símbolo um tanto quanto manso de rebeldia, mas Elvis balançava os quadris na tevê. No fim da década de 60 — deixando de lado Herb Alpert & the Tijuana Brass — o mercado musical era orientado para a juventude.
>
> **1971:** George Harrison. *Jesus Cristo Superstar*. Janis Joplin. Sly and the Family Stone. Michael Jackson. Carole King.

Fica em aberto a questão de saber como Nirvana soa para a turma de 2004 ou como o REM chega aos ouvidos do fumeta do Meio-Oeste. Será que o cara lá no fundo curte REM, mas não tem coragem de admitir? Ou suas predisposições culturais simplesmente o incapacitam a apreciar a música? As referências literárias para ele passam batido e seus hormônios berram "guitarra thrash" em lugar de "harmonias suaves e sublimes". Talvez ele nem sequer tenha parado para escutar devidamente REM, antes de mais nada, de modo que não tem opinião formada.

Isso posto, podemos voltar à questão de como nos tornarmos bilionários culturais. Assim como um gótico pode ter suas razões para rejeitar Haydn, a maioria de nós tem suas razões para rejeitar outros gêneros musicais. Dependendo do caso, desprezamos bluegrass, música clássica indiana, o Top 40 do pop, rap, música renascentista, afro-pop, big bands ou Mahler, dependendo de nossas origens e sensibilidades.

Para ser exato, alguns desses obstáculos não podem ser vencidos. Descobri que a maioria dos americanos simplesmente não tem como desenvolver um gosto pelas lamúrias microtonais do pop egípcio. O preconceito não é o principal obstáculo; mais do que isso, a música soa como ruído em seus ouvidos.

Mas muitos motivos para rejeitar diferentes tipos de música são ditados exclusivamente pela identidade. Eles poderiam ser mudados por uma readequação em nossa orientação pessoal. Tudo que temos a fazer é assumir um leque de interesses mais amplo e cosmopolita. Esses repúdios musicais são — em termos estéticos — injustificados e tolos. A maioria dos motivos de rejeição se condensa no Fator Eu.

Alguns leitores talvez protestem. Muitos de nós já tentaram escutar heavy metal e odiaram. Eu mesmo não gosto muito. Mas a nata de qualquer gênero, incluindo o metal, geralmente é muito boa. E não precisamos começar pelo tipo de música que menos gostamos. Se o heavy metal nos dá náuseas, podemos tentar Louvin Brothers (bluegrass), Art Blakey (bebop), música de gamelão do Bali ou Josquin (música renascentista do século XVI).

Se formos capazes de transcender o Fator Eu, um pouquinho que seja, uma quantidade notável de música excelente se abrirá diante de nós. Simplesmente enfiar o disco no aparelho e ouvir uma vez pode não ser suficiente para criar uma nova paixão. Ouvir dez vezes também não bastará, talvez. A chave é acreditar — sinceramente — que a nova música *significa alguma coisa para mim e minha vida*.

Isso pode ser difícil, mas é na verdade a alternativa mais barata que temos diante de nós para criar uma nova música maravilhosa. Os Beatles nunca vão voltar. Brahms está morto. Os compositores não vão retomar em massa o estilo barroco. Somos nós que detemos o poder da "revolução artística mais barata possível" em nossas mãos. Basta querer. Imagine que em um único ano o mundo produziu 200 brilhantes sinfonias, 5 mil canções pop incríveis, 300 CDs de jazz de primeiro nível e 5 mil ragas de tirar o fôlego. E isso só para começar.

Isso não é nada comparado com o que já está por aí — desconhecido da maioria de nós — e do que pode ser descoberto com uma olhada relativamente rápida. Precisamos apenas estar determinados a fazer de nós mesmos bilionários culturais. Quando se tratava de passear por um museu de arte, a chave foi mobilizar o Fator Eu para despertar o interesse. Na música, mais ao alcance de nossos dedos, é bem provável que precisemos regular o Fator Eu um grau mais abaixo, de modo a nos tornarmos mais abertos a novos gêneros e estilos.

• • •

MAS QUANDO É O MOMENTO de se soltar? Quando se libertar do domínio que um pedaço particular da cultura, ou um gênero ou estilo antigo, exerce sobre nossas vidas? Afinal de contas, se crescemos escutando Count Basie não será um tipo de traição passar a Merle Haggard e Brian Eno? Não estaremos negando a própria essência de nosso ser e talvez nossas lealdades a uma região, raça, religião e família?

Podemos fazer perguntas semelhantes sobre nossas ligações com experiências culturais individuais. Quando terminar um livro que começamos? Nesse aspecto, sou um extremista. Se comecei dez livros talvez eu termine um deles. Não sinto compunção de continuar a ler. Por que não ser impiedoso quanto a isso? Esse livro é o melhor livro que posso estar lendo nesse preciso momento, dentre todos os livros do mundo? Para mim, pelo menos, a resposta é normalmente (mas nem sempre) não. Seja qual for o melhor livro possível a ser lido, tenho intenção de comprá-lo ou de qualquer modo de ir atrás dele. A maioria dos outros livros fica de fora.

Costumo sair no meio de muito filme, principalmente quando vou sozinho ao cinema. Assisto a muitos filmes já esperando sair, na verdade, *querendo* sair. Só queria fazer uma ideia do que o filme tratava. Parte dessa curiosidade é para minha pesquisa, já que tenho escrito sobre a economia do cinema. Alguns filmes são tão populares ou tão famosos que nenhum de nós gostaria que permanecesse como uma misteriosa caixa-preta em nossa experiência cultural. Pretendo formar uma opinião sobre esse filme e nem sempre quero esperar pelo DVD ou sofrer com a tela pequena. Saber a respeito do filme pelo que os outros contam também serve, até aí. Mas preciso mesmo ver o *fim* do filme? Dá para adivinhar como acaba ou ler uma resenha. Para mim, a primeira parte das *Cartas de Iwo Jima* — não um filme ruim — foi quanto bastou.

Se consigo sair de um filme, posso ver partes de outros filmes nesse mesmo dia. Um dia desses assisti a pedaços de quatro filmes. Fiquei feliz, não frustrado com a experiência. Três deles eram melhores do que eu esperava, embora aparentemente não bons o bastante.

Às vezes vou assistir a um filme que termina às quatro mas marquei um compromisso ou uma ligação para as três. Minha expectativa é de cumprir minha obrigação. Se o filme é mesmo bom — melhor do que eu esperava — então estou com um problema. Mas é um problema agradável. Significa que *ver o resto do filme é melhor do que qualquer outra coisa que poderia estar fazendo na vida naquele momento*. Isso é impressionante. Se é com esse panorama que vou ter de me preocupar, sinto que minha posição é deveras confortável.

O economista Robert Hall certa vez disse alguma coisa como: "Se você nunca perdeu um avião é porque passou tempo demais esperando em aeroportos."

Esse modo de enriquecimento cultural exige mais do Fator Eu — você não precisa prestar tanta atenção quanto o produtor daquela forma de arte esperava que você prestasse. Mas não podemos agir desse modo em todas as questões e o tempo todo. Em muitos casos, queremos honrar os compromissos firmados previamente, mesmo que isso não seja por falta de consideração com o autor ou cineasta.

Digamos que eu tenha comprado caros ingressos de teatro. Uma súbita dor de cabeça significa que não quero mais ir. O economista pode insistir em que fiquemos em casa, argumentando severamente que "custos irrecuperáveis são irrecuperáveis". Custos irrecuperáveis se tornou o jargão dos economistas para *trate o que é passado como passado*. Não vamos obter nosso dinheiro de volta indo ao teatro e se o espetáculo não tivesse custado nada provavelmente não iríamos de qualquer jeito.

Contudo, nessa situação, muitos de nós se sentem culpados em ter gasto o dinheiro. Vamos ao espetáculo, determinados a fazer bom uso de nosso compromisso financeiro e nossa autoimagem como devotados amantes da arte.

Essa tendência é generalizada. Comemos mais do que pagamos em um bufê do tipo "coma à vontade", comparado a quando tem alguém nos servindo. E no entanto a comida vem livremente tanto num caso como no outro e o que gastamos no passado não deveria fazer diferença. Entretanto, sentimos que precisamos "fazer o dinheiro valer". Em outro contexto, muitos casais têm um compromisso mútuo quando fazem sacrifícios um pelo outro, comparado a quando tudo vem fácil. Valorizamos aquilo pelo que temos de lutar, sendo essa uma das razões pelas quais as mulheres se fazem de difíceis.

Todo mundo se defronta com essas questões de compromisso, mas como resolvê-las? Quando devemos tratar o passado como irrelevante e quando devemos nos ater a um planejamento prévio? Quando devemos nos manter fiéis a um investimento cultural? A resposta, mais uma vez, está na compreensão do Fator Eu.

Usamos nossas decisões culturais para ajudar a criar historinhas sobre o tipo de pessoas que somos, que tipo de casamento queremos ou que tipo de trabalho aspiramos ter. O mais importante desses enredos diz respeito — você adivinhou? — a nós mesmos. Meu enredo pessoal é de polímata nerd intelectual e curioso, esposo e padrasto amantíssimo, amante de música e colecionador de Arte Marginal mexicana, entre outras qualidades. Para o bem ou para o mal, nunca dei grande importância a "pilar da comunidade local", "ativista político fervoroso" ou "atendente de ligações de suicidas". Às vezes mudo ou desvio meu enredo, mas na maior parte invisto nos enredos que já tenho e os estendo. Mesmo quando abraço uma nova causa, busco continuidade com interesses e envolvimentos prévios.

Assim, se nossos enredos fazem diferença, o passado faz diferença também. Nenhum bom enredo dá um salto a todo momento ou se dirige a um rumo completamente novo a cada guinada na ação. Um enredo adquire força ligando eventos passados, presentes e futuros. Valorizar nossos enredos significa credenciar nossas decisões passadas e nossa história; isso significa que iremos muitas vezes honrar custos irrecuperáveis. Coisas passadas nem sempre são passadas. Honrando investimentos passados, e nossas ligações culturais de um momento anterior, estamos construindo um enredo e uma autoimagem.

Às vezes nossas ações correntes conferem valor de redenção sobre ações passadas e provam que nossos sacrifícios prévios não foram em vão. Chegamos ao ponto de inventar novos finais, para que possamos ver nossos investimentos de antes como parte de um padrão coerente. Inventamos novas justificativas para nossas motivações, especialmente quando envolvimentos prévios pareceriam tolos de outro modo. Fosse certo ou errado, muitos observadores pró-guerra redefiniram o argumento para atacar o Iraque quando se descobriu que não havia armas de destruição em massa no país.

Assim, agora dispomos dos meios para decidir quando ir ao teatro com uma dor de cabeça. Devemos ir, e respeitar nosso investimento prévio em custos irrecuperáveis, quando tivermos oportunidade de fortalecer enredos proveitosos. Não devemos ir — desse modo rompendo só um pouco com o passado — quando o comparecimento der apoio a enredos pessoais prejudiciais ou improvidentes. Um enredo proveitoso é aquele que apoia nossa felicidade e o bem-estar comunitário; um enredo nocivo faz o contrário.

Assim, se o dono do ingresso carece de um maior *follow-up* na vida — está com 40 anos e não pode se comprometer com um relacionamento de longo prazo — é melhor se levantar da cama e ir ao teatro. Que se dane a dor de cabeça. Se o dono do ingresso é um esnobe da arte, talvez ele deva relaxar e fugir desse enredo. Melhor cuidar da dor de cabeça e ficar em casa assistindo *Lost* ou *Veronica Mars*.

Alguns economistas dirão que se é para honrar os custos irrecuperáveis, devemos fazê-lo quando o custo por esse comportamento for relativamente baixo. Uma dor de cabeça daquelas é motivo para ficar em casa e não ir ao teatro, mas não uma pelinha soltando da cutícula. Esse conselho porém não leva em consideração qual compromisso verdadeiramente importa e como nós o demonstramos. Estamos dispostos a fazer sacrifícios significativos — a nos expor a um pouco de desconforto ou dor — para dar significado a nossos enredos. Os benefícios para o enredo da ida ao teatro são em geral maiores quando fazemos os maiores sacrifícios.

Tendo isso em mente, vamos voltar à questão de saber se podemos nos tornar bilionários culturais sendo mais onívoros musicalmente. A ampliação de nossas identidades pessoais por esse caminho envolverá alguns custos muito reais. Escutar mais música de um novo gênero pode significar escutar menos música de nossa infância ou escutar menos música que compartilhamos com nossos melhores amigos. Mas esses custos também anunciam nosso envolvimento e dão significado a nossa nova autoimagem mais cosmopolita culturalmente.

Valerá a pena essa identidade cultural mais ampla?

Podemos olhar para a pesquisa psicológica sobre "inclinação pelo status quo", que revela que as pessoas tendem a supervalorizar bens, serviços e identidades simplesmente porque já os têm ou possuem. Se dermos canecas para as pessoas em experimentos de laboratório, elas tenderão a valorizar a caneca duas vezes mais, ou além disso, imediatamente após o recebimento do brinde. Só porque a caneca é "delas". Efeitos de lealdade similares já foram reproduzidos sob uma variedade de condições e para uma variedade de diferentes bens ou ligações. Somos em certa medida cativos de nossas posses.

Os seres humanos provavelmente desenvolveram essa tendência protecionista para consolidar o amor por suas famílias e amigos próximos. Claro que amor e afeto são qualidades admiráveis, mas não devemos e não precisamos valorizar o status quo tanto assim em todas as esferas da vida.

A presença geral de uma inclinação pelo status quo significa que a maioria de nós provavelmente não tem um investimento tão grande assim nas afeições culturais prévias. Desse modo, para voltar à questão de valer ou não a pena, o alargamento dos horizontes culturais — e um flerte com algumas ideias musicais novas — faria bem à maioria de nós.

Outra resposta é simplesmente apostar em saber se uma guinada na identidade cultural ou musical vale a pena. Este é um capítulo sobre como se tornar um bilionário cultural, mas, ora, ninguém é obrigado a fazer o que não quer. Se você não tem intenção de se tornar um bilionário cultural, bem, talvez esteja ocupado se tornando um bilionário de algum outro tipo. Os capítulos seguintes podem ser úteis aos que se lançam nessa empreitada.

5

Mantenha a boa imagem em casa, em um encontro ou numa sessão de tortura

ACHEI ESTE diálogo surpreendente:

— Você me trata como sua propriedade.

Foi o que disse uma mulher para o seu parceiro. A resposta dele?

— Se eu a tratasse como minha propriedade, afinal de contas, isso quer dizer que eu tomaria conta dela, a protegeria e a trataria muito melhor do que todas as coisas que não estão em minha posse.

De repente, me dei conta de que a expressão em seu rosto não refletia a conflagração jubilosa que ardia dentro de mim. Então percebi meu erro. Somos todos proprietários de nós mesmos, tanto ela como eu. Mas vamos dizer que eu a estivesse tratando como propriedade. Isso traz à baila a questão extremamente importante:

— Você quer dizer propriedade pública ou privada?

Recomendo que meus leitores não levem essa questão para seus relacionamentos. Não é a melhor forma de viver um romance feliz.

Há uma importante questão aqui, que constitui o tema deste capítulo. Todos nós gostaríamos de ter uma boa aparência, e numa ampla variedade de ambientes, incluindo no trabalho e nos relacionamentos de amizade e amor. Seu Economista Interior sabe que sua aparência não se resume a suas roupas ou boas condições de saúde ou mesmo ao que você diz. É a somatória de todos os sinais que você envia e com que habilidade você adapta esses sinais para seu público.

Um sinal, como os economistas usam o termo, é um conceito simples. Sinalizamos toda vez que incorremos em um custo para enviar uma mensagem sobre nós mesmos ao mundo exterior. Sinalizar é uma espécie de publicidade pessoal. Sinalizamos quando usamos roupas da moda, quando frequentamos o curso certo de pós-graduação e quando enviamos a cor certa de flores. O custo ou dificuldade é tudo na sinalização e o motivo pelo qual o ato de sinalizar envia uma mensagem efetiva. Se flores fossem de graça, ou todo mundo soubesse o tipo correto a enviar, a maioria das mulheres não se entusiasmaria de ganhá-las. Se todo mundo pudesse entrar na Harvard Business School com facilidade, e escolher o orientador certo, o certificado não significaria grande coisa.

Tenha em mente que muitos sinais são em certa medida mensagens ocultas. Não são completamente explícitas, ou pelo menos não deveriam, se pretendem ser eficazes. São sinais de algo que apenas os mais interessados ou mais conscientes conseguem ler. Em geral, chegam parcialmente encobertos, ou indiretamente. E isso torna a sinalização difícil de executar. Gostaríamos de nos fazer entender deixando os sinais de lado, bem... parecendo que estamos tentando nos fazer entender com sinais. Não queremos parecer que estamos nos gabando, ou tentando com muito esforço, ou precisando escalar a escada do sucesso. Queremos parecer o tipo de pessoa que é tão bem-sucedida que não necessita ter obsessão com sinalizações.

Um certo dr. Rangel, conhecido blogger e médico, ofereceu esta receita para impressionar uma mulher:

> Sirva vinho pra ela, Jante com ela, Ligue pra ela, Abrace-a, Proteja-a, Surpreenda-a, Elogie-a, Sorria pra ela, Ouça, Ria com ela, Chore com ela, Viva um romance com ela, Encoraje-a, Acredite nela, Reze com ela, Reze por ela, Faça carinho nela, Faça compras com ela, Dê joias pra ela, Compre flores pra ela, Segure a mão dela, Escreva cartas de amor pra ela, Vá até o fim do mundo e volte por ela.

Isso, talvez surpreendentemente, nem sempre funciona. Muitas vezes a melhor forma de impressionar uma mulher é fazer algo que impressione outros homens. Políticos famosos — geralmente sem tempo de praticar tudo isso descrito acima — não sofrem de pouca oferta amorosa. Não precisam nem ser ricos.

Algumas pessoas — vamos chamá-las de vilões — tentam parecer más e não boas com seus sinais. O cara mau no filme de Bruce Lee, *Operação Dragão*, é um demônio musculoso chamado Bolo, interpretado pelo astro das artes marciais Bolo Yeung. Antes de enfrentar os inimigos nas competições, Bolo quebra tábuas e blocos de concreto com as mãos ou a cabeça. Seus oponentes começam a tremer antes mesmo de começar a luta. Ele quebra seus pescoços e ignora seus golpes. A questão é que um sujeito mais fraco como eu não seria capaz de quebrar uma tábua nem com um martelo, muito menos com a cabeça.

Você já viu um lutador profissional chamado Smythe-Thomson?

Esses exemplos talvez pareçam sugerir que manter a boa imagem é algo superficial ou trivial, não uma questão de portar-se bem a longo prazo. Vamos passar a problemas mais importantes.

Certo indivíduo escreveu uma análise econômica ou de "teoria dos jogos" sobre deixar a tampa do vaso levantada ou abaixada. Ele utilizou complicadas fórmulas matemáticas para concluir que economizar movimentos da mão é a variável-chave. Em seu texto, deveríamos deixar a tampa "do jeito que está" ao terminar. Por que nos preocuparmos em mudar quando o assento pode ser necessário naquela mesma posição outra vez e só vai dar mais trabalho?

Uma abordagem mais sofisticada, baseada em uma conversa mais longa com o Economista Interior da pessoa, admitiria que tais questões devem ser tratadas de modo a agradar a esposa e que isso geralmente significa baixar a tampa da privada depois de usar. É um reconhecimento simbólico do valor da mulher.

A ideia econômica de "sinalizar" se refere a enviar uma mensagem escolhendo uma ação dispendiosa. Sinalizo quando compro flores para minha esposa no Dia dos Namorados; não estou convencido de que ela precisa das flores em meados de fevereiro. Lamento dizer isso a todos os muquiranas por aí, mas o *custo* de sinalizar é o mais importante. Um anel de diamantes faz mais do que flores. Um conselho gratuito, por mais valioso que seja, não deixa a mesma marca.

As mulheres valorizam há um bom tempo determinados objetos — como flores e diamantes — que os homens tendem a não ter interesse. Deixando de lado o valor da revenda ou do presente, eu não pagaria 200 dólares pelo mais belo diamante do mundo. As mulheres valorizam os objetos enquanto presente, em parte, *porque* os homens não ligam para eles. Se eu comprasse para minha esposa a caixa completa de DVD de *Battlestar Galactica* ela suspeitaria antes de um comportamento egoísta de minha parte do que dedicação a ela, mesmo que passasse a apreciar o seriado. Assim, os melhores presentes são muitas vezes aqueles que nós, presenteadores, não valorizamos muito. Tais presentes revelam o valor que damos *ao presenteado*, mesmo que diamantes sejam de fato um desperdício de dinheiro.

O amor não pode ser mensurado de modo científico ou direto, pelo menos não sem que haja um dramático avanço das neurociências. Devemos em vez disso mostrar nosso apreço às outras pessoas o tempo todo e isso significa que queremos enviar os sinais corretos.

O conceito de sinalização foi descoberto formalmente em 1973, quando o economista A. Michael Spence, mais tarde premiado com o Nobel, publicou sua dissertação de Harvard sobre a ideia. Spence se baseou em sua experiência com educação. Parece que muitos títulos, como Master of Business Administration (MBA) e Juris Doctor (JD), são valorizados desproporcionalmente em relação ao que as pessoas aprendem na faculdade. Não será a maior parte do curso de administração apenas um estudo tedioso e inútil? Spence formulou uma hipótese: ser aceito na Harvard Business School e sobreviver ao laborioso ensino identificavam os profissionais talentosos e dedicados para o futuro. Empregadores procuram contratar os alunos bem-sucedidos, mesmo que esses alunos não aprendessem coisa alguma com os estudos de caso da maionese Hellmann's. (Spence posteriormente se tornou reitor da Graduate School of Business at Stanford.)

Os três anos de MBA são um modo valioso de identificar talento. Não basta fazer uma prova com todo mundo e contratar os que tirarem a nota mais alta. Muitos exames de aptidão geral são ilegais nos Estados Unidos devido às leis antidiscriminação, mas esse não é o caso. Ir bem em uma prova não é garantia de perseverança. O sinal precisa ser custoso e cansativo, de outro modo falha em selecionar os melhores candidatos ao cargo. Conquistar o mundo dos negócios envolve muito mais do que provas de habilidades. De todas as qualidades pessoais, autodisciplina é compreensivelmente a mais importante em prever o futuro sucesso administrativo e acadêmico.

Às vezes, a sinalização mostra mais inteligência do que autodisciplina, como quando os homens tentam passar uma cantada. Então, quando uma cantada é boa? Ou, se essa ideia é abusada demais, quando um salutar convite para um baile promovido pela igreja é bom? Cantadas representam o extremo na sinalização; na verdade, nada mais são que pura sinalização, desoneradas de qualquer outra possível motivação. Um homem à espreita tem um incentivo para parecer encantador, confiável e de certo modo especial, comparado com seus inúmeros competidores.

Em resumo, o homem tem de demonstrar seu caráter único, contudo, sem parecer que faz esforço demais. Isso é duro.

Neil Strauss escreveu um livro chamado *O jogo*. Seria de se esperar que esse volume revelasse valiosos segredos da arte da sedução, mas em vez disso é uma lição objetiva sobre a importância do talento natural. Strauss afirma:

> Aprendi que quanto mais indisponível você parece, mais as pessoas o querem. Quanto mais você diz "pare de encostar em mim" ou "estou comprometido" ou "você não faz o meu tipo", mais as pessoas vão atrás... Um pequeno exemplo — sei que isso soa horrível, mas é verdade — seria se, digamos, eu tentasse beijar alguém e fosse rejeitado. Descobri que se simplesmente virasse minha cabeça para o outro lado e ignorasse a pessoa por cinco segundos, depois voltasse a virar e dissesse a mesma coisa, na maior parte das vezes a pessoa iria em frente e me beijaria. Pode ser que seja uma coisa do tipo punição-recompensa, ou talvez aconteça de a primeira reação da pessoa ser não, mas assim que ela tem um momento para pensar, ela pensa, "Sei lá, talvez esse cara seja legal".

Não sou nenhum mestre na arte, mas esse é o pior conselho romântico que já ouvi.

Uma estratégia puramente "se fazer de difícil" deixa de satisfazer o que os teóricos da sinalização chamam — perdoem-me o jargão nerd — "equilíbrio de separação". Em outras palavras, ela não distingue (ou não "separa") os bem-sucedidos dos fracassados. "Se fazer de difícil" é algo fácil demais a ser imitado pelos *losers*. Se o sucesso com as mulheres (ou, por outro lado, homens) exigisse apenas o "se fazer de difícil", a procura por ermitões seria fantástica. Não é o caso. Nem tampouco alguém quer ser um ermitão.

É preciso que notem você para começo de conversa. Joguei esse jogo de "se fazer de difícil" com Salma Hayek por anos, mas a reticência dela me rendeu poucos dividendos, nem mesmo um e-mail de cortesia ou o convite para uma festa. Se eu perceber que ela reage, estou pronto para "virar a cara", mas com ela a coisa vai de mal a pior. Em vez disso, a parte que corteja deve saber como induzir ou cortejar o interesse inicial e então — possivelmente — quando virar a cara, se é que de fato virar a cara é necessário.

O investimento no mercado imobiliário serve de analogia. Todo mundo sabe que os preços sobem e descem, e depois provavelmente sobem e descem outra vez. Os investidores brilhantes são aqueles que sabem *quando* comprar ou vender. Isso é muito difícil de perceber.

Uma aplicação apropriada do princípio "se fazer de difícil" é, bem... se fazer de difícil direito. Isso é precisamente o que torna o "se fazer de difícil" eficaz, quando tramado por um mestre na arte. Se um homem apela para a estratégia de se fazer de difícil e não consegue simular suas ardilosas nuanças com a destreza apropriada, a maioria das mulheres vai achá-lo um estúpido ou simplório.

Só esforço não é suficiente para triunfar na busca do par correto. As mulheres são notavelmente astutas em avaliar as verdadeiras capacidades masculinas, e vice-versa, entre outras coisas porque evoluímos assim na busca por parceiros de qualidade.

Um estudo sugere resultados diferentes do óleo de cobra recomendado por Neil Strauss e outras obras da mesma laia. Quarenta diferentes cantadas foram apresentadas a um público de 205 alunos, 142 mulheres e 63 homens. Em cada "caso" um homem se aproxima da mulher com uma fala; estas atribuem uma nota para sua potencial eficácia. O método dificilmente pode ser considerado científico, mas é bem mais útil que as historinhas de Strauss. O resultado confirma intuições do bom senso. Cantadas envolvendo piadas, elogios vazios e referências sexuais não impressionaram as mulheres. Cantadas revelando caráter prestativo, generoso, atlético, "cultural" e abastado receberam notas razoáveis. Em outras palavras, o homem se sai (relativamente) bem se exibe alguma qualidade valiosa ou ao menos se der a entender que existe uma possibilidade de que tenha essa qualidade.

Claro que avaliar cantadas abstratamente deixa de lado a maior parte da habilidade. O verdadeiro macete não é só o que você diz ("E aí, gatinha, quer conhecer meu Steinway" — ou seria Bösendorfer?), mas antes estar trajado e agir do modo apropriado, além de mostrar consciência do contexto social. Se um homem está atrás de uma mulher, o endosso das amigas dela é de grande valia. Assim como jatinhos particulares, obras de Mark Rothko ou discos de ouro na parede. De repente, a mulher tem um incentivo para ficar interessada. Em outras palavras, as mulheres geralmente reagem a peculiaridades que os *losers* dificilmente conseguem imitar. Homens, quando atrás de uma mulher, reagem a sinais precisos de aparência, inteligência, educação, classe social e interesse em crianças. Homens e mulheres geralmente buscam diferentes qualidades em seus parceiros, mas a mesma lógica de sinalização é aplicável.

• • •

SE A SINALIZAÇÃO é um modo de parecer bem, e assim conseguir mais daquilo que se deseja, por que não fazemos isso o tempo todo? O problema é que sinalizar desperdiça recursos.

"Quero mostrar que os malaios são capazes de proezas sem igual no mundo."

Essas foram as palavras de Nur Malena Hassan. Essa jovem malaia ficou 32 dias consecutivos em 2004 com mais de 6 mil escorpiões venenosos. Para mostrar seu feito, a provação teve lugar em um shopping center, na cidade de Kuantan, cerca de 250 quilômetros a leste de Kuala Lumpur. Dezenas de pessoas interrompiam o que estivessem fazendo para ver os escorpiões andando no corpo da mulher. Ela dormia, comia e rezava na direção de Meca dentro de uma jaula de vidro. (Podia sair dali uma vez por dia durante 15 minutos.) A mulher também assistia DVDs durante a performance; seu filme favorito era o *Homem-Aranha*.

A mesma mulher, em 2001, já quebrara um recorde mundial passando trinta dias com 2.700 escorpiões. Nur Malena foi picada inúmeras vezes, o que a fez cair inconsciente. Porém, ela seguiu em frente. Para seu desespero, um ano mais tarde, Kanchana Ketkeaw da Tailândia passou 31 dias em uma jaula de vidro com 3.400 escorpiões. Era necessário voltar à tarefa com esforço redobrado. Como notou corretamente: "Ficar com 6 mil escorpiões é diferente de 3 mil. É mais pior [sic]".

Nur Malena observa que os escorpiões são mais ativos durante a noite. Escorpiões também não costumam picar a menos que atacados ou quando pisoteados. O segredo para o ser humano é manter a frieza, e isso exige prática. Nur Malena permitiu-se ser picada por escorpiões durante mais de cinco anos, de modo a se acostumar com a ideia e adquirir imunidade contra o veneno. Da segunda vez em que bateu seu recorde mundial, ela foi também picada inúmeras vezes. Por algum tempo não conseguiu andar, mas não desfaleceu.

Quando observamos um comportamento destrutivo ou de algum modo incompreensível, nossas mentes encaram a possibilidade de que estejamos testemunhando uma sinalização. Todo mundo se preocupa com que o resto do mundo — e sobretudo nosso círculo — pensa da gente. Por exemplo, muitas crianças negras têm medo de tirar boas notas, por medo de serem rotuladas como "brancas demais" pelas outras crianças da escola. Fracassar nos estudos é uma maneira de sinalizar que se é membro de um grupo. Os alunos estão claramente evitando um ato de traição.

Se nos sentimos frustrados com o mundo, há boas chances de que a culpa seja da sinalização. Considere uma carta para "Querida Prudie", a coluna de aconselhamento de Slate.com, que diz:

> Querida Prudie: recentemente compareci a um chá de cozinha para uma jovem noiva... Quando estávamos todas lá, a anfitriã distribuiu envelopes entre as convidadas e pediu a cada uma que endereçasse o envelope para si mesma, de modo a receber um bilhete de agradecimento. Como recebi meu convite pelo correio, só pude concluir que ela já tinha meu endereço. Fiquei chocada com o gesto rude, que deixava claro para mim que a noiva não podia se dar ao trabalho de escrever uma nota de agradecimento após eu ter encontrado tempo de comparecer a seu evento e comprado um presente... ou será que simplesmente estou sendo implicante?
>
> Ass.: Atônita

"*Por que a gente não fez isso?*", foi tudo que esse economista conseguiu pensar. Mas, ai de mim, é geralmente um erro buscar eficiência em detrimento da imagem. A resposta de Prudie foi que isso não passava de falta de tato: "Ela carece de educação e finesse e de uma mãe que se dê ao trabalho de lhe ensinar um pouco de bons modos."

Mais uma vez, o custo e a inconveniência são o ponto essencial da sinalização e a origem de seu valor. Sinalizar nos diz quem é quem na ordem social.

Às vezes, jogos de sinalização levam a um crescendo de ineficiência. Há um efeito do tipo ter um carro melhor que o do vizinho. Você conhece a piada? Um homem rico é definido como aquele que ganha mais do que o marido da irmã de sua esposa. Se o marido da irmã recebe uma promoção, o homem previamente rico terá de dar duro um pouco mais.

A questão não é abolir a sinalização — o que é impossível —, mas antes usar a sinalização em nosso benefício. Mais importante, se compreendermos a sinalização, teremos uma paciência renovada e a força moral de aceitar os fatos sociais que não podemos mudar. A sinalização, pela própria natureza, é difícil de ser lograda, ultrapassada ou evitada. A sinalização vai nos irritar, ou penalizar, pelo menos uma vez todos os dias de nossa vida.

Sinalizar ajuda a explicar por que pessoas bem-sucedidas vivem sobrecarregadas. Com muita frequência a fonte de nossa frustração está sinalizando com "*face time*".* Eis um problema que meu Economista Interior não sabe como resolver. Talvez o seu saiba.

As pessoas — e não só no trabalho — sentem-se insultadas se forem tratadas de um modo brusco ou peremptório, mesmo quando o assunto em questão pode ser resolvido rapidamente. Imagine um professor visitante que vem para fazer um seminário, mas eu não consigo (não quero?) achar tempo para o almoço. O almoço seria um bate-papo despreocupado, de qualquer forma, mas agora o professor sente que eu não sou lá muito digno de sua pesquisa — ou *dele*. Você consegue imaginar uma vaidade dessas? Se os outros percebem nosso tempo como importante, eles o querem ainda mais.

Nossos filhos nos julgam não pelo quão eficientemente apoiamos seu processo de crescimento, mas antes por quanto esforço empreendemos enquanto pais. "Sinto muito, filho, sei que seu jogo da Liga Infantil é amanhã. Tenho uma conferência importante. Vá de táxi." Nem mesmo ir até lá. E se você vai, não ajuda nada acrescentar: "Não se preocupe, nesse meio-tempo vou estar ganhando um extra e pondo mais dinheiro em sua faculdade. Sem mencionar o '*present expected value*' mais alto de seu futuro legado."

Existem soluções para esse problema? Afinal, um dia tem apenas 24 horas e nossos rostos (assim se espera) um só lado. Algumas estratégias vêm à mente:

1. Finja que algum outro privilégio (beijos de mão? cartões de aniversário?) é extremamente custoso e concedido raramente. Ofereça esse outro privilégio em lugar de grandes quantidades de tempo.
2. Finja estar mais ocupado do que é de fato o caso. Deixe as pessoas acreditarem — talvez verdadeiramente — que todos os demais recebem ainda menos tempo. A pessoa deve cultivar a aparência de estar sempre correndo.

*Significa o tempo que se passa com alguém pessoalmente, por oposição a algum meio de comunicação. (*N. do T.*)

3. Finja que seu tempo é *insignificante*. (NB: Isso pode implicar se vestir mais informalmente.) A esperança é de que ninguém irá se sentir menosprezado se não receber muito tempo. Quem se sente desprezado por não receber tachinhas de graça? Mas existe outro desdobramento possível, no qual a pessoa negligenciada se sente ainda mais insultada. Afinal, não abrimos mão nem mesmo de nosso tempo pobre e sem valor nenhum. E a mudança de guarda-roupa trará suas próprias consequências.

É provável que nenhum desses truques faça o problema desaparecer. O dia não tem tanto tempo assim. Seu Economista Interior não pode mudar as leis da física.

• • •

EM NENHUM OUTRO LUGAR a sinalização é mais importante do que na família. Embora incentivos financeiros diretos não funcionem muito bem nas famílias, sinais são cruciais para a construção de confiança e cooperação familiar.

Muitos indivíduos — incluindo minha esposa — gostam de se sentir protegidos contra todos os perigos possíveis. Se não quero comprar uma apólice, minha esposa julga isso uma atitude irresponsável. Não estou expressando o máximo envolvimento com a ideia de segurança. Além do mais, se não compro o seguro quando poderia, vou ter de ouvir a história de um homem que não dava importância suficiente e deixou que algo saísse errado. Muitas vezes comprar um seguro tem a ver com investir em uma história sobre quem somos e com que nos importamos; vendedores de apólices perceberam esse fato há muito tempo e é com base nisso que trabalham.

Meu colega, o economista Robin Hanson, argumenta que muitas atividades que envolvem proteção são de fato sobre "mostrar que você se importa". O que pensaríamos do pai ou mãe que não fez "todo o possível" para proteger seus filhos? Que tipo de homem diria a sua esposa que pesou os prós e contras antes de pagar por uma biópsia adicional para o câncer dela? Na esteira do Katrina, estamos tentando reconstruir Nova Orleans não porque fizemos um cálculo confiável, mas porque sentimos que é nosso dever. Ninguém quer parecer como se não desse a mínima para Nova Orleans, sobretudo os políticos.

Uma abordagem econômica sugere que deveríamos nos segurar apenas contra catástrofes capazes de nos liquidar. Pequenos acidentes não são dignos de prêmios de seguro, especialmente a partir do momento que o seguro é fixado a um preço injusto. A companhia que oferece o seguro deve cobrir suas indenizações ou restituir os custos mais os custos de venda do seguro. Uma vez que os custos de venda do seguro acabaram repassados aos compradores, a longo prazo o comprador deixa de atingir o ponto de equilíbrio. Alguns compradores contarão com a sorte e acabarão em posição vantajosa, mas os compradores como um todo perderão dinheiro.

Para mencionar um exemplo simples, deveríamos nos recusar a comprar a maioria das garantias de produtos. Para a maior parte das pessoas o dinheiro economizado em prêmios será maior do que o valor das restituições e reposições recebidas. A Best Buy e a Circuit City lucram amplamente com essas apólices, e é por isso que as empurram para os clientes incautos.

A maioria de nós encara o seguro como parte da vida que vivemos. Muitas vezes uma pessoa compra o seguro para sinalizar e expressar lealdade a compromissos. Por exemplo, uma pessoa pode comprar seguro de vida para sinalizar afeição e reafirmar ligações, não porque os herdeiros vão precisar do dinheiro. Podemos pagar por uma garantia para nosso fogão novo a fim de expressar lealdade à ideia de uma casa segura, imune à tragédia e à catástrofe.

Comprar seguro geralmente diz respeito a imagem. Os dados mostram que os piores motoristas são os *menos* prováveis de ter seguro. Essas pessoas são descuidadas quando se trata de dirigir e comprar seguro porque isso corresponde a sua autoimagem. Isso vai contra a usual hipótese da "seleção adversa" dos economistas, que prevê — incorretamente — que os melhores motoristas são os mais propensos a esquecer do seguro porque são os que menos precisam dele. Minha esposa quer ter certeza de que não sou um desses com uma autoimagem descuidada ou temerária e assim espera que eu compre montes de seguros. Eu me daria por feliz com uma cláusula geral cobrindo grandes processos por dívidas, mas na verdade a gente acaba com muito mais seguros que isso.

Rejeitar seguros e garantias pode parecer arriscado, mas em geral é, na realidade, o curso mais cauteloso de ação. Podemos gastar o dinheiro poupado em um carro mais seguro. Os benefícios de um cálculo maior são muitas vezes indiretos ou difíceis de mensurar. Mas se de fato nos preocupamos em proteger nossa família, às vezes temos de parecer um pouco despreocupados.

Contudo, é difícil para mim vencer debates familiares citando lógica econômica. Os benefícios do seguro são mais visíveis que inúmeros custos. Minha esposa insistiu que pagássemos por uma garantia de reparos no ar-condicionado. Não preciso contar a você qual era minha posição sobre o assunto, mas mesmo assim compramos a garantia. Pois não é que o aparelho quebrou outra vez e a garantia valeu a pena? Desde então, vivo ouvindo essa história; é uma anedota mais memorável que todos os utensílios segurados ou cobertos por garantia que nunca quebraram.

Assim, será que devemos comprar aquela apólice de seguro? Não é fácil atingir o equilíbrio certo entre a afeição e o cálculo. Quando "mostrar que você se importa" é feito apenas para subir na vida ou impressionar os outros, as pessoas vão notar e concluir que você não se importa tanto assim, na verdade. Desse modo, não devemos aplicar a lógica econômica em todo afeto possível ou decisão de sinalização. Não puxe a calculadora do bolso. Cálculos obsessivos acabam com a confiança e ameaçam a liga que mantém famílias, culturas e até países unidos quando catástrofes surgem. Não tente calcular se devemos ajudar uma cidade atingida por um furacão. Não faça estimativas diárias dos custos e benefícios da fidelidade marital. Essas decisões estão aquém de nós.

A abordagem econômica extrai melhores resultados ao balizar muitas mas não todas as decisões familiares. Devemos usar a economia financeira para guiar nossos investimentos imobiliários ou o dinheiro da aposentadoria. Ao mesmo tempo, a análise da economia e especificamente da sinalização não deve ser vista como determinante da maioria das interações no seio familiar. Na maior parte do tempo — e certamente em casa — mantenha seu Economista Interior escondido bem lá dentro se você quer manter sua boa imagem.

Muitas popularizações da economia bombardeiam o leitor com princípios econômicos. O professor Steven Landsburg, da Universidade de Rochester, conta-nos em seu livro *Fair Play* que "a propriedade marital é detestável" (p. 218), porque envolve uma "taxa" alta demais sobre a atividade produtiva; ele não entende por que sua esposa deve ficar com a metade do que ele produz.

Se o argumento econômico fosse considerado preponderante, a confiança familiar ruiria. "Fazer a coisa certa" seria visto como uma contingência de cálculos. Devemos desse modo repudiar o raciocínio econômico para pequenas decisões, como "Será que é melhor deixar a tampa do vaso aberta ou fechada?". É mais importante afirmar lealdades básicas que tornem os outros membros da família felizes.

Silencie aquele economista. Feche a boca dele. Mande-o passear e ir escrever seu blog. Não o deixe sujeitar as decisões familiares à "teoria ótima de coalizões gestor-agente renegociação-verificação". Dizer coisas como "propriedade marital é detestável" simplesmente não funciona em casa. E seu Economista Interior sabe disso.

O segredo é limitar o escopo da economia na vida doméstica sem desvirtuar completamente o raciocínio econômico. A economia tem muito a oferecer à vida familiar. Por exemplo, se estamos com 35 anos de idade, provavelmente investimos nossas economias no mercado de ações (arriscado, mas com expectativa de retorno em torno de 7%) e não em títulos do Tesouro de algum fundo de mercado monetário (líquido e seguro, mas com expectativa de retorno de 1%). O economista precisa insistir. Se estamos investindo mil dólares e nossas ações dão um pouco de azar e rendem apenas 5%, ao longo de cinquenta anos a expectativa da diferença do retorno corresponderá a 1.600 dólares contra 11.400 dólares, algo em torno de oito vezes. É um bocado de dinheiro para largar em cima da mesa.

Esse mesmo economista talvez tenha uma boa ideia sobre a melhor forma de partilhar o controle remoto da tevê. Deixar as crianças negociarem. Mas aí estaremos dando uma perigosa guinada nas imediações do aceitável...

Quanto mais nossas famílias sentem que estamos violando nosso compromisso com os cuidados familiares, mais mal recebido será o conselho econômico. A economia parece perigosa precisamente quando é apresentada como universal — "Propostas pelo controle remoto da tevê? Boa coisa não pode ser; uma prática dessas implicaria a necessidade de negociar tantas vezes quanto minha mãe me fizesse uma visita".

Pense na "economia da família" como A Verdade que Não Ousa Dizer seu Nome. Se você for o único membro economicamente alfabetizado da família, ou talvez até um economista, não saia alardeando por aí. Esconda a natureza ampla ou a aplicabilidade universal do negócio. Não apresente a sabedoria econômica como uma questão de princípio ou como um modo geral de pensar sobre a vida. A fim de conservar a boa imagem em casa, apresente qualquer argumento econômico em contextos puramente específicos. Não tagarele sobre incentivos ou sinalize com modos onipotentes de compreender o mundo todo.

• • •

UMA DAS QUESTÕES fundamentais da vida é quanto devemos investir em mostrar que de fato nos importamos. Meu colega Robin Hanson, mencionado acima, fez dessa pergunta a questão central de seu trabalho. É também uma questão central de sua vida. Robin é um cientista da computação de 46 anos que se tornou economista. É um pai maravilhoso com dois garotos espertos e adoráveis. Robin se importa. Os meninos de Robin sabem que ele se importa.

Mas Robin estudou comportamento de sinalização por um longo tempo. E qualquer um que tenha estudado comportamento de sinalização por tempo suficiente sentirá repulsa pela hipocrisia social e ficará tentado a se tornar algum tipo de intelectual radical, talvez um revolucionário, talvez um excêntrico de tipo mais pacífico, e isso aconteceu com Robin. Quando é o caso de mostrar seu afeto, ele se pergunta por que não basta demonstrar o afeto. Robin se pergunta por que precisa sinalizar de todas as formas tradicionais e na verdade bastante custosas. Ele é o que chamo de revisionista social.

Robin tem ideias estranhas. Ele paga 200 dólares por ano pelo privilégio de ter sua cabeça congelada quando morrer, se isso de fato vier a ser possível. Ele olha muito adiante no futuro longínquo e acredita que será descongelado só pela cor de seus olhos, ou talvez porque algum ricaço do futuro vai querer entabular uma interessante conversa com o passado da humanidade.

Robin acredita que mercados de apostas deveriam ser usados para controlar muitos negócios humanos, incluindo a política governamental. Deveríamos apostar em que políticas irão maximizar a renda nacional, e os governos devem instituir as políticas que os mercados de apostas mostram como mais prováveis de ser bem-sucedidas. Robin alega que o dinheiro que gastamos com seguros de saúde é um desperdício. Uma vez que os médicos matam tantas pessoas quanto salvam, viveríamos o mesmo tanto sem eles. Soa como loucura, mas os dados não mostram nenhuma correlação, no âmbito internacional ou doméstico, entre despesas com planos de saúde e expectativa de vida. Robin acredita que caminhamos para uma "economia robô" em que taxas de crescimento exponencial excederão os 300% ao ano. Porém os salários da classe trabalhadora cairão abaixo do nível de subsistência, levando à pobreza generalizada para os que não possuem capital próprio.

Não, não estou pronto para beber o "Refrigerante Robin Hanson", mas as opiniões dele são um desafio que qualquer pensador social deve enfrentar. A menos que você concorde com Robin, precisa explicar como consegue justificar e viver com todo o desperdício de sua sinalização.

Meu outro amigo e colega Bryan Caplan diz melhor: "Quando o economista típico me conta sobre sua última pesquisa, minha reação padrão é 'Ãh, é, quem sabe'. Então esqueço tudo a respeito. Quando Robin Hanson me conta sobre sua última pesquisa, minha reação padrão é 'De jeito nenhum! Impossível!'. Então fico pensando a respeito por anos."

Robin acredita que a sinalização está em toda parte, virtualmente. De fato, ele se aproxima de uma teoria de "causa única" para o comportamento humano. Em sua visão reducionista, a competição pela sobrevivência é feroz. As pessoas são afiadas por milhões, na verdade bilhões, de anos de competição evolucionária. Por que desperdiçar recursos em qualquer coisa que não seja voltada ao aperfeiçoamento genético?

A previsão nua e crua é de apenas dois tipos de atividades: reprodução e tentativa de reprodução. Claro que seres humanos passam apenas algumas horas por mês, em média, praticando sexo. Assim, na opinião de Robin, o restante de nossas atividades deve ser devotado ao aperfeiçoamento de nossas aptidões genéticas. Isso normalmente significa sinalizar, ou, em outras palavras, empreender ações custosas para mostrar que somos candidatos adequados ao acasalamento.

Robin não defende o ponto de vista absurdo de que todas as atividades sejam conscientemente dirigidas ao ato de acasalar. Se uma vovozinha de 90 anos está sentada em sua cadeira tricotando, não é porque isso eventualmente vai atrair algum homem. Mas a atividade, segundo Robin, provavelmente é um derivado de alguma outra "programação" biológica que evoluiu para fazer de nós reprodutores bem-sucedidos. Por exemplo, a mulher pode gostar de tricotar porque, no passado, a natureza recompensava mulheres que praticavam sua destreza com os dedos; talvez fosse uma habilidade útil no cuidado familiar.

Se gostamos de arte, essa capacidade evoluiu para sinalizar que somos seres afetuosos e que compreendemos, ou podemos criar, complexas mensagens simbólicas. Apenas aparentemente gostamos da arte pela arte; na verdade, a charada é parte da questão. Se nosso amor pelas artes se destina a atrair os outros — ou seja, *tapeá-los* —, precisamos sentir nossas paixões como sinceras.

Se gostamos de esportes, talvez estejamos programados para exibir nossas habilidade na caça. Se tomamos partido contra os outros, talvez uma orientação "de grupo" fosse funcional em uma sociedade de caçadores-coletores. E se buscamos o intercurso sexual, bem, sabemos o que isso significa. Uma criatura que não aprecia sexo não vai muito longe na luta darwinista. Somos programados até para pensar que as formas mais elevadas de sexo são espirituais ou sublimes por natureza, entre outras coisas para mostrar como levamos a sério nossos relacionamentos.

Robin é um gnóstico contemporâneo. Está convencido de que a realidade observada é um simples manto a encobrir algumas verdades mais profundas. Dificilmente alguma coisa é o que parece ser à primeira vista e praticamente tudo no mundo social é orientado fundamentalmente por instintos de propagar nossos genes. Na opinião de Robin, nossos programas evolucionários são em geral inapropriados para a sociedade moderna e ele acredita que a raça humana enfrenta uma crise de sobrevivência. A tecnologia modificou a sociedade de modo mais rápido do que a capacidade de adaptação de nossa biologia e de nossos instintos. Por exemplo, parecemos estar programados para nos vingar dos inimigos. Isso pode ter sido eficiente (ao menos no plano individual, não para o mundo como um todo) quando as maiores armas que tínhamos eram pedras e lanças. Tudo fica bem mais perigoso quando o arsenal inclui mísseis nucleares e guerra biológica.

Robin quer que todos nós tenhamos mais consciência das coisas, e por isso ele é um revisionista social. Ele é por natureza um sujeito afável, ligeiramente nervoso, mas sempre o tipo entusiasta. Por trás de seu exterior científico há o coração de um pregador, que deseja erguer a voz tonitruante contra a hipocrisia social e a desonestidade. Em um nível mais prático, Robin não vê por que deveria sinalizar o tempo todo. Ele imagina até um mundo futuro onde todos seremos "uploads de computador" e ninguém mais terá de sinalizar. Bastará ler o programa da outra pessoa. Tudo explicitamente declarado, nada encoberto, sedutor ou misterioso.

Não me parece muito divertido, embora algumas pessoas possam dizer que meu ponto de vista quanto à sinalização é mais conservador, menos idealista e até batido. Não acho que a sinalização vá desaparecer, ou que pregar contra ela vá exercer grande impacto positivo. As pessoas, e a sociedade, têm um limite para mudar. Mas após ter sido infectado pelo bug de Robin Hanson, não consigo deixar de me perguntar *o que o pregador (Robin) está tentando sinalizar?* Como uma tendência a ralhar contra a hipocrisia ajuda a propagar os genes humanos?

• • •

ROBIN SE IMPORTA com sua família, mas e quanto a pessoas que estão tentando começar famílias pela primeira vez? Que sinalizações será que enviam?

Conheça Megan, da Califórnia, escritora de um dos meus blogs favoritos; você pode ler seus posts em www.fromthearchives.blogspot.com. Megan, uma linda mulher de trinta e poucos (eu a encontrei certa vez em uma festa de bloggers), publicou um anúncio pessoal no Craiglist em 2006. A questão: como ela deveria se descrever? Isso, é claro, é um problema de sinalização, e desafia a ideia de que sinalizar seja necessariamente indireta.

Eis aqui o anúncio:

> Querem saber quem eu gostaria de conhecer? Quero conhecer um desses alunos de pós barbudos e de olhos cintilantes. Não necessariamente que esteja cursando a pós, ou que tenha barba, mas um desses sujeitos pensativos, alegres, feministas que percorrem os corredores de seu departamento e que são tão prestativos nas horas do expediente (infelizmente, não o tipo de horas de expediente sobre as quais eu poderia escrever cartas para o *Penthouse Forum*). Esses caras têm cachorros, e fazem projetos, e geralmente são judeus, e praticam esportes. Os bonitos são elegantes e têm as pernas um pouco tortas, mas a chave são os olhos sorridentes.
>
> O negócio é, nunca conheci caras assim por aqui. Onde está você, meu pós-graduando barbudo? Não me diga que está em casa com sua esposa e o bebê porque isso não vai ajudar em nada. Será que está no campo, rastreando focos de Morte Repentina de Carvalho? Porque se chegasse em casa suado e faminto, eu teria um jantar a sua espera e entraria com você em um banho frio. Será que apenas não teve tempo de ligar, porque finalmente conseguiram um horário para você no telescópio? Bom, gatinho, pode me acordar quando quiser ligar; não quero nunca perder uma oportunidade de conversar com você. Você está servindo mesas em algum café local, trabalhando em uma pesquisa? Gostaria de encontrá-lo onde estiver, mas leve um livro, assim não vou interrompê-lo. Apenas sorria para mim quando eu chegar, para que eu possa ver as rugas em torno de seus olhos.
>
> (Queridos, se vocês não são um pós-graduando barbudo, ou não têm certeza se são mas estão na pós, por favor não escrevam só porque mencionei o sexo... Aguardo notícias suas, pós-graduando barbudo!)

Será que Megan deveria pedir algo assim tão específico ou o anúncio deveria simplesmente citar umas poucas características gerais sobre Megan (atraente, inteligente, com emprego) para atrair o maior número de interessados possível?

Megan optou pela especificidade. A maioria dos homens não é o "pós-graduando barbudo", sobretudo devido à idade de Megan. A tirar por essa abordagem, a mulher do anúncio não confia no processo subsequente de vaivém — e-mails, sair para um café etc. — para encontrar um bom par. Assim, ela se torna bem específica no anúncio sobre como ela é. O número de candidatos diminui e a mulher espera que o homem certo perceba sua personalidade e a escolha. A mulher deposita grande fé na capacidade do Sr. Certo ver o anúncio da Mulher Casadoira.

Em outras palavras, anúncios altamente específicos são, para o bem ou para o mal, uma tentativa de limitar as escolhas subsequentes de alguém. Eles também se antecipam à rejeição espantando muitos potenciais pretendentes de antemão. "Não se aproxime a menos que tenha certeza de que pode aturar uma grande dose de mim" é a mensagem implícita.

Um anúncio altamente específico também pode demandar o virtualmente impossível. A mulher que veicula um anúncio desses está atrás do cenário mais romântico imaginável. Ela quer um homem que seja infinitamente compreensivo e aprecie sua natureza e esteja cheio de amor para dar logo de saída. Isso vai atrair alguns homens e espantar outros.

Há um outro método que Megan não experimentou, a saber: induzir o maior número possível de homens de alta qualidade a responder. Chamo isso de abordagem A Armadilha do Mel. Soa tão direto e sincero quanto poderia ser. A mulher deve encontrar o "gargalo" relevante de homens qualificados e usar o anúncio para filtrá-los.

Considerem um exemplo de como isso pode funcionar. Às vezes, o gargalo é que muitos homens não vão escrever por medo de que a mulher simplesmente não escreva de volta. Se uma mulher não se importa em mentir (nem de escrever um bocado), pode prometer responder todas as mensagens, de um jeito ou de outro. Mais homens vão escrever e se apertar através do "gargalo".

Que mais? Que tal fotos, ou ao menos links para as fotos? Que tal um link de vídeo com a pessoa falando? O homem vai julgar a mulher — enquanto "material desposável" — pela foto. Mas como a mulher precisa passar pelo "obstáculo da aparência" de qualquer maneira, isso não vai descartar muitos homens elegíveis de verdade. Se um homem não vê uma foto, a probabilidade é de que ache que a mulher não passa em seu teste. Não é apenas que as mulheres mais feias devem ser as mais relutantes em postar uma foto; para a maioria dos homens, a pressuposição *default* é de que nenhuma mulher passa no teste de aparência do homem.

Nem todo homem está procurando uma supermodelo. Mas *todo homem atrás de uma esposa quer uma que não seja de tal jeito ou de uma série de jeitos*. Quando eu era solteiro não queria mulheres que usassem Prada, temendo que essas mulheres não fossem intelectuais o bastante. Postar a foto é uma sinalização mais provável de que "a aparência da mulher é ok".

Depois disso, seguindo esse ponto de vista, o resto do anúncio deve ser preciso, sinalizar alta inteligência de uma maneira razoavelmente direta, *mas no mais se resumir às amenidades*. A mulher pode dizer uma ou duas coisas idiossincráticas, talvez para atrair alguns admiradores ardorosos, mas não deve ser afiada demais ou assustar alguém. Em outras palavras, não deixe os homens descartarem eles mesmos por causa de medos que podem ou não ser válidos. Se um homem inteligente e interessado gosta da aparência de uma mulher, vê que ela é inteligente e espera uma resposta, vai escrever para ela.

Olhe por esse prisma. Nem a mulher, nem o homem sabem exatamente o que querem, mesmo se (sobretudo se?) acham que sabem. Ambos os sexos são propensos ao erro e se autoiludem. A chave é simplesmente induzir a um contato posterior, alguns e-mails e talvez um encontro. Assim, a autodescrição no anúncio deve implicar alguma ambiguidade, mais do que uma descrição perfeita de si mesmo. Quem põe o anúncio não pode confiar que os leitores do anúncio façam a seleção apropriada e escolham apenas com base no modo como interpretam o anúncio. Assim o anunciante precisa atrair muitas respostas e então fazer a seleção mediante interações subsequentes, como encontros num café.

Desse modo, que tipo de anúncio pessoal um indivíduo deve fazer? Depende. Se a mulher (ou o homem) é muito seletiva e assume de bom grado os custos da rejeição, e também os custos de processamento da escolha, deve optar por um anúncio ameno. Se a mulher odeia ser rejeitada, acha que os homens são os melhores juízes de um bom partido, e ela exige os níveis mais altos de percepção, um anúncio muito específico é o mais indicado.

• • •

É DIFÍCIL MANTER a boa imagem num encontro. Com todos os medos e a ansiedade da competição que acompanham a situação, parece prodigioso que cheguemos a persuadir alguém de estar lhe apresentando um "verdadeiro eu". De fato, é sempre muito duro convencer as pessoas de quando estamos falando a verdade uma vez que a desconfiança paira no ar.

Vamos dizer que um sujeito inocente foi capturado e ameaçado de tortura. Ele está, seja qual for o motivo, inteiramente disposto a entregar a informação em seu poder. Seu objetivo primordial é evitar a dor. Imagine, por exemplo, que ele esteja de férias no Líbano e foi tomado por um agente da CIA. Ele está agora sentado em uma sala vazia, amarrado a uma cadeira, cercado por homens carecas de bigode, com as barbas por fazer, os músculos protuberantes.

Como ele deve se apresentar? Ele provavelmente gostaria de sinalizar que é ignorantemente inocente, na esperança de conseguir rápida soltura. Afinal, grupos terroristas como esse não matam todo mundo que capturam. Mas claro que os carecas não acreditam nele. Afinal, um agente da CIA tarimbado não iria fingir ser um turista americano interessado em praias, música árabe e cozinha do Oriente Médio?

Isso exemplifica por que qualquer estratégia reveladora da verdade é difícil de pôr em vigor. Os mentirosos vão tentar copiar essa mesmíssima estratégia. Depois de os captores murmurarem uns para os outros em árabe, eles começam a torturá-lo. No início, socos e bofetadas. Em um canto afastado ele vê brocas, alicates e tesouras de jardinagem, tudo arrumado ordeiramente sobre uma mesa. Agora há uma poderosa sinalização.

Para falar a verdade, existem alguns livros que falam sobre como resistir à tortura. Eles explicam que a pessoa deve aderir a uma ideologia ou religião rígida, pensar nos colegas em perigo, ser educado com os captores e fazer jogos mentais para manter alguma sensação de estar no controle, nem que seja apenas em relação a questões ínfimas. Se a vítima consegue controlar que camisa vai vestir, ou que parte do café da manhã vai comer, há maiores chances de aguentar a tortura. Os prisioneiros de guerra americanos descobriram que eram capazes de resistir com algum sucesso fornecendo informação pessoal em lugar de secreta e apelando para falsidades e distorções se o interrogador se aproximasse demais de uma verdade militar.

Não tenho certeza se essas alegações foram empiricamente verificadas de modo científico. Mas a evidência mostra que muitas pessoas de fato suportam tortura. Por exemplo, os registros de tribunal franceses entre 1510 e 1750 mostravam que de 625 pessoas torturadas — por meio de afogamento, membros esticados e juntas esmagadas — mais de 90% se recusaram a confessar. Muitos prisioneiros americanos no Vietnã do Norte assinaram confissões escritas e condenações da política militar norte-americana, mas poucos forneceram informações úteis, a despeito dos anos de tortura física e psicológica.

Entretanto, esses conselhos não são muito úteis para nosso inocente cativo no Líbano. Ele não está tentando reter informação. Na verdade, ficaria bem feliz de fornecê-la. Tudo que deseja é ser posto em liberdade.

A chave é descobrir um padrão de comportamento que difira do de um agente treinado. Seus torturadores parecem experientes, então presumivelmente eles fazem alguma ideia de como membros verdadeiros da CIA ou do Mossad se comportam sob pressão. O que ele quer teoricamente é fazer o contrário e assim sinalizar que não é de fato um agente treinado.

Mas não é tão fácil parecer inocente e ignorante. A maioria dos agentes passa por uma academia onde tem aulas sobre como evitar ou suportar tortura. Alguns presumivelmente receberam treinamento profissional sobre como manter um disfarce. Eles tentariam fazer exatamente o que nosso cativo está tentando fazer. A questão é que comportamento os torturadores interpretariam como uma tática improvável para um autêntico malandro da CIA determinado.

Então quais são as opções?

1. Ceder imediatamente, implorar por misericórdia, se humilhar e dizer qualquer coisa que venha à cabeça sobre o que eles querem saber, mesmo se for necessário inventar alguma coisa.

   Não é uma alternativa ruim e seja como for é o que muitos de nós estaríamos inclinados a tentar, entre outras coisas porque sofremos de fato um colapso nervoso. Mas isso não se mostrará muito convincente. Afinal, se isso corresponde efetivamente ao que os torturadores esperariam de um inocente, um agente treinado estaria instruído a fazer o mesmo. Nosso cativo inocente pareceria apenas um agente treinado com seus truques.

   Além do mais, se abrir o bico de cara, talvez o torturem de um jeito ou de outro, só para ver se sua história muda. E uma vez que ele não tem mais nada para entregar, o que os levaria a parar? Em determinado momento, ele começará a mudar sua história simplesmente na esperança de satisfazê-los. Mas assim que a história começa a mudar, vão continuar a torturá-lo para ver se novos detalhes vêm à tona. Por esse motivo, sou obrigado a votar contra essa opção tão tentadora.

2. Nosso cativo inocente resolve bancar o durão, o macho para valer. Mas ao primeiro sinal de dor de verdade ele começaria a chorar e mudaria para a estratégia número 1.

   A ideia aqui é que um agente da CIA de verdade não começaria bancando o durão. A maioria das pessoas é péssimo ator. Se os terroristas enxergarem no cativo um ator ruim, talvez o deixem em paz. Claro que um agente da CIA *é* durão de verdade. Assim, a tentativa do agente de parecer macho, se essa for de fato sua estratégia, dará certo facilmente, talvez facilmente demais. Ele não parecerá como empenhado em uma má atuação. Para ele imitar um amador, o cara da CIA teria de "atuar como sendo um ator ruim", a saber, imitar Fulano de Tal parecendo durão. Isso pode ser difícil de fazer para ele.

É difícil manter o otimismo na situação básica, mas considero esta número 2 uma das melhores opções.

3. Espere até que apliquem sua "melhor tentativa" de tortura e então abra o bico. Eles vão sentir que fizeram seu trabalho e parar.

   Não posso recomendar essa estratégia. Primeiro, duvido que a maioria de nós aguente tanto tempo. Segundo, as chances de pararem logo são virtualmente nulas. A melhor tentativa é se esta estratégia cai por terra, ainda que sem querer, passando ao número 2.

4. Primeiro forneça (ou finja fornecer) informação comprometedora para mostrar deslealdade à causa que os torturadores estão combatendo. A alegação de inocência do cativo parecerá mais crível.

   Observe que os terroristas não têm de acreditar em "concessão" para que essa manobra funcione. As declarações só precisam complicar um agente da CIA de verdade com agentes da CIA de verdade. O cativo pode repetir "Os americanos são uns veados imperialistas" e se oferecer para gravar sua declaração para transmitir pelo rádio ou Internet.

   O cativo também pode tentar: "Nunca conheci um espião da CIA e nem quero. Todo mundo diz que eles não prestam." Ou "Vamos cortar o orçamento da CIA". Os torturadores talvez pensem que um verdadeiro agente ficaria relutante em se desgraçar dessa forma. Isso pode fazer com que deixem o cativo em paz e ajudar a estabelecer sua inocência.

   Nenhum de meus amigos me olharia torto por fazer uma declaração dessas sob estresse. Mas alguns amigos e colegas do agente da CIA podem pensar que o sujeito está amolecendo, assim como prisioneiros de guerra americanos no Vietnã desenvolveram seus próprios códigos sobre até onde iriam quando dobrados pela tortura. Mesmo que essas declarações sejam a estratégia de máxima liberação para o verdadeiro espião, alguns espiões de verdade talvez relutem em usá-la.

5. O cativo diria que não sabe de nada, tentaria reagir contra a tortura, mas cederia quando não aguentasse mais. Ele não pode tapeá-los, então o melhor a fazer é "enfrentar o touro à unha".

   Em linguagem econômica, o cativo está preso no "*pooling equilibrium*",* o que significa que é incapaz de se diferenciar de um verdadeiro agente da CIA. Tentar negar seu grupo só piora as coisas para ele. Deixa os torturadores confusos. Para penetrar além de sua confusão, eles são levados a torturá-lo ainda mais. (O que mais poderiam fazer? Dificilmente se trata de mestres do raciocínio indutivo e da inferência bayesiana.) O melhor que o inocente cativo pode fazer é receber o tratamento que se aplicaria a um agente de verdade. É assustador.

Não está claro se uma vítima inocente pode fazer muito melhor do que o número 5. De modo recíproco, há alguma coisa que um cativo poderia dizer para as autoridades dos Estados Unidos para evitar a rendição para o Paquistão?

Seu incansável Economista Interior irá ampliar a análise ainda mais. Em que medida a melhor resposta depende dos motivos hipotéticos dos torturadores? Se os torturadores acham a tortura divertida em si mesma, isso é um ponto contra o número 4. Eles não se importam seriamente se o cativo é um espião de verdade ou não. Nesse caso, o cativo está provavelmente preso no cenário 5, então, por que se humilhar?

Por outro lado, os torturadores podem considerar seu trabalho um fardo pesado. Eles estão torturando o cativo só porque lhes prometeram um prêmio caso conseguissem fazê-lo falar. Os números 2 e 4 nesse caso têm maior probabilidade de sucesso. Assim, quando eles se aproximam do cativo com os alicates, ele deve procurar por rostos sorridentes ou carrancudos antes de prosseguir.

A propósito, a dificuldade desse problema tem implicações para a política dos Estados Unidos em relação a suspeitos capturados. Uma porcentagem desses suspeitos será inocente ou talvez culpada apenas de delitos

*Algo como "equilíbrio conjunto", expressão de jogos de sinalização. (*N. do T.*)

menores e não terroristas de carteirinha. Mas se tentamos torturá-los, como separar culpados de inocentes? Não é fácil. Esse é um dos motivos pelos quais a tortura só deve ser usada como último recurso, como, por exemplo, quando houver uma bomba tiquetaqueando em algum lugar no centro de Manhattan.

Muito simplesmente, é difícil mostrar para as outras pessoas, de uma maneira convincente, que estamos dizendo a verdade. Nesse meio-tempo, arquive o problema em "Insolúveis" e fique longe das cidades erradas.

Claro que torturadores não são os únicos com dificuldade para identificar a verdade. Estudos sugerem que a pessoa típica mente pelo menos uma ou duas vezes ao longo de um dia. As respostas a questionários anônimos indicaram uma média de 1,5 mentira por dia, mas é claro que já que essas pessoas são mentirosas regulares suas respostas devem subestimar a verdadeira taxa de mentiras. Assim, com todas as possibilidades dúbias de sinalização, há algum modo de obter a verdade? Ou dado o fato de que todo mundo quer manter a boa imagem ou possui motivos ocultos confunde tudo irremediavelmente?

O estereótipo padrão do mentiroso geralmente não é verdadeiro. Os mentirosos, em geral, não desviam o olhar quando falam nem evitam o contato olho no olho. Na verdade alguns mentirosos mantêm excessivo contato pelo olhar, entre outras coisas para contrariar a expectativa comum de como os mentirosos se comportam. Mentirosos tampouco parecem tocar o nariz ou limpar a garganta a uma taxa absurdamente alta, mais uma vez contrariando a crença popular.

Se algum indício físico há, os mentirosos tendem a mover menos os braços, mãos e dedos quando falam. Mentirosos também piscam menos. Quando se trata da fala, mentirosos cometem menos deslizes ou erros gramaticais do que pessoas que falam a verdade. Há menos probabilidade de que retomem algum ponto e completem partes da história que "esqueceram" ou "não explicaram direito", como uma pessoa normal faria nessa situação. Mentirosos devotam grande porcentagem de seu cérebro à lorota e assim desligam outras funções, muitas vezes subconscientemente, para manter a concentração.

Mentirosos também tentam não cometer erros, por medo de parecerem mentirosos, ou por medo de parecerem confusos e assim atrair mais atenção. Uma pessoa normal tem menos chance de cometer esse tipo de inibição e assim é mais provável que hesite e gagueje ao contar sua história. Em resumo, o mentiroso tem um texto decorado. Bella DePaulo, que pesquisa o assunto na Universidade da Califórnia em Santa Barbara, observou a respeito dos mentirosos: "Seus relatos são bons demais para serem verdade."

Alguns pesquisadores acreditam que os mentirosos exibem expressões faciais denunciadoras, ou "microexpressões", como chamam. Paul Ekman, um psicólogo aposentado da Universidade da Califórnia em San Francisco, passou a maior parte de sua carreira estudando esses sinais. Segundo ele, mentirosos exibem tiques denunciadores, movimentos oculares, pausas e hesitações físicas. Mas esses movimentos não são fáceis de visualizar, mesmo que estejamos prestando atenção e procurando por eles. Por exemplo, o psicólogo social Mark Frank, professor de comunicação na Universidade de Buffalo, passou centenas de horas observando gravações em câmera lenta de vigaristas, assassinos e mentirosos proclamando inocência.

A maioria das pessoas fracassa em detectar mentiras bem construídas com alguma consistência. Em média, parece que participantes em experimentos distinguem a verdade da mentira apenas 55% do tempo, apenas ligeiramente melhor que um resultado aleatório.

Em geral não ajuda muito compreender a linguagem corporal dos mentirosos. Mesmo que mentirosos não acenem demais as mãos, isso não significa que as pessoas que não acenem demais as mãos são mentirosas. Essas pessoas podem ser calmas e controladas por natureza. Tampouco devemos presumir que ítalo-americanos — que tendem a falar com as mãos — mentem menos do que a média. Esses traços de mentirosos podem ser estatisticamente precisos, mas eles são características amplas, agregadas. Não constituem um guia para um julgamento definitivo nem nada perto disso. Em outras palavras, assim como no problema da tortura, pessoas honestas acham difícil mandar sinais que mostrem como são genuína e definitivamente honestas.

Detectores de mentiras estão longe de ser à prova de tapeação. O próprio teste estressa o inocente e pode induzir reações similares às de um mentiroso sob estresse. Pessoas culpadas podem aprender a trapacear. Tecnologias mais avançadas incluem escanear o cérebro com uma máquina de eletroencefalograma de alta densidade, com 128 sensores conectados ao rosto e ao couro cabeludo. Afinal, contar uma mentira leva de 40 a 60 milissegundos mais do que dizer a verdade e pode exigir novas estratégias de combinação de dados no cérebro. Ou podemos medir o fluxo sanguíneo nos vasos capilares em torno dos olhos, usando termografia periorbital. Os pesquisadores alegam taxas de sucesso de 70 a 80%.

O inventor James Larsson conectou eletrodos a talheres, de modo que um anfitrião possa verificar se seu convidado está feliz ou não. Larsson espera que seu invento ajude nerds — que são incapazes de ler muito bem a linguagem corporal — a serem mais bem-sucedidos em seus encontros. É muito mais provável que uma técnica dessas, ou ideias relacionadas, sejam um dia usadas em reuniões de negócios. E ei, rapaziada, o pôquer essa noite é *na minha* casa... Quaisquer que sejam as virtudes desses métodos, não temos de fato acesso a eles na vida do dia a dia.

Algumas pessoas — normalmente não profissionais — conseguem agir como superdetectores e identificar mentirosos com precisão de 8% ou mais. Uma pesquisadora, Maureen O'Sullivan, observa: "Todos eles [superdetectores de mentiras] prestam atenção a indícios não verbais e às nuanças de uso das palavras e os aplicam a diferentes pessoas. Eles podem lhe dizer oito coisas sobre alguém após assistirem a uma gravação de dois segundos. É assustador, as coisas que as pessoas notam." Esses superdetectores de mentira batem até os profissionais treinados, mas apenas um em mil dos pesquisados exibiram sinais de habilidades tão extraordinárias.

A maioria de nós precisa recorrer a estratagemas mais simples para pegar mentirosos. A receita é simples: conseguir a real opinião da pessoa, perguntar-lhe o que acha que todo mundo acredita. Drazen Prelec, que leciona psicologia e ciência cognitiva no MIT, refere-se a esse método como "soro da verdade bayesiano".

A premissa por trás dessa abordagem é a seguinte. Se as pessoas realmente têm uma determinada crença, é mais provável acharem que os outros concordam ou passaram por experiências similares. Por exemplo, se um homem teve mais de trinta parceiras sexuais, é muito provável achar que esse é o comportamento comum. Afinal, sua vida é um "ponto de coordenada", e esse ponto de coordenada presumivelmente pesa muito em sua mente. A maioria das outras pessoas não têm acesso a essa mesma experiência. Além do mais, o homem com mais de trinta parceiras provavelmente conhece uma porcentagem mais alta de outras pessoas com trinta parceiras ou mais. Isso vai encorajá-lo ainda mais a fazer uma estimativa alta do número de parceiras dos outros.

Se perguntarmos a esse homem sobre sua história sexual, podemos esperar que minta e minimize suas andanças de cama em cama, sobretudo se estiver conversando com uma possível futura namorada ou esposa.

Mas é possível pegar esses mentirosos com a guarda baixa. Eles continuam a presumir que as demais pessoas têm um histórico de vida de algum modo similar ao seu. Quando conversamos com outras pessoas, em geral estamos falando sobre nós mesmos, saibamos ou não. Lembram-se do Fator Eu? Vale para fofoca, ou também para responder questionários. Então podemos perguntar ao nosso Casanova o que acha sobre os demais homens. Se ele disser que já teve sete parceiras mas acha que o homem típico teve trinta, cuidado.

Outro macete para obter respostas honestas é simplesmente pedir um conselho. Quando as pessoas nos dizem o que *nós* deveríamos fazer, seu verdadeiro eu, verdadeiros desejos e verdadeiros pontos de vista vêm à tona. Gostamos tanto de estar no controle que pouca gente consegue resistir a se revelar fazendo esse papel.

• • •

HÁ MANEIRAS de obter a verdade e às vezes elas implicam uma rejeição a formas de estilo muito óbvias. Vamos concluir o capítulo com observações sobre o que não funciona tão bem nas salas de interrogatório, mas sim no escritório ou local de trabalho.

Leve em consideração que os cartões profissionais japoneses mais impressionantes são os que listam apenas o nome da pessoa, e nenhum título ou afiliação.

Se eu fosse um divulgador de spams, usaria o seguinte título: "NÃO TENHO CERTEZA SE ISSO VALE SEU TEMPO". Algumas pessoas ficariam suficientemente interessadas para ler a mensagem.

Esses são exemplos de contrassinalização. Os cartões japoneses não sugerem que a pessoa não tenha atividade alguma; pelo contrário, ele é tão bem-sucedido e importante no que faz que dispensa apresentações. Contrassinalização é quando o muito rico se veste como um vagabundo. Um metrossexual é tão seguro de sua capacidade sexual que pode agir, se vestir e caminhar como um homem efeminado.

Recebi uma mensagem por e-mail certa manhã com a chamada não muito promissora, "Não é golpe". Hum! Eu ia deletar sem olhar, mas em vez disso busquei a anedota para o meu blog. O conteúdo?

> Encare os fatos, você não está ganhando o bastante pelo que faz
>
> http://www.silverstate.co.sy@click.net-click.net.ph/click.php?id=sicosyl
>
> para sair de nosso banco de dados vá ao seguinte link:
>
> jdefdmu s vgkitbaqizknh bdqdwxpoav w brfpu gotwzykprljsywaonqk

Odeio spam mas não pude deixar de admirar a engenhosidade.

Se um livro assinala "Ph.D." depois do nome do autor, cuidado. O autor precisa dessas letras para sinalizar importância. Em geral, significa que ele não está acostumado a interagir com pares, procura um público ingênuo ou faz afirmações questionáveis. Stephen Hawking não usa as três letrinhas.

Se seu Ph.D. é de Harvard, experimente dizer que frequentou a faculdade "perto de Boston". Nos internatos britânicos é considerado desejável receber ótimas notas ou péssimas notas. Acredita-se que as pessoas estúpidas ficam aglomeradas no meio. Elas tentaram se sair bem e fracassaram. Foram incapazes de imaginar que teria sido melhor nem ter tentado, para começo de conversa.

Na maioria das reuniões administrativas me recuso a usar gravata. Em parte porque acho essa peça de vestuário fisicamente opressiva. Mas em parte para mostrar que sou um acadêmico em plena posse de meu título e que meu salário não depende muito da aprovação de quem quer que seja na reunião. Certa vez escutei meu (antigo) reitor dizer que um membro da faculdade não era confiável "porque se vestia bem demais". Todo mundo se perguntava quem aquele professor estava tentando impressionar ou em que outro reino de realizações estava tentando ingressar. Pergunto-me se acadêmicos que se vestem bem não estão mais interessados em cargos políticos ou turnês de consultoria do que nos estudos.

Mas a contrassinalização tem de ser uma estratégia minoritária. Se todo mundo andasse por aí sem gravata, meu desprezo pela convenção não diria grande coisa sobre minha pessoa, de um jeito ou de outro.

A contrassinalização tem outra implicação: nem sempre é uma boa ideia revelar as boas novas. Quando recebi o contrato para escrever este livro, não contei praticamente a ninguém.

Paradoxalmente, dar boas notícias pode fazer uma pessoa parecer ruim. Se parecemos ansiosos em dar boas notícias, nossos interlocutores presumem que não vivenciamos esse tipo de situação com muita frequência. Ou talvez os interlocutores acreditem que consideramos as boas notícias um golpe maravilhoso de sorte. Será que Michael Jordan precisa contar aos amigos cada vez que faz trinta pontos em um jogo? Um jogador prestes a ser liberado ou negociado na NBA pode contar o fato a seu treinador ou ao gerente do time. Será que Bill Gates vai para casa à noite e conta para a esposa que ganhou um monte de dinheiro nesse dia? Duvido.

Quando temos boas notícias, melhor segurar, pelo menos se pudermos nos dar ao luxo (por exemplo, não seremos despedidos amanhã). Mais cedo ou mais tarde as notícias vão vir à tona, de qualquer jeito. Se necessário, deixe uma terceira parte supostamente desinteressada divulgá-las. Nossos públicos e amigos ficarão embasbacados. "Que sujeito modesto ele é!" e "Queria saber que outras boas notícias ele não guardará para si mesmo...".

Dois economistas, Rich Harbaugh e Theodore To, da Universidade Indiana e do Bureau of Labor Statistics, respectivamente, dirigiram um inteligente teste de contrassinalização. A tese deles era que, de todo mundo com um dado título, como Ph.D., os menos bem-sucedidos do grupo seriam mais provavelmente os que o divulgariam. Para verificar seu palpite, os pesquisadores passaram por faculdades de economia em diferentes instituições. Quem usa títulos como "dr." e "professor" em saudações de voice-mail e na relação dos cursos universitários? O estudo considerou 26 currículos econômicos diferentes e contou os oito com programas de doutorado como de maior status. Os resultados não foram surpreendentes para este que vos fala.

Os autores, Harbaugh e To, contam: "Para saudações de voice-mail, o uso de um título é bem menos comum entre as universidades de doutorado. Menos de 4% do corpo docente usa um título em universidades de doutorado enquanto cerca de 27% usa um título em universidades sem doutorado. Um padrão similar ocorre nas relações de cursos. Cerca de 52% do corpo docente nas universidades de doutorado usam um título enquanto mais de 78% o fazem nas universidades não doutorais."

Um uso eficaz da contrassinalização exige sutileza. Mais importante, o contrassinalizador já deve deter por conta própria algum ar de mistério. Os melhores programadores aparecem em entrevistas de seleção sem usar gravata. Mas sua reputação geralmente os precede em certa medida. Se um sujeito completamente anônimo comparece a uma entrevista sem gravata, o chefe infere que é um vagabundo qualquer que se candidatou por acaso para o cargo. Mas se o chefe acha que o candidato altamente recomendado do Google pode muito bem ser um gênio — mas não tem certeza — a gravata ausente vai contribuir para a imagem nerd.

Essa lição é triste para aqueles que odeiam controlar o que sinalizam. Contrassinais funcionam só porque seus emissores, em algum ponto do passado, envolveram-se previamente em sinalizar. O ar de mistério não cai do céu e a lição é que não podemos evitar a sinalização.

Além do mais, a contrassinalização eficaz deve ser sutil. Quando contrassinalizamos, desejamos evitar a aparência de manipulação consciente das outras pessoas. Ser visto como enviando um contrassinal não só indica falta de tato, como também revela que a pessoa não está verdadeira, completa e plenamente estabelecida. A pessoa está fazendo pose, fingindo compartilhar dos níveis mais elevados de realização, mas na verdade é só mais um vagabundo que não quer usar gravata.

Nesse sentido, o contrassinalizador que é pego irrita todo mundo. Os bem estabelecidos ficam irritados com a farsa armada em seu meio. Os zé-manés comuns — que acenam freneticamente com suas gravatas — irritam-se porque o contrassinalizador se acha bom demais para seus joguinhos estúpidos. E outros contrassinalizadores talvez se preocupem que mais um de sua laia tenha sido desmascarado. Já mencionei que contrassinalizar é arriscado?

Dados os riscos, quem deve se dedicar à contrassinalização? Percebo uma *rule of thumb* rudimentar. Se uma profissão conta com um grande potencial de vantagens mas baixo risco de desvantagens, a contrassinalização deve ser comum. Os acadêmicos nas universidades e instituições são um bom exemplo. Os mais bem-sucedidos ganham fortuna e fama, mas os mais fracos não são despedidos. Os melhores programadores aterrissam de pé mesmo que tenham sido demitidos por usar cabelo comprido no trabalho.

Quando o risco vocacional é alto para a desvantagem e baixo para a vantagem, a contrassinalização deve ser igualmente rara. A maioria das pessoas que trabalha em um caixa no Wal-Mart não tem nenhuma chance realista de ser promovida a um cargo de gerência. Mas se pisarem na bola vão ser sumariamente demitidos. Não é de surpreender que adotem códigos rígidos de saudação aos clientes, registrem as vendas e denunciem furtos. É difícil imaginar um caixa do Wal-Mart pensando racionalmente: "Vou registrar as vendas do meu jeito. Isso vai mostrar para o pessoal lá de cima que um dia posso chegar a gerente." Nada disso, melhor se adequar às regras.

Muitos amigos meus acreditam que contrassinalizar funciona melhor para homens do que para mulheres. Concordo. Talvez nossa sociedade ainda contemple ao lado masculino um maior grau de liberdade ou exija menos dos homens em termos de aparência física. Muitos contrassinais potenciais implicam modificação no vestir ou na aparência física e isso significa que as mulheres enfrentam problemas de sinalização mais difíceis e mais competitivos. Um homem no trabalho pode simplesmente se enfiar em um terno decente com gravata, mas a mulher tem de escolher e então manter toda a imagem. A complexidade de sinalização pode significar que a vida para uma mulher é mais divertida, mais cheia de nuanças e também mais estressante, tudo ao mesmo tempo.

6

A perigosa e necessária arte de se autoiludir

A ILUSÃO É UM DOS segredos para um bom casamento. Seu Economista Interior sabe disso, mas é bom ele saber também que isso é um desses insights que não convém alardear à mesa do jantar.

Se passamos muito tempo com uma pessoa, as frustrações tendem a crescer. Muitas vezes lembramos das patadas e injustiças mais do que dos favores e delicadezas. Os casais ficam cada vez mais distantes. Dezesseis por cento dos casais admitem não ter praticado sexo no último mês e acredito que o número verdadeiro seja ainda mais elevado. Com o tempo, fica mais difícil manter uma imagem positiva do cônjuge, porém é essencial que nós o façamos.

Para ser mais preciso que a sentença que abre este capítulo, a felicidade conjugal é baseada, entre outras coisas, na memória seletiva. Os casais que permanecem juntos são os iludidos, que olham para o passado através de lentes róseas. Um bom casamento requer que se saiba quando esquecer, e saber quando não notar, para começo de conversa.

Os psicólogos cunharam a expressão "enaltecimento conjugal" para uma aferição positiva irrealista do respectivo cônjuge e do casamento. Por exemplo, muitos casais, quando respondem a um questionário, dizem "Meu esposo/minha esposa não me deixa com raiva" ou "Não lembro de discussões com meu esposo/minha esposa". Costumávamos acreditar que apenas recém-casados podiam fornecer esse tipo de resposta, mas casais juntos há quarenta anos ou mais mostram-se igualmente positivos. Essas mesmas pessoas têm uma chance maior de casamentos duradouros e felizes.

Casais felizes também tendem a acreditar que têm mais em comum com o parceiro do que têm na realidade. Eles se sentem como "espíritos afins" ou "almas gêmeas", mesmo quando, sob padrões mais objetivos, este não seja exatamente o caso.

Autoilusão não é só para os casados ou noivos. Um levantamento com mais de um milhão de alunos cursando o último ano do secundário apurou que 70% achavam estar acima da média em capacidade de liderança; apenas 2% achavam estar abaixo. Quando a questão era se dar bem com outros, 60% dos alunos de segundo grau questionados disseram encontrar-se entre os 10% melhores de seu grupo de colegas. Vinte e cinco por cento dos alunos achavam estar no 1% melhor.

A maior parte das pessoas acredita ser mais inteligente do que a média, melhores motoristas do que a média e, na verdade, simplesmente "pessoas melhores" do que a média. Poucos de nós acreditam que nossos rivais e inimigos sejam moralmente superiores ou desfrutem de um modo de vida melhor, mesmo quando reconhecendo que essas pessoas são mais poderosas ou bem-sucedidas.

Se necessário, redefiniremos a dimensão da competição para poder vencer. Não, não sou o melhor nem o mais frequentemente citado economista do mundo, mas trabalho "nas questões importantes de verdade".

As pessoas minimizam o valor de suas qualidades em algumas áreas para manter uma autoimagem de modéstia. Não sou um grande jogador de boliche e admito de bom grado que sou incapaz de consertar um computador quebrado. Mas uso essa admissão para enaltecer a identidade que de fato tenho, e não para denegrir meu sentido último de valor moral. Afinal, uma pessoa muito presunçosa sofre tristemente de falta de capacidade de julgamento e autoconhecimento e esse não é o meu caso. Não me leve a mal; mesmo que não consiga consertar um computador, não sou bobo de desperdiçar meu tempo com projetos fadados ao fracasso.

É particularmente comum acreditarmos que melhoramos muito com o tempo. Condenamos nosso eu anterior como egoísta, falho no julgamento ou simplesmente menos capacitado. Esse ceticismo artificial reafirma que simplesmente não estamos nos gabando de nossas atuais virtudes. Em vez disso, procuramos confirmar a impressão (geralmente falsa) de que somos capazes de dar uma longa e severa olhada em nós mesmos. Mais do que tudo, queremos apoiar nossa atual autoimagem largamente positiva. O eu do passado é uma vítima sacrificial na direção desse fim, assim como nosso eu atual será criticado pelo futuro eu daqui a dez ou vinte anos.

Acreditamos ser melhores juízes da verdade política do que a média e melhores juízes de questões religiosas que a média. Milhões de americanos votam, ainda que metade deles dificilmente venha a contribuir para melhorar o discernimento coletivo dos demais. Mais do que isso, muitos de nós pensam — a despeito dos protestos em contrário — ser os melhores juízes de questões políticas e religiosas *do mundo todo*.

Se conhecêssemos alguém que é melhor juiz da verdade, aceitaríamos as opiniões dessa pessoa o tempo todo e as trocaríamos pelas nossas. Pouca gente mostra tamanha deferência, mesmo quando confrontada com opiniões diferentes de outros com QI claramente mais elevado, ou educação, ou capacidade, ou status profissional.

Mesmo os que mostram deferência acham que são "os mais capazes para notar pessoas a quem mostrar deferência" no mundo todo. *Ninguém entende mais de política que meu tio*. Quando não podemos reivindicar o crédito para nós mesmos, procuramos a glória da afiliação.

Em questões econômicas, poucos eleitores acolhem as opiniões dos economistas especialistas quando se trata de algo técnico como os benefícios do livre-câmbio. Essa relutância em admitir seus pareceres não tem muito a ver com a desconfiança bem fundamentada contra especialistas. Muita gente mostra deliberadamente menosprezo, é teimosa e irracional em seus pontos de vista. Ao mesmo tempo, essas pessoas exibem um comportamento moralista e cheio de certezas. São propensas a falar mais do que a escutar, o oposto do que "coletores de informações" devem ser. Debates e troca de informação muitas vezes polarizam a opinião mais do que geram concordância ou até convergência parcial.

As pessoas tendem a acreditar ainda que seu interesse particular coincide com o interesse nacional. São incapazes de estimar que as causas às quais estão filiadas nem sempre são dignas.

Os especialistas também se iludem. Noventa por cento dos professores universitários pesquisados acreditavam ser melhores do que a média em seus trabalhos, comparados com os colegas. Um levantamento entre sociólogos perguntou a cada professor quanta influência ele esperava conseguir. Quase metade da amostragem de 198 consultados esperava figurar entre os dez principais líderes em pelo menos uma de suas especialidades. Mais da metade esperava que outros lessem seus escritos mesmo depois de suas carreiras terem terminado. Esse mesmo grupo não era capaz de identificar a maioria dos presidentes anteriores da American Sociological Society, um grupo relativamente prestigioso de pessoas. Além do mais, não existe evidência a partir do estudo que expectativas de imortalidade profissional se tornem mais realistas com a idade.

A autoilusão ocorre quando as pessoas simplesmente se recusam a pensar sobre ou a processar a informação de que não gostam. De modo similar, as pessoas preferem acreditar em coisas que, em certo nível, sabem ser duvidosas ou inteiramente falsas. Por mais estranho que pareça, geralmente isso não é um problema.

Mas nem sempre. Muitos muçulmanos, quando confrontados com evidências indubitáveis do papel de Osama bin Laden nos eventos do 11 de Setembro, incluindo um vídeo onde ele se vangloria do ato, reagiram alegando que a prova era falsa e que Osama era inocente. Alguns acusaram o atentado de ser uma "conspiração sionista" orquestrada por Israel. Uma pesquisa do instituto Gallup mostrou que 61% dos inquiridos, de nove países muçulmanos, acham que os árabes não tiveram nada a ver com os ataques. Os indivíduos em geral se aferram a suas opiniões políticas até mesmo quando uma realidade bem diferente aponta um dedo em sua cara.

A necessidade orgulhosa de se autoiludir. Quantos de nós apreciariam escutar um debate de duas horas — no estilo de Oxford, com regras formais — sobre a proeminência relativa de nossas virtudes e falhas? Vamos dizer — só para sermos generosos — que o lado da "virtude" ganhasse o debate. Pode ser que ganhasse facilmente. Escutar o debate ainda assim provavelmente traria mais desconforto que prazer. Se queremos passar pela vida como pessoas felizes e produtivas, dúvidas fundamentais sobre quão bons somos têm de ser bloqueadas de nossa mente consciente.

• • •

A AUTOILUSÃO PODE ser nossa melhor aliada ou nosso pior inimigo, seu Economista Interior já adivinhou.

Economistas profissionais, acostumados a achar que as pessoas valorizam a informação, ou têm "expectativas racionais", começaram a estudar a autoilusão apenas recentemente. Talvez tenham começado a passar menos tempo com seus modelos matemáticos e mais tempo pensando como seus alunos se preparam, ou antes não se preparam, para as provas. Na realidade, o modo como as pessoas percebem o mundo é um dos fatores mais importantes para compreender os incentivos em operação. Gostemos ou não, as pessoas de fato acham que "tudo diz respeito a elas". E isso significa que precisamos observar de perto a autoilusão.

O conceito de autoilusão, em variadas formas, tem uma longa história no pensamento ocidental. Os gregos, começando por Homero e Platão, eram obcecados com a ideia. Penélope não quer de fato que Odisseu volte para casa, nem ele tampouco está realmente triste por partir outra vez no fim da história. A autoilusão é um tema comum nas peças de Shakespeare (uma leitura atenta revela que Romeu e Julieta estão bastante inseguros quanto a seu amor) e também no século XVII o moralista francês La Rochefoucauld. Leiam suas *Máximas*:

> Estamos tão acostumados a esconder nossa verdadeira natureza das outras pessoas que acabamos escondendo-a de nós mesmos.

E que tal essa?

> Não importa quantas descobertas tenhamos feito na terra da AUTOESTIMA, muitos territórios não descobertos ainda permanecem.

No século XVIII, Adam Smith descreveu a autoilusão como um traço central do comportamento humano. Freud frisou como o subconsciente estrutura o retrato da realidade de um indivíduo para se encaixar em suas neuroses e tendências. Sartre situou a autoilusão no âmago de sua teoria das emoções; talvez em algum nível soubesse que não estava sendo intelectualmente honesto em seu aval a Stalin.

Vamos voltar a minha coluna de aconselhamento favorita, "Dear Prudie", em Slate.com. Uma leitora escreveu:

> Após vários anos procurando o homem certo, conheci alguém que promete muito [...]. É um homem de fala mansa, que me trata com muito respeito. Foi viúvo por muitos anos, criando os filhos sozinho e fazendo um trabalho maravilhoso. Ele dá muito duro, é honesto e parece entusiasmado comigo. Temos muita coisa em comum, incluindo nossa profissão, o que tem sido um verdadeiro desafio para mim, já que tenho um emprego não tradicional em agricultura. O problema é que ele beija muito mal, algo que acho superimportante quando se trata de intimidade.

Minha opinião nua e crua? Ela não gosta dele tanto assim quanto pensa. Claro, uma certa técnica básica é necessária, mas beijar é 90% psicologia e ligação. A mulher precisa romper o véu da autoilusão e se fazer perguntas francas. Por que não escreveu para Prudie: "Eu o amo"? Suas frases fazem com que ele pareça um mala sem alça que ela vai desprezar cada vez mais.

Hoje, todo um setor da economia americana — as academias de ginástica — parece se basear na autoilusão. A maioria das pessoas superestima quantas vezes comparecem à academia. Elas pagam por planos que só fariam sentido se fossem viciados em atividade física, e claro que muitos não são.

Um estudo com 7.752 membros de academia, realizado em três academias ao longo de três anos, confirma em que medida superestimamos nossa propensão à malhação. Com determinado plano, o cliente paga uma taxa fixa de 70 dólares por mês. As pessoas com esse tipo de contrato frequentam a academia cerca de 4,3 vezes por mês, em média. Isso resulta em um preço médio de pouco mais de 17 dólares por ida.

Essas mesmas pessoas poderiam ter comprado um vale de dez utilizações da academia, o que custaria exatamente 10 dólares por vez, um preço bem melhor. Os custos médios seriam de 43 dólares, em vez de 70 dólares. (Há também um vale único, de apenas 12 dólares, que também seria mais barato.) O cliente padrão de academia, ao longo de todo um plano, poderia poupar cerca de 600 dólares optando por esse vale de dez vezes. Um economista ingênuo (ao contrário do Economista Interior) pode pensar que as pessoas preferirão poupar dinheiro, mas ele estaria enganado.

Na realidade, elas gastam mais. Gastam em média 600 dólares a mais. Gastam porque não estão dispostas a encarar suas ilusões sobre quanto — ou quão pouco — gostam de se exercitar. Ou talvez pensem, incorretamente, que a mensalidade fixa as obrigará a frequentar a academia mais vezes. Pesquisas com esses mesmos clientes mostraram que sua expectativa é comparecer à academia um número de vezes suficiente para fazer valer a pena a mensalidade. A maioria se mostra equivocada.

Seiscentos dólares. Pense nisso como o preço da autoilusão sobre exercício. Pense nisso como uma medida da força que tem a autoilusão, de nos termos em uma conta mais alta do que merecemos.

Esse estudo gerou outro resultado. As pessoas que não vão muitas vezes à academia levam muito tempo para cancelar seus planos. Não gostam de admitir que são umas preguiçosas. A frequência à academia geralmente cai quase a zero. Mas após deixarem de ir por completo, em média 2,31 meses se passam antes que os mensalistas encerrem seus contratos. Para 20% dos desistentes, a demora do cancelamento é de quatro meses ou mais. Em todo caso, o custo médio do cancelamento não imediato, seguindo-se à última visita à academia, chega a 187 dólares. Será que essas pessoas realmente pensam que conseguiriam se disciplinar? Podemos adicionar esse valor aos custos da autoilusão.

• • •

SUPONHA QUE NOS fosse oferecida uma cirurgia, ou uma pílula, para corrigir nossa autoilusão. Essa pílula eliminaria todas as crenças tendenciosas que alimentamos em relação a nós mesmos. De repente, perceberíamos que não somos (provavelmente) mais dotados de moralidade que a média, que nossas crenças políticas são em geral estúpidas e que na verdade não merecemos a última promoção. Todas as nossas crenças seriam alinhadas com os fatos.

Não tome essa pílula.

Os psicólogos já escreveram sobre "realismo depressivo". Os deprimidos, ainda que muitas vezes seus processos de pensamento sejam inteiramente irracionais, tendem a apresentar pontos de vista mais apurados sobre seu real lugar no mundo. Eles admitem com mais facilidade que em vários campos de realização não são melhores do que a média e se dão conta com mais facilidade que, em muitos aspectos, estão abaixo da média.

Os deprimidos são por natureza autoiludidos em um principal aspecto — a saber, eles subestimam sua probabilidade de escapar da depressão. Muitos deprimidos imaginam que serão deprimidos para sempre. Para a pessoa deprimida, a sensação é de uma nuvem que nunca vai embora, quando na realidade a condição tende a ir e vir.

É motivo de debate se a depressão causa falta de autoilusão ou se a falta de autoilusão causa depressão. Provavelmente, causa e efeito agem nas duas direções. Em todo caso, de fato necessitamos de nossa autoilusão.

Pessoas que se sentem bem consigo mesmas, independentemente de sua avaliação ser justificada pelos fatos, tendem a conquistas maiores. Elas são dotadas de mais autoconfiança, assumem riscos mais facilmente e não se constrangem em impor a lealdade de outros. A autoilusão também as protege contra distração. Se os indivíduos, enquanto criaturas biológicas, perseguem objetivos maiores (por exemplo, comida, status e sexo), a autoilusão pode ser um mecanismo de defesa a ter evoluído contra preocupações, distrações e perda de concentração.

Só enfrentamos a vida porque ignoramos continuamente o fato de que as pessoas estão nos observando, avaliando, julgando e, claro, condenando. Imagine sair por aí sabendo a cada minuto o que as outras pessoas estão pensando de nós. A maioria de nós acharia isso insuportável bem rápido.

Imagine que todos tivéssemos Web sites que rastreassem nosso desempenho na vida e nossa generosidade para com os demais. Há um site inteiramente dedicado a monitorar os hábitos de gorjetas dos famosos. Os "anjos" da gorjeta incluem Charles Barkley, Bill Clinton e Robert de Niro. Palavras menos delicadas estão reservadas para Al Gore, Tiger Woods e O. J. Simpson. O garçom parece tão amigável, mas na verdade está nos julgando minuto a minuto:

> Recentemente, um profissional da luta livre conhecido como "The Rock" foi servido por mim em uma reconhecida churrascaria que funciona há pelo menos cinquenta anos. Ele ligou antes e pediu que o restaurante abrisse mais cedo para recebê-lo, pois queria evitar os fãs. Lá foi o trouxa de sorte aqui anotar os pedidos e preparar a mesa para aquele palhaço. Ele desfiou sua enfiada de reclamações, pediu para encher o copo de refrigerante umas dez vezes, mais manteiga na torrada de alho etc. etc. A provação toda mal valeu a miséria de 7 dólares de gorjeta. Embora isso representasse em média cerca de 25% [Seu Economista Interior diz, nada mal!], eu imaginei que um cara montado na grana como aquele tinha que me dar no mínimo 20 dólares pelo tempo e serviço extras. O sujeito não tem nada de "Rocha", pra mim, tá mais pra uma pedrinha mão de vaca.

A lei contra difamação me impede de reproduzir várias outras mensagens do site. Mas pense só, as pessoas falam e pensam sobre nós — o tempo todo — exatamente do mesmo jeito que falamos e pensamos sobre elas. Essa é uma perspectiva pouco confortável, não? Agora, tire isso da cabeça e continue a leitura.

• • •

A CHAVE PARA SE sair bem é manter a autoilusão como um *buffer* geral, mas transpondo-a seletivamente para problemas específicos.

Pequenas mudanças em incentivos podem fazer grande diferença em nossas crenças. Por exemplo, na última década, o número de pessoas que viram OVNIs caiu dramaticamente. Talvez os filmes de ficção científica não sejam mais tão impactantes como costumavam ser, mas creio que haja um outro fator em jogo: celulares e câmeras de celulares.

"A espaçonave estava em uma zona fora da área de cobertura? E você não bateu uma foto?"

"Desculpe, querida. Eles imobilizaram meus dedos com suas armas de raios."

A história de repente ficou um pouco mais difícil de engolir. Mais do que tudo, é difícil tapear a si mesmo, não só a esposa e os amigos. Pesquisadores que estudaram episódios de abdução alienígena concluíram que a maioria dos que acreditam ter passado por isso está sendo plenamente sincera.

Podemos fazer aperfeiçoamentos mais mundanos. Muitos de nós deveriam limitar drasticamente o número de incumbências que nos impomos. No mínimo, não devemos nos permitir sentir satisfação com o cumprimento de incumbências. Em geral deixamos que as incumbências tomem conta do dia, nem que seja para evitar olhar de frente problemas mais difíceis, como cuidar de um cliente furioso, terminar uma dissertação ou consertar o telhado. As incumbências ficam mais perigosas quando nos autoiludimos de que, de fato, realizamos alguma coisa.

Estamos concluindo algo, só que a coisa errada. Muitas crianças não estudam com empenho para as provas de modo que possam ter uma desculpa se não vão bem. É o nosso ego que colocamos em jogo quando tentamos com empenho. Por esse motivo, pais nem sempre conseguem o melhor desempenho de seus filhos aumentando recompensas e punições para boas e más notas. Quanto mais há em jogo, mais a criança se sente pressionada. A reação é geralmente de autossabotagem no comportamento para aliviar a pressão psicológica. A criança adota o mantra autoilusório: "A escola não é tão importante assim." O aumento das recompensas e punições empurra a criança para mais autoilusão, precisamente no momento em que mais necessita de uma autorreflexão.

Como princípio geral, tentar penetrar as ilusões da pessoa nem sempre faz com que melhorem. Normalmente recaímos em outras ilusões, menos fáceis de refutar, porém mais nocivas.

Pelo menos em um sentido, a vida na antiga União Soviética foi notavelmente fácil. Se algo dava errado, os cidadãos soviéticos sempre tinham alguma coisa ou alguém — que não eles mesmos — para culpar. O Partido

Comunista *era realmente* culpado. Até os jogadores de xadrez tinham essa desculpa, uma vez que se acreditava que os torneios e disputas eram às vezes manipulados para os "favoritos do partido". Claro que a desvantagem era que muitos russos cada vez mais aceitavam ou até acolhiam de bom grado a repressão política.

Uma economia capitalista, com suas pretensões meritocráticas, não oferece as mesmas desculpas para o desempenho ruim. Quando falhamos sob o capitalismo somos levados a pensar, correta ou incorretamente, que simplesmente não éramos tão bons quanto nossos competidores. Autoilusão funciona melhor quando complementa os enredos benéficos que concebemos para nós mesmos.

Todo dia eu paro de escrever um pouquinho antes de ter dito tudo que queria. Acho o melhor a fazer para chegar no dia seguinte "faminto" de escrever, em vez de "exaurido". Isso faz com que me sinta uma pessoa que adora escrever e se sobressai nisso. Não é verdade que eu amo escrever? Afinal, sempre quero mais. Claro que preciso desse truque, talvez minha autoimagem como escritor fervoroso não seja completamente verdadeira; além do mais, por que tenho de parar cedo? Entretanto, o truque me leva a escrever mais e também a gostar ainda mais de escrever.

Quando se trata de realizações, o pior inimigo da maioria de nós é passar um dia sem escrever, não um dia passado escrevendo muito pouco. Se uma pessoa consegue escrever uma página por dia, isso dá quase um livro por ano, um ritmo invejável. Assim, nós escritores precisamos investir em uma autoimagem de pessoas que conseguem realizações todos os dias, e a autoilusão nos ajuda a fazer isso.

Fazer compras se torna um momento crítico quando mantemos informação desagradável — nosso orçamento — longe de nossas mentes precisamente quando mais precisamos dela. A maioria das pessoas tem um "modo aparência" e um "modo compra". Assim que trocamos para o modo compra, cuidado. Por mais que a pessoa pareça calma, um tipo de frenesi se instala. As partes de nosso cérebro são ativadas para registrar a perspectiva de recompensa e minimizar os possíveis riscos para nossas finanças. No linguajar da neuroeconomia, nosso sistema límbico nos coloca em um modo "quente".

Literalmente deixamos de avaliar os custos do comportamento dispendioso e começamos a procurar coisas para comprar.

Mas o modo quente vai embora assim como chega. Começamos com um grau razoável de inércia e, uma vez que não somos patológicos, tendemos a deslizar de volta para aquele estado. Só precisamos romper com nosso frenesi consumista antes que nos escape do controle.

Como podemos segurar as rédeas ao gastar? Bem, deixar os cartões de crédito em casa pode ser arriscado demais. E afinal não temos como deixar de comprar itens caros de vez em quando. Logo, ofereço duas dicas:

1. Faça da primeira compra um prazer culpado, não uma necessidade, levando assim um remorso inicial a se estabelecer. Em outras palavras, requisite a indulgência logo de cara, em vez de deixá-la para o final.

   Muitas vezes o perigo vem quando compramos itens grandes — itens de que temos genuína necessidade — e complementamos com pequenas frivolidades sem pensar muito bem. Certo, pode ser que precisemos mesmo de um novo paletó de 800 dólares. Mas devemos tomar as decisões sobre as discricionárias gravatas e meias primeiro, e não enquanto caminhamos na direção do balcão com o paletó na mão.
2. Vá em lojas com vários balcões de caixa e use-os. Gastamos mais quando podemos levar todas as compras a um mesmo caixa. Pagar mais de uma vez quebra o ímpeto e faz nossa atenção se concentrar em custos e preços.

Sim, as ilusões fazem com que sigamos em frente, mas às vezes necessitamos de um teste autoimposto mais brutal, nem que seja apenas em partes menores e mais separadas de nossas vidas. Quando leciono macroeconomia na pós, faço um experimento simples. Peço aos alunos que escrevam questões de prova uns para os outros e as ponham na internet, com um link. As questões podem ser vistas à vontade, mas enquanto não começam as provas as questões que terão de responder permanecem um segredo.

Os alunos deveriam praticar essas questões em seu tempo livre. Mas muita gente simplesmente dá uma olhada nas questões, reflete sobre elas, discute e "sente" que sabe resolvê-las. Digo aos alunos para pedir a um amigo ou cônjuge que selecione cinco das questões como uma surpresa. O aluno deve escrever as respostas, sob condições simuladas de prova, com o relógio correndo.

A verdade é a seguinte: a maioria das pessoas não estuda muito efetivamente. Estudam para sentir que tentaram. Estudam para se sentir bem consigo mesmas. Nem sempre estudam para ser bem-sucedidas em sua área de atuação. Passam horas olhando sem ver as folhas de papel e balançando a cabeça para o que entenderam. Os alunos devem passar mais tempo tentando resolver problemas ou responder questões, em geral sob condições simuladas de prova e com o relógio do lado. Tique-taque, tique-taque... É assim que funciona, e sim, o problema é que machuca.

Pouquíssimos escritores mostram por aí seus primeiros esboços. Não querem que ninguém lhes diga como está ruim. Muitas vezes, quanto mais um autor trabalhou no texto, menor o feedback que espera sobre o resultado. Secretamente ele teme que os comentários críticos anulem seus esforços. Diz a si mesmo que "o rascunho está indo bem, estou no caminho certo". Esse mantra o tira da cama pela manhã e o leva para a frente do computador. Quando enfim vai procurar alguma crítica, já é tarde demais.

Chamo isso de O Martelo. A maioria das pessoas tem medo do Martelo. Uma chave do sucesso é tomar doses do Martelo quando necessário, embora sem ferir nosso (parcialmente injustificado) excesso de otimismo. Quando estamos com medo do Martelo, geralmente tentamos nos esconder atrás dos outros. Esse é um dos motivos pelos quais tantas vezes tentamos nos esconder atrás das sessões de brainstorming.

Sessões de brainstorming são um jeito contraproducente de gastar o tempo. As pessoas geralmente concebem mais ideias novas a sós do que o fazem em grupo. Os psicólogos se referem à "ilusão da produtividade em grupo". Um metaestudo descobriu que as pessoas eram menos produtivas em grupos em 18 de 22 comparações. Além do mais, quanto maior o grupo, maior a perda de produtividade. Todos sabemos que muitas pessoas se apoiam demasiadamente no trabalho de outros e "pegam carona". E contudo, surpreendentemente, continuamos a ter em alta conta as discussões em grupo. Mais de 80% das pessoas perguntadas acham que o brainstorming em grupo produz resultados melhores que o brainstorming individual.

A autoilusão tem parte na culpa por essa falha na percepção. Quando estamos em grupo, em geral é outro quem está falando. Sentimos menos pressão. Não nos sentimos estúpidos só porque estamos em silêncio e não temos nenhuma ideia nova. Além do mais a sensação de atividade contínua nos passa um sentimento de estar engajado em uma descoberta coletiva. Se não experimento nenhuma revelação, bem, algum outro sim. Afinal, alguma coisa boa deve estar acontecendo; por que mais estaríamos todos aqui reunidos nesta sala? Todos gostamos de fazer parte de uma equipe, sobretudo equipes vencedoras.

Muita gente, após trabalhar em grupo, confunde as ideias dos outros com as suas próprias. Após a reunião sentem-se melhor. Além disso, se o problema é difícil, todo mundo pode ver que os outros também o acham difícil; faz com que nos sintamos aliviados.

Ao contrário, quando trabalhamos sozinhos, é dolorosamente óbvio que nenhum progresso se aproxima. A voz de seu Economista Interior não é abafada. Você não consegue negar que não está sendo produtivo, e não tem desculpas.

Brainstorming em grupo funciona ainda pior quando se pedem aos membros que esperem sua vez antes de falar. Quando as pessoas estão esperando, elas tendem a ensaiar um texto na cabeça. Elas oscilam entre o nervosismo e a fantasia de como vão embasbacar o grupo todo com seu brilhantismo. A maioria não vai começar a buscar novas ideias. Muita gente, devido a limitações cognitivas, é *incapaz* de procurar novas ideias enquanto aguarda. A discussão se torna estática.

Ao contrário das inúmeras sessões de brainstorming, tentar computar probabilidades é um jeito útil de criar autoconhecimento. Quando estamos verdadeiramente em dúvida sobre diferentes caminhos na carreira, ou sobre propostas de casamento, deveríamos tentar quantificar as escolhas. Sente-se com uma caneta e um papel e tente imaginar qual a probabilidade de cada resultado seria exigida para tornar uma escolha melhor do que outra.

Isso soa impossivelmente incerto, mas o objetivo não é gerar um número racional com o processo. Não se pretende que a "teoria da utilidade esperada" seja de algum modo descritivamente verdadeira ou possa refletir a complexidade de nossas escolhas. O objetivo é fazer a pessoa superar suas ilusões inúteis. Pensar em números tende a reduzir a marcha de algumas partes menos racionais de nosso cérebro. Isso nos força a olhar para a questão de uma perspectiva menos emocional.

Nesse contexto, vejo a teoria da utilidade esperada como a ida a uma diferente caixa registradora para pagar uma compra de meias. Muitas pessoas, mesmo analfabetos matemáticos, podem extrair benefício de voltar atrás e reexaminar suas premissas. Não é isso que os consultores de negócios fazem por nós? Recorrer a uma leitora da sorte também pode funcionar, nem que seja para nos permitir ver se ficamos satisfeitos ou contrariados com sua predição.

Uma amiga minha muito inteligente e culta uma vez comentou que ela e o antigo namorado estavam pensando em voltar. Ou pelo menos ela achava que estavam pensando nisso. "O que diz o mercado de apostas?", foi minha reação imediata e talvez não inteiramente cortês. Não recebi uma resposta direta, nem sequer em números.

Continuei: "Sabe como é... quais são as chances?"

"Não sei", ela disse.

"Claro que você não sabe. E eu não sei quem vai ganhar o próximo Super Bowl. É por isso que temos probabilidades. Porque não sabemos. Então, quais as chances? Em que medida você se inclinaria por um lado da aposta em vez do outro? Sem dúvida seus amigos não deixaram de mencionar suas chances."

Acreditem ou não, ninguém nunca considerara mencionar as chances.

"Um para três", eu disse. "O que acha disso?"

Nunca soube as chances, mas por sua reação acredito que nós dois sabíamos qual seria o resultado provável.

• • •

A NECESSIDADE DE controle, ou de se sentir no controle, é uma de nossas maiores autoilusões. Nos capítulos em que descrevi como controlar o mundo, espero ter deixado claro como a experiência de estar no controle é importante para os seres humanos. Neste capítulo, espero que os leitores vejam que é possível administrar sua própria sensação de controle.

Por que tanta gente sente que dirigir é mais seguro que voar, ainda que isso não seja verdade? Quando dirigimos, somos nós ao volante. Sentimos que, se algo ruim acontece, poderemos reagir e conduzir o carro e seus passageiros em segurança. Isso é um equívoco, mas gostamos de estar no controle.

Temos um medo especial dos riscos quando corremos o risco de trazer uma catástrofe sobre nós mesmos. Imagine o seguinte cenário assustador.

Um vírus de gripe mortífero chega ao nosso continente vindo da Ásia. Não há cura e os médicos estimam que a chance de alguém morrer de uma morte horrível e dolorosa com o vírus é de 10%. Uma vacina está disponível, feita com uma forma atenuada do vírus. A vacina cura a maior parte das pessoas, mas mata 5% delas.

Sem dúvida o melhor é tomar a vacina. Uma chance de morrer de 5%, por pior que pareça, não é tão ruim como 10% de chance. Contudo, nem todo mundo, quando perguntado, quer tomar a vacina. Muitas pessoas têm mais medo do risco escolhido do que do risco que pode se abater sobre elas.

Uma pesquisa, publicada no *Journal of General Internal Medicine*, indicava que apenas 48% dos que responderam disseram que tomariam a vacina. O resto estava com medo demais do perigo que podiam trazer para si mesmos. Claro, isso era apenas um questionário e talvez muitas dessas pessoas seriam mais racionais se estivessem à beira de uma possível morte ou infecção viral. Mas o mero fato de que suas intuições as afastavam da vacina, no contexto do questionário, revela que os seres humanos não abordam esses problemas racionalmente.

Essas mesmas pessoas apresentavam maior propensão a recomendar a vacina para outros. Elas tendiam a recomendar a vacina sobretudo para pessoas distantes delas mesmas, como estranhos. Cinquenta e sete por cento dos que responderam disseram que dariam a vacina para os filhos. Sessenta e três por cento disseram que, se fossem médicos, dariam para seus pacientes. Setenta e três por cento disseram que se fossem diretores de um hospital, dariam a vacina para todos os seus pacientes.

Parece que as pessoas pensam mais racionalmente quando a escolha não diz respeito a elas próprias. Quanto mais pessoal a decisão, mais provável que o medo afaste a razão.

Quando se trata de avaliar racionalmente os riscos, também cometemos equívocos no nível das políticas nacionais. Muitas estratégias de combate a uma epidemia de gripe concentram esforços em desenvolver vacinas e pôr os doentes em quarentena. Ambos os métodos refletem uma mentalidade de controle. O pensamento é: "Se ao menos tivéssemos a vacina certa, poderíamos controlar o vírus." Ou: "Se ao menos pudéssemos proibir as viagens, conseguiríamos manter o vírus em um lugar só." Mas é difícil desenvolver a vacina correta de antemão, produzir doses suficientes rapidamente e distribuí-las. Quarentenas funcionam para pequenas ilhas, mas provavelmente fracassariam em uma nação de 300 milhões de pessoas em constante mobilidade.

Uma abordagem diferente é fortalecer as capacidades de reação de nossos prontos-socorros, no caso de uma pandemia. Muitos especialistas acreditam que essa seria a melhor forma de investir nossos recursos limitados. Mas claro que é uma recomendação dura de engolir. Força-nos a admitir que talvez sejamos incapazes de controlar o vírus. Quantos políticos gostariam de dizer: "Sim, milhares ou milhões morrerão, mas ao menos podemos salvar alguns deles." Mesmo se for verdade, isso parece muito longe de "Vamos proteger todos os americanos".

Nossa reação ao terrorismo apresenta tendências similares. Somos relutantes em adotar políticas que admitam mas minimizem as perdas. Os políticos são propensos demais a alegar que o problema pode ser controlado. Às vezes, gastar mais dinheiro com o departamento de bombeiros local é melhor do que tentar rastrear e matar todo possível terrorista.

Os Estados Unidos costumam reagir aos desafios recusando-se a admitir o fracasso. Nossa mentalidade é a do "nós podemos". Construímos a primeira bomba atômica, pusemos um homem na Lua e revitalizamos a economia americana nos anos 1980 e 1990 — todas coisas que pareciam impossíveis antes que as fizéssemos. Essa autoconfiança é admirável e tem sido a responsável por muito da grandeza americana. Entretanto, também é algo que atrapalha o progresso do país. Tendemos a buscar opções que ofereçam alguma chance, por mais improvável que seja, de invulnerabilidade e controle supremo. Em vez disso deveríamos às vezes admitir que não podemos deter eventos terríveis, mas podemos tornar seus efeitos um pouco menos ruins.

Em um nível mais pessoal, uma tendência a delegar o comando pode nos tornar melhores professores. Quando ensinamos nossos filhos a dirigir, gostamos de fingir que não vão fazer nada estúpido. Dizemos a eles uma longa lista das coisas que nunca devem fazer. Sabemos que podem não estar escutando, mas pelo menos ficamos com a sensação de ter feito o melhor.

Minha abordagem é diferente. Ensinei Yana, minha afilhada, então com 15 anos, a dirigir. Um dia comecei com: "A primeira coisa que vamos fazer hoje é bater na guia. Suba naquela guia, mas não vá rápido demais." Esse é o melhor jeito de aprender o que é a guia. Yana vai bater na guia de qualquer jeito, cedo ou tarde, então que essa descoberta ocorra em circunstâncias seguras. E da próxima vez que ela bater na guia, não vai entrar em pânico.

"Toque naquele cone, mas devagar."

"Ponha o carro em ponto morto antes de estacionar e acelere." Todo mundo vai fazer isso de um jeito ou de outro, então deixemos que ela aprenda as consequências de um jeito seguro.

De modo similar, também podemos tentar fazer nossos filhos dirigirem enquanto você, pai ou mãe, faz ruídos esquisitos, "banca o débil mental" ou grita coisas como "fulano paga pau pra Yana". Em algum momento os amigos dela vão se comportar de fato desse jeito. Não se intimide com o que a experiência de dirigir guarda para ela, por mais desconfortável que faça com que você se sinta.

Por que a maioria das pessoas não ensina essas lições? Muito simples. Queremos nos sentir seguros e diminuir nosso estresse durante e após o ensinamento. Quem gosta de se lembrar da horrível sensação do carro parando com um súbito sacolejo quando estacionamos com a marcha engatada? Na realidade devemos nos preocupar menos com nosso próprio estresse e ficar mais preocupados em preparar o futuro motorista para o mundo real.

Isso significa lidar com a possibilidade de erro, mais do que negá-la. Significa administrar sua capacidade de iludir a si mesmo; significa administrar sua sensação de controle.

• • •

SÓ PORQUE A AUTOILUSÃO é necessária para viver uma vida feliz, isso não quer dizer que a autoilusão é sempre boa para a sociedade mais ampla. Para ver como a autoilusão pode sair pela culatra, dê uma olhada no mundo da arte. Ele é cheio de fraudes. Não me refiro apenas às pessoas, mas às obras. Mais uma vez seu Economista Interior já suspeitava disso.

Não são só os Rembrandts e Picassos pintados no norte de New Jersey. Muitos campos das artes estão cheios de imitações. Em algumas áreas, como a arte pré-colombiana, há possivelmente mais imitações no mercado do que objetos verdadeiros (e os itens verdadeiros foram muito provavelmente roubados de sítios arqueológicos legalmente protegidos, de modo que alguém vai dizer que as imitações não são o pior crime). Imitações de quase todo pintor famoso — de Vermeer a Pollock — já foram vendidas para compradores informados e tarimbados e às vezes com o aval dos especialistas.

Como pessoas tão inteligentes podem ser tapeadas? Um dos motivos é o orgulho.

A maioria das pessoas que possui um Picasso é muito orgulhosa de sua aquisição. A vaidade de possuir o objeto de arte é muitas vezes mais importante do que o prazer de olhar para o objeto. Muitos colecionadores passam semanas sem parar para extrair prazer do que têm em suas paredes. Não importa quão modestamente nos comportemos na companhia de uma visita, sem dúvida nenhuma estamos esperando que note o Picasso.

Eu adoraria ter uma gravura de Picasso da série "Vollard Suite". Eu a penduraria no andar de baixo, na sala de estar, onde *você* pudesse ver, não no andar de cima, no quarto, onde talvez eu a visse mais. Algumas dessas gravuras são vendidas por "apenas" 20 mil a 50 mil dólares, mas muitos que viessem em minha casa acreditariam que valem milhões ou no mínimo centenas de milhares. Claro, é uma grosseria dizer às pessoas o preço que se pagou de verdade.

A vaidade soa divertida, e de fato pareceria maravilhoso desfrutá-la. Mas aí reside o perigo. Muitos compradores e colecionadores de arte não querem olhar o que possuem muito de perto por medo de perder o motivo do que se orgulhar. Aquele "Dalí" ficou pendurado sobre a lareira por mais de vinte anos. Foi um presente do seu caro e velho pai, que comprou a gravura de um cavalheiro em uma viagem num cruzeiro. Papai ficou tão orgulhoso de pendurá-la acima da lareira. Pobre papai. Pobre e velho papai. Se ao menos pudesse ver como todo mundo gosta daquela gravura e a admira. Ela sempre nos lembra dele, que era mesmo o cara mais honesto que se pode imaginar.

De repente você ganha um novo amigo e acontece de ele trabalhar na Sotheby's. Ele também estuda história da arte em Yale. O amigo se oferece para levar a gravura para ser examinada, ou talvez pesquisar sua proveniência. Mas nem todo mundo fica inclinado por uma ajuda dessas. Afinal, achamos que a gravura é autêntica. Parece autêntica, não parece?

Uma psicologia similar opera quando compramos uma pintura. Adoramos a pintura. Queremos levá-la para casa. O sujeito que a vendeu fez com que nos sentíssemos especiais só de oferecê-la para nós. "Em geral, ofereço obras tão boas só para clientes de longa data. Mas sei que você e sua esposa estão montando uma coleção muito especial."

Lá no fundo, percebemos que na verdade não sabemos grande coisa sobre arte e o mundo da arte. Um olhar mais detido não vai revelar se a pintura é autêntica ou não. Só vai nos deixar mais preocupados. Imagine o nervosismo dos anos futuros, só porque não puderam rastrear nem um passo na proveniência da obra. Nenhuma documentação? Bom, as pessoas perdem esses papéis bobos o tempo todo. No meu caso sei que sim. Então vamos parar de nos preocupar. Já decidimos que podemos nos dar ao luxo de gastar o dinheiro. Sem dúvida parece autêntica, não parece?

Quando muitos compradores se comportam desse jeito, a autenticidade não pode ser dada por certa. E uma vez que o mercado opera dessa forma, a primeira lição é de que nem todo mundo deveria comprar arte.

A segunda lição é que quanto mais um comprador se autoilude, mais provavelmente ele ou ela deve compor sua coleção fazendo lances na Sotheby's ou na Christie's. As equipes de curadores deles podem não ser perfeitas, mas sem dúvida dão duro para proteger o bom nome da casa de leilões. Por outro lado, embora muitos negociantes de arte particulares sejam honestos, são incapazes de detectar imitações com igual proficiência. As casas de leilão, com sua capitalização multimilionária, são bem mais escrupulosas quanto a falsificações do que qualquer negociante de arte que possamos encontrar por aí ao nosso alcance (bem, a menos que você seja um dos meus leitores bilionários e tenha um negociante de arte muito chique...).

O item típico vendido na Christie's ou na Sotheby's em Nova York vale cerca de 1.500 dólares. Esse preço está dentro do que a maioria de nós pode pagar. Mas ir a uma casa de leilões em geral não é tão divertido. A menos que sejamos grandes gastadores, ninguém aparece para nos guiar pela mão. Ninguém nos diz da importância da coleção. Ninguém explica que grande pechincha estamos fazendo. O processo todo é muito mais anônimo. A arte tem de comercializar a si mesma, a menos é claro que você seja um comprador importante.

Além do mais, não vivenciamos a emoção de *saber* que podemos levar o quadro para casa ou que ele nos vai ser entregue dentro de dois dias. Primeiro a pessoa dá o lance; novatos e gente que não mora em Nova York provavelmente fazem isso pelo correio. Depois o ofertante tem de esperar até que o leilão seja feito. Esse tempo todo o sujeito fica se perguntando se o lance foi alto demais ou baixo demais. Não é como o eBay, onde podemos monitorar outros lances 24 horas por dia, 7 dias por semana.

Vencer o leilão leva a dúvidas sobre ofertas altas demais e, mais tarde, ao assim chamado "remorso de comprador": "Por que ninguém mais achou que valia tudo isso?" Não existe negociante para conversar e nos aliviar do trauma de nos separarmos do dinheiro. Não vencer o leilão leva ao desapontamento. Os circuitos "pronto para comprar" de nosso cérebro estavam a mil, mas agora temos de começar tudo outra vez do zero. Estávamos tão entusiasmados em fazer a coleção de arte, mas, ai de nós, que frustração.

Esses problemas podem parecer graves no momento, mas na realidade não duram muito tempo. A próxima temporada de leilões não está longe e, bem, certo, paciência é uma virtude. Por outro lado, os custos de comprar uma imitação são muito altos e sempre existem. Quando nos autoiludimos, ou mordemos o bocado para conseguir aquela nova pintura, não damos a esses custos o devido peso.

É verdade que comprar em uma casa de leilões não é para qualquer um. Muitas pessoas necessitam da gratificação imediata de levar a compra para casa a fim de manter seu interesse na arte. Outros colecionam em áreas onde dificilmente há falsificações (por exemplo, grandes tapeçarias flamengas oitocentistas). Mas a maioria de nós, se deseja comprar arte, deve prestar mais atenção ao que é vendido nas casas de leilão. Acontece que é o próximo passo na direção de se tornar um bilionário cultural, ao menos uma vez você tem um conhecimento útil do que realmente gosta.

Mas isso não é só uma parábola sobre arte. É na verdade uma história sobre política e por que temos tantos "impostores" e "farsantes" nos cargos públicos. Uma vez que apoiamos candidatos para um governo local ou federal, ficamos relutantes em nos voltar contra eles. Muitas vezes relutamos até em olhar muito de perto, para começo de conversa. Não estou falando de você, é claro — só os outros é que se comportam assim. Aqueles de quem você discorda.

Claro que com frequência são as coisas sobre as quais nos sentimos melhor na política que são fonte da maior autoilusão. Em MarginalRevolution.com, escrevi certa vez uma frase ditada pelo bom-senso econômico:

> É preciso admitir que não podemos cuidar de todo mundo e que temos de encarar duras trocas.

Um leitor escreveu respondendo:

> NÃO. NÃO. PRECISAMOS. SIM. PODEMOS.

Outro leitor escreveu:

> Por que não podemos? Outros países industrializados conseguem [estava se referindo à previdência social nacional]. Teríamos de elevar os impostos de uma maneira significativa, sem dúvida, mas sem dúvida seríamos capazes, se quiséssemos.

Mas, ai de mim. Não podemos.

Todos os dias cerca de 155 mil pessoas morrem. Morrem na Europa, também, mesmo nas democracias sociais. As pessoas morrem de ataque do coração e de gripe. Crianças se afogam em baldes e pessoas morrem em batidas de carro. Não chamamos isso de problemas de previdência social, mas são coisas que nos matam mesmo assim. Poderíamos gastar todo nosso dinheiro em saúde da população e elas ainda morreriam, mais cedo ou mais tarde. A maioria mais cedo. Poderíamos revogar os "cortes de impostos Bush" e elas *ainda assim* morreriam. Existem no mundo também vários bilhões de pessoas muito pobres e outros bilhões relativamente com recursos, mas mesmo assim longe de ricos. Eles também contam e, sim, também vão morrer, muitas vezes tragicamente, com pouca idade.

Podemos pegar um grupo limitado dessas pessoas e tornar sua vida melhor com intervenções seletivas de saúde. *Deveríamos* fazer isso. Mas temos de escolher os objetivos de nossa benevolência cuidadosamente. Por melhor que seja o trabalho que fizermos, muitos vão escapar por entre nossos dedos. E esses "de quem cuidamos" recebem apenas aperfeiçoamentos marginais por períodos temporários.

Nossa tendência natural é querer sentir que estamos cuidando de todo mundo. Vamos favorecer políticas que nos reconfortem. No processo, vamos muitas vezes rejeitar políticas que abarquem um número maior de pessoas.

Muita gente se queixa de que os Estados Unidos têm mais de 45 milhões sem seguro de saúde. Pouca gente (além dos médicos pesquisadores) se queixa de que o orçamento dos National Institutes of Health, que apoia pesquisa médica básica, não é alto. Encorajar a inovação — uma fonte a longo prazo de ganhos imensos para a saúde — não nos proporciona o mesmo sentimento de controle imediato do sofrimento humano. Em outras palavras, graças à autoilusão não nos dedicamos verdadeiramente a cuidar dos verdadeiros problemas de longo prazo, e às vezes deixamos de gastar mais dinheiro do que deveríamos.

• • •

COM TODAS AS SUAS FALHAS, a autoilusão nos mantém virtuosos. A maior parte das coisas boas que fazemos — e isso inclui caridade — não o fazemos pelo seu fim em si, mas porque de algum modo aprendemos a apreciar o processo de envolvimento regular e autodisciplina. Nós assim tapeamos a nós mesmos para pensar que valorizamos o fim — seja exercício físico, caridade ou o que for — mais do que o fazemos. Pensamos que somos pessoas melhores do que somos na realidade, mas em certa medida esse estratagema é uma profecia cuja realização já era de se esperar. Se podemos nos convencer a agir e pensar como pessoas verdadeira e profundamente benevolentes, tanto melhor.

Quando pensamos que nosso trabalho é importante, estamos mais felizes e nosso desempenho é melhor. Talvez nossos esforços individuais não sejam na verdade significativos no esquema mais amplo das coisas. Mas se presidentes, primeiros-ministros e papas fossem os únicos indivíduos a se achar "importantes", nosso mundo entraria em colapso. Similarmente, se esperamos toda a energia e brilhantismo de nossos artistas, eles precisam acreditar que seus trabalhos criativos são de uma importância social e estética sem precedentes. A ficção de uma pessoa objetiva de verdade seria provavelmente um robô sem emoções e sem um senso real de eu — quem ia querer uma coisa dessas, fosse para si mesmo, fosse para os outros?

Entretanto, todos nós devemos nos esforçar para nos tornarmos, no limite do possível, menos iludidos em questões críticas, embora retendo o entusiasmo pela vida. Se pudermos melhorar nossa percepção da realidade, a sabedoria do mundo ficará literalmente ao alcance de nossos dedos.

Em geral não nos perguntamos o que estamos fazendo de errado quando temos um encontro, nos vestimos ou nos relacionamos com nossos amigos, cônjuges e filhos. Temos medo do que a honestidade dos outros fará com nossos sentimentos e nossa motivação.

Precisamos investir numa diferente autoimagem e em diferentes enredos. Em vez de repetir "Meu rascunho está ficando bom" ou "Já sei o que vestir", tente "Sou a melhor pessoa do mundo para acatar conselhos". Poucos de nós somos realmente bons em dar ouvidos a um conselho, mas essa mentira vai nos tornar só um pouquinho mais receptivos. Seremos capazes de aprendizado e realizações de modos novos e poderosos.

7

Coma bem, bananas à parte

COMER É O MAIS UNIVERSAL dos prazeres do sentido e, é claro, algo que precisamos fazer para ficar de pé. Guisados de pâncreas e timo, casserole de ostra com gengibre e cebolinha, couve refogada são algumas das coisas que podemos comer, basta ter o dinheiro ou o conhecimento de como preparar. Ao contrário dos museus de arte, não é difícil chamar nossa atenção para bons pratos. O principal problema é encontrar, avaliar e possivelmente criar tesouros culinários.

Umas poucas regras simples, obtidas com nosso Economista Interior e com a compreensão dos incentivos, pode nos ajudar a fazer refeições muito melhores. Há inúmeros livros sobre comida, mas poucos tratam dos lucros e prejuízos por trás do cultivo e da venda de alimentos. E contudo a comida é um produto de mercado, e resultado da lei da oferta e da procura capitalista. Se compreendermos as diretrizes econômicas que regem a alimentação, seremos capazes de encontrar comidas melhores, e muitas vezes podemos encontrar alimentos excelentes a preços razoáveis.

Vou falar sobre cozinhar em casa posteriormente neste capítulo, mas comecemos pelos restaurantes. Talvez você se lembre que nossa reflexão inicial sobre incentivos foi se podemos ou não pagar nossa filha para lavar a louça. Aprendemos que *se pode comprar qualquer coisa*. Bom, o macete de cozinhar em casa do modo apropriado é perceber o que você não pode comprar em outro lugar ou o que é particularmente barato ou gostoso de fazer em casa. Assim, não podemos entender como é cozinhar em restaurantes ou em casa sem ter em mente o quadro mais amplo de como as duas coisas se encaixam uma na outra.

• • •

NO MUNDO DOS restaurantes nem sempre é fácil se orientar. Uma área metropolitana muito grande tem centenas de diferentes lugares para jantar. Há anos escrevo sobre restaurantes perto de minha região natal, no norte da Virginia. Embora meu "guia de culinária étnica", como o chamo, esteja longe de completo, minhas resenhas ainda preenchem mais de uma centena de páginas de texto com espaço simples. Claro que cada lugar tem seu próprio cardápio e sobretudo quando o assunto é cozinha étnica muitas vezes não sabemos o que pedir.

A despeito da abundância espantosa de escolhas culinárias diante de nós, não precisamos nos sentir completamente perdidos. Tudo que precisamos é de alguns princípios simples para estreitar um pouco o que pedir, que restaurantes conhecer e que cidade visitar. Vamos começar pelo cardápio e depois voltar à questão mais fundamental da escolha de locais.

Em restaurantes caros e da moda (mais de 50 dólares por um jantar é um parâmetro imperfeito para essa categoria), há um procedimento simples. Olhe para o cardápio e pergunte a si mesmo: "Qual desses itens eu gostaria menos de pedir?", ou, "Qual deles me soa menos apetitoso?". Então peça esse mesmo.

A lógica é simples. Em um restaurante badalado o cardápio é muito bem planejado. O tempo e a atenção da cozinha são escassos. Um prato não estará no cardápio a menos que haja um bom motivo para sua presença. Se o nome parece ruim, o gosto provavelmente é muito bom.

Quando alguém me fala em "tamboril" (ou peixe-pescador), vou logo pensando em um peixe carnudo e pesado, facilmente propenso ao abuso ou ao cozimento excessivo. É muito difícil o preparo de um bom tamboril. A maioria das pessoas, e dos restaurantes, não deveria nem tentar. Eu não tento. Mas quando o tamboril aparece com destaque no menu de um restaurante muito bom, em geral constitui excelente prato principal. A carne densa e adocicada vai muito bem nas mãos de um chef habilidoso. Outros itens que me põem em alerta mas constituem em geral pratos de muita qualidade nos bons restaurantes são carne de caça (fácil de passar do ponto e difícil de ser encontrada fresca), qualquer coisa de que você jamais tenha ouvido falar e, mais do que tudo, miúdos, principalmente órgãos de nomes repugnantes.

Muitos pratos que soam populares podem estar ligeiramente abaixo da qualidade média do cardápio. Cuidado com o frango assado. O problema, na verdade, é que frango assado em geral é apenas bom. Sou capaz de fazer um frango assado razoavelmente bom (e às vezes excelente). Muitos "covardes culinários" pedem frango assado para ficar dentro do que é familiar. Frango assado pode acabar aparecendo no cardápio de um bom restaurante mesmo quando seu preparo não tem nada de superlativo. Lula à dorê geralmente é gostosa nos restaurantes, mas é raro que pratos fritos excedam um certo nível de interesse. E assim como frango assado, muita gente também adora lula à dorê, de modo que podemos encontrá-la em inúmeros menus, aconteça o que acontecer. A popularidade desses pratos satisfaz, mas não atinge os mais altos píncaros do paladar.

Falando curto e grosso: peça o feio e peça o desconhecido. Em um restaurante chique, peça o prato que você acha mais difícil de gostar.

Há apenas uma advertência sobre essa regra. Não dê sopa para o azar se o seu gosto não for dos mais sofisticados. Talvez frango assado seja tudo que você aguente. Claro que isso descreve algumas pessoas, mas muitos de nós podem arriscar cardápios mais variados e interessantes; simplesmente necessitamos daquele empurrãozinho extra para tentar alguma coisa nova e inusual.

Mas esse conselho tem um outro lado: ao cozinhar em casa, cuidado quando tenta coisas novas. Comece experimentando esse mesmo prato em um bom restaurante. O menu do restaurante é selecionado de antemão por um especialista e aperfeiçoado por outros gastrônomos e, é claro, pelos clientes. Esse processo, por mais imperfeito que seja, provavelmente implica mais sabedoria do que seus experimentos aleatórios na cozinha. Seus conhecimentos de restaurantes e na cozinha em geral se complementam, mas quando se trata de fazer novos pratos você deve normalmente começar por jantar fora, e deixar para cozinhar mais tarde.

Eis aqui outra estratégia com bons restaurantes: pergunte ao garçom qual a boa pedida. É importante, porém, fazer a pergunta direito. Pense nos incentivos do homem. Até mesmo nos templos da alta cozinha, um garçom deve estar orientado para empurrar um prato lucrativo ou propagandear um item do cardápio que a cozinha preparou em boa quantidade nesse dia. Não pergunte simplesmente "O que devo pedir?". O garçom talvez queira se livrar rapidamente de você para seguir adiante com seus afazeres. O garçom também pode pensar que você não é mais sofisticado, em termos culinários, do que o cliente médio. Mesmo em um bom restaurante essa pode ser uma constatação ofensiva.

Prefiro perguntar mais diretamente ao garçom: "Qual o melhor prato?" Fico feliz quando o garçom não hesita na resposta. "O atum com molho de gengibre é o melhor, senhor" é o tipo de resposta que traz alegria ao meu coração. Peço. Do mesmo modo, fico nervoso quando o garçom responde: "Todos os pratos do cardápio são bons." Pior ainda: "O melhor? Depende do seu ponto de vista. Nossos clientes apreciam muitos pratos diferentes." Ruim também é um sorriso nervoso, seguido de: "Como assim, 'melhor'?" Todas estas últimas respostas são indício de um garçom covarde que não está acostumado a lidar com pratos que exigem do cliente. Lembra-se do capítulo sobre como manter a boa imagem? Esses garçons estão sinalizando que nunca receberam um treinamento minucioso de um maître ou chef de qualidade.

Se me perguntam, "Como assim, 'melhor'?", simplesmente respondo: "O melhor. No sentido platônico. [Isso, é claro, refere-se à teoria das formas de Platão, como expressa no diálogo A *República*, que explica a ideia de uma verdade perfeita e absoluta, como podemos encontrar no céu.] Melhor, como em 'O Melhor'. Quero O Melhor".

Se esse tipo de conversa filosófica não faz seu estilo, não custa mencionar as "peças de resistência" do restaurante. Ou diga que você é um gastrônomo sério que viajou de longe para conhecer uma experiência maravilhosa. Se uma resposta direta ainda não vier, bem, você ainda não fez seu pedido. Dá tempo de pagar as bebidas e cair fora.

Claro que, quando estamos cozinhando, a menos que sejamos verdadeiros especialistas, o melhor a fazer geralmente é o contrário desse conselho. Não tente recriar as peças de resistência de seu restaurante favorito. Talvez seja um desafio divertido, e se esse é o caso, vá em frente, mas não é a melhor maneira de comer. Esses pratos são provavelmente, pela própria concepção, difíceis de reproduzir, entre outras coisas para assegurar uma vantagem competitiva do chef. Mas também pode ser que seu frango assado seja realmente muito bom.

Em restaurantes étnicos, muitos desses problemas são difíceis de resolver. Muitos atendentes chineses se recusam a recomendar os melhores pratos para clientes de aparência ocidental. Implorar de joelhos pela "verdadeira comida chinesa" talvez não resulte em nada muito melhor do que camarão Kung Pao. Perguntar "qual o melhor" provavelmente vai resultar em frango com brócolis, não rins de frango em molho XO (molho XO é feito de frutos do mar secos e picados, fritos com cebola, alho, pimenta malagueta e óleo), ou o mais modesto peixe frito com cebolinha. Muitos garçons e garçonetes chineses ainda ficam admirados de ver que um ocidental é capaz de comer com pauzinhos.

Em geral a melhor opção é apontar para o que os outros estão comendo. "Traga-me aquilo ali" funciona, e talvez o cardápio não faça muito sentido, de todo modo. Ou talvez seja possível conversar com clientes chineses prestativos em uma mesa próxima. Mas e se o restaurante estiver vazio, ou se ninguém das mesas próximas parecer qualificado (ou talvez parecer qualificado *demais*, e simplesmente não querermos o sangue frito de pato nessa noite)?

Ainda temos uma carta na manga. Antes de ir ao restaurante, pesquise um pouco. Procure memorizar o nome de uma cidade "secundária" relevante no país ou na região. Em um restaurante de Sichuan, diga em tom confidencial ao garçom "Conheço Chengdu. (Pausa) Traga-me comida de Chengdu. Adoro Chengdu". Isso não implica mentir, já que a palavra "conhecer" é vaga; pode, por exemplo, significar que você tem alguma informação a respeito, não que já esteve lá.

O blefe geográfico sinaliza ao menos um pouco de conhecimento sobre a cozinha local. Chengdu tem cerca de 10 milhões de habitantes e é um centro para a culinária de Sichuan, mas, ai de nós, poucos americanos conhecem Chengdu. Da última vez que li, apenas cerca de 10% da população jovem americana era capaz de localizar o Afeganistão em um mapa da Ásia. Então mencionar Chengdu para um garçom chinês vai fazer com que você cresça aos seus olhos. A referência despertará um misto de simpatia, curiosidade e apoio. O garçom talvez recomende o delicioso frango apimentado de Sichuan. Não vai mais pensar que você, um ocidental, se deixará intimidar pela cobertura reluzente de pimentas vermelhas no topo do prato. Mas não se preocupe, grande parte da característica picante da malagueta desaparece com os pedaços de frango que há embaixo.

Se você está em um restaurante cantonês, com muitos frutos do mar, experimente mencionar Shenzen. Ganso ao molho *barbecue* e barbatana de tubarão são duas especialidades locais, mas não faz diferença se você quer esses pratos. Você mostrou para o garçom que é alguém sério. Sinalizou apropriadamente.

Às vezes esses sinais não bastam. Envie todas as mensagens que quiser, mas o restaurante não está lá apenas para você. A gente paga o pato pelos outros, também, e como todo mundo sabe poucos americanos já ouviram falar de Shenzen. Às vezes, o que você quer simplesmente não está disponível. Onde moro, em Washington, D.C., não encontro ganso ao molho *barbecue* de jeito nenhum. É aqui que a cozinha doméstica entra em cena novamente, e este é um prato excelente para o Dia de Ação de Graças.

Se você está em um restaurante étnico nos Estados Unidos e os garçons e garçonetes simplesmente não são de nenhuma serventia, aqui estão conselhos gerais para você pensar sobre o cardápio:

1. Evite pratos baseados pesadamente em ingredientes básicos de boa qualidade.

   A menos que estejamos em um local chique e caro, ingredientes básicos, ou *raw ingredients*, nos Estados Unidos — legumes, manteiga, pão, carnes etc. — são obtidos com a produção em massa e assim encontram-se abaixo dos padrões mundiais. Mesmo países mais subdesenvolvidos contam com ingredientes básicos melhores que os americanos. Pedir um filé simples no Uruguai e na Bolívia pode ser ótima ideia, mas no norte da Virginia em geral é uma roubada. Opte por pratos com molhos interessantes e misturas de ingredientes complexas. Aposte na capacidade do chef de surgir com uma boa ideia e executá-la bem.

   Em um restaurante boliviano, isso pode significar pedir pelo *silpancho*, uma especialidade da região de Cochabamba. Sim, há um filé simples por baixo, mas embaixo dele há arroz e batatas, e empilhados no topo de tudo há ovos mexidos, tomate, cebola e molho de pimenta verde. Para ser franco, o filé não precisa nem estar tão bom assim para que o prato como um todo seja delicioso.

   Dependendo do supermercado que você usa, ou das fazendas às quais tem acesso, pode querer considerar uma regra similar para cozinhar.

2. Entradas são em geral melhores do que pratos principais.

   Assim como nem toda *gag* pode ser transformada em um bom filme, nem toda boa ideia culinária se sustenta quando transformada em um prato inteiro. O valor do gosto inicial surpreende mas não vai além de algumas mordidas. Por esse motivo, refeições compostas de entradas e pratos secundários podem ser deveras satisfatórias.

   Restaurantes tailandeses e libaneses são especialmente bons em oferecer pequenos pratos, saladas e entradas interessantes. Em um restaurante tailandês experimente salada de porco picante com amendoim (*nam sod*), *satay* de frango, *mee krob* (macarrão doce com molho de tamarindo) e as sopas com leite de coco. Não vá se entregando simplesmente a um prato cheio de curry ou macarrão, por mais familiar que seja.

3. Evite sobremesas.

A maioria dos restaurantes étnicos nos Estados Unidos, por melhores que sejam, em geral pecam na sobremesa. Sobretudo um restaurante asiático. Calcutá tem alguns dos melhores doces do mundo, mas custa um bocado de tempo e trabalho fazê-los direito e certificar-se de que os ingredientes sejam mesmo frescos. Doces indianos de qualidade normalmente trazem lucro apenas quando o custo da mão de obra é muito baixo e esse não é o caso em Chicago ou Londres.

Tenha em mente também que em muitas partes do mundo o açúcar refinado era uma novidade até bem recentemente. Se uma pessoa raramente consome açúcar refinado, a mais simples sobremesa como um doce de feijão parecerá maravilhosa. Para um paladar estragado pelo açúcar, como geralmente é o caso no Ocidente industrializado, esse mesmo doce de feijão significa uma decepção. Assim, tirando Calcutá, muitas das melhores sobremesas tendem a ser encontradas em regiões que já incluíram o açúcar refinado em sua dieta há muito tempo. Comece pela França, Alemanha, Suíça e Áustria. A China foi pobre por um longo tempo, então a maioria de suas sobremesas não constitui grande atrativo para partes mais ricas do mundo.

4. Peça mais do que planeja comer.

Não saímos para jantar toda noite, então quando pedimos estamos atrás de variedade e novas experiências, não apenas de encher a pança. Sempre se pode levar o que sobrar para viagem.

Muitas culinárias são pensadas para atender grande número de pessoas — famílias extensas, normalmente — em torno de uma mesa comum ao mesmo tempo. Os pratos são criados e selecionados por sua variedade e por seu papel em um plano de refeições mais amplo. Historicamente, se um país tem população grande e alta taxa de natalidade, sua culinária evoluiu de forma que múltiplos pratos compõem a refeição principal.

Se um grupo de três pessoas está visitando um bom restaurante chinês, o grupo deve pedir pelo menos cinco pratos. Claro que sai mais caro, mas você pode compensar cozinhando mais em casa ou sendo muquirana em outro lugar; não desperdice a visita a um restaurante saboroso. A melhor comida chinesa deve ser consumida numa sequência de pratos, equilibrando diferentes sabores, temperaturas e texturas. Uma sopa delicada prepara o terreno para um "camarão salgado e apimentado", um prato com malagueta e então um molho agridoce. Pedir um prato é como escutar um movimento de Beethoven. Terminamos querendo mais e ao menos alguns Economistas Interiores tendem a achar melhor uma ponta de decepção do que nem sequer ter aparecido, antes de mais nada.

• • •

E ISSO É TUDO EM termos de dicas ligeiras para frequentar o restaurante. Mas como achar o restaurante certo, para começo de conversa? Em que parte da cidade procurar? Em que tipos de cidades, ou países, devemos esperar encontrar boa comida?

Vamos dizer que estamos em uma cidade estranha, ou em um país estranho, e queremos experimentar outra coisa além da cozinha local. Queremos experimentar a "comida étnica" do país. O melhor conselho é optar pela culinária representada no maior número de restaurantes. Os restaurantes estão competindo uns contra os outros, recorrem a uma mesma coletividade de funcionários e necessitam de uma rede de especialistas para compor seus pratos. A cidade ou região contará com um bocado de conhecimento sobre como fazer essa cozinha funcionar, dados os ingredientes básicos à mão. Em outras palavras, a competição funciona.

Eis uma tabela de sugestões para comer comida étnica no exterior:

País	**Restaurantes**
França	Argelina ou tunisiana.
Alemanha	Turca, grega ou qualquer uma dos Bálcãs.
Inglaterra	Paquistanesa e indiana; feitas no Reino Unido essas cozinhas são ainda melhores que a britânica.
Holanda	Indonésia ou surinamesa (ambas ex-colônias da Holanda).
Canadá	Chinesa (especialmente em Vancouver), caribenha e do Leste europeu, como húngara ou ucraniana.
Argentina	Italiana; essa é maravilhosa em quase qualquer país da América Latina, mas sobretudo na Argentina e no sul do Brasil, ambos cheios de imigrantes italianos.
México	Churrascarias argentinas.
Dubai	Indiana, paquistanesa e persa. Dubai fica perto do golfo pérsico, mas a maior parte das pessoas vivendo na cidade-estado é de trabalhadores do subcontinente indiano; Dubai já chegou a ser chamada de a cidade indiana que mais funciona.

Para os que estão interessados em turismo gastronômico, uma recomendação. Escolha um país com muita desigualdade. Sei que soa sem coração, mas procure por um grande abismo entre ricos e pobres. Barras de ferro nas janelas e arame farpado nos muros, embora ruins para os moradores e um mau sinal para sua segurança, são sinais de boa comida.

A presença de uma classe de cidadãos abastados, quando tudo mais é igual, é boa para a comida porque a riqueza é um bom mercado para uma refeição saborosa. Isso encoraja a comida de qualidade.

Mas quando olhamos para os produtores, uma certa dose de pobreza, é triste dizê-lo, corresponde à maior probabilidade de grande gastronomia. Quanto mais altos os salários na base, mais difícil é empregar mão de obra para preparar a comida, preparar os ingredientes básicos e servir e limpar as mesas. Assim, o gourmet consciente deve procurar regiões onde algumas pessoas são muito ricas e outras são muito pobres. Os pobres acabarão cozinhando para os ricos. Minhas refeições no México, na Índia e no Brasil sempre são deliciosas e baratas.

O Haiti, apesar de ser o país mais pobre do hemisfério Ocidental, tem parte da melhor comida do Caribe. A renda per capita é de cerca de 400 dólares por ano. A expectativa de vida é de 50 anos e a maioria dos haitianos vive em barracos. Um restaurante haitiano caro no bairro relativamente rico de Petitionville contrata inúmeros trabalhadores para cada jantar. Os cogumelos são picados e carregados na mão. A carne de porco, o peixe e os legumes são todos produzidos e preparados com grande cuidado pessoal. O serviço é extremamente bom e atencioso.

Há poucas maneiras de ganhar um bom dinheiro no Haiti, então se os estrangeiros e fiscais da ONU estão visitando restaurantes, os haitianos trabalham ali. Certa vez perguntei a um taxista em Port-au-Prince se ele achava as tropas das Nações Unidas uma coisa boa para seu país. "Muito bom para as pessoas que vendem lagosta", foi sua resposta.

Salários altos são um dos motivos pelos quais a Europa ocidental está perdendo seu papel histórico de liderança culinária. Os restaurantes parisienses têm de pagar altos salários, muitos benefícios e se submeter a rígidas leis trabalhistas. É por isso que tantos restaurantes parisienses chiques ficam fechados no sábado e, quase certamente, domingo. Nos Estados Unidos, um regime de horário desses seria impensável. Ainda que os Estados Unidos tenham uma média salarial alta, o país tem mais imigrantes, mais mão de obra em meio período e uma maior distribuição de salários. É bem mais fácil encontrar mão de obra de baixos salários nos Estados Unidos e muito mais fácil para as pessoas trabalhar longas horas sem ir contra a lei.

As nações anglo-americanas, como Estados Unidos, Canadá, Reino Unido, Austrália e Nova Zelândia, contam todas com mercados de trabalho relativamente livres e políticas de imigração relativamente liberais. Há trinta ou quarenta anos, esses países tinham uma cozinha fraca, famosa pelas carnes insípidas e legumes cozidos. Hoje são todos centros ativos, superando a reputação culinária mais antiga da França. Muitos restaurantes — tanto da alta cozinha como étnica — no mundo anglo-americano têm funcionários e gerentes imigrantes. Poucos desses trabalhadores contam com seis semanas de férias ou uma semana de trabalho muito limitada.

Não é incomum que um chef francês se mude para Nova York, contrate mexicanos para fazer comida francesa para uma clientela americana ou talvez para cozinhar para turistas franceses em visita a Nova York. O elemento-chave nessa equação são os mexicanos e sua liberdade de vender sua mão de obra. Os mexicanos são o motivo pelo qual o chef francês está servindo comida francesa para turistas franceses perto do Lincoln Center, em vez de Lyon.

Nos Estados Unidos, a maior parte da comida francesa — a maior parte da *comida*, alguém pode dizer — é preparada por mexicanos, não franceses. Franceses são caros demais, mas milhões de mexicanos, em seu país natal, ainda ganham apenas um ou dois dólares por dia. Muitos deles preferem cozinhar nos Estados Unidos por 10 a 20 dólares a hora, mesmo que isso signifique *cassoulet* em vez de *carne asada*.

Na Índia, os muito pobres cozinham para os ricos, pode ser que nos restaurantes, mas mais comumente como criados. Já se disse com propriedade que a Índia consiste de duas nações. Cerca de 100 milhões de pessoas têm padrão de vida comparável ao da Europa e cerca de 900 milhões vivem na pobreza, em geral ganhando um ou dois dólares por dia. Os 100 milhões contratam todos os cozinheiros domésticos e os 900 milhões competem pelo trabalho de servir comida e fazer tarefas domésticas.

Nos países escandinavos, dos quais gosto muito, a igualdade econômica é muito maior. Dificilmente alguém na Noruega é pobre ou mesmo classe média baixa. Isso pode ser ótimo para os noruegueses, mas não ajuda muito na comida. Quanto mais justa a distribuição de renda, maiores os custos para contratar mão de obra para a cozinha. Os países escandinavos procuram por cozinhas étnicas feitas por imigrantes. Em Estocolmo, geralmente é mais fácil encontrar boa comida indiana ou, a propósito, uma boa pizza, do que boa comida sueca, sobretudo se levarmos o preço em consideração.

Mais uma vez, isso também envolve algumas dicas sobre o que cozinhar em casa. Você deve fazer em casa o que não consegue encontrar nos restaurantes. Se você mora no Alasca rural, talvez precise pedir pelo correio aqueles pimentões secos, *anchos*, e aperfeiçoar seus dotes na culinária mexicana. Mas vamos dizer que você more em Los Angeles ou Nova York, duas cidades com praticamente qualquer tipo de comida étnica? O que cozinhar? A resposta é simples: melhor aprender a culinária alemã, escandinava e outras comidas de países igualitários com altos salários. Esses vão ser os mais difíceis de encontrar em bons restaurantes locais, precisamente pelos motivos expostos acima. Se houver um bom restaurante alemão em Los Angeles, há grandes chances de que mexicanos estejam cozinhando.

Após pensar em salários, seu Economista Interior, em busca de comida melhor, deve voltar a atenção para o aluguel. Restaurantes têm de pagar aluguel todo mês, independentemente de quantos clientes entrem pela porta. Por esse motivo, o valor do aluguel restringe que tipo de restaurante pode sobreviver em determinado local. Um pouquinho de conhecimento sobre aluguel ajuda-nos a encontrar aquele maravilhoso restaurante étnico familiar.

Atividades que pagam aluguel alto incluem cadeias de lojas de roupas, Starbucks, a Disney Shop e Tiffany & Co. Um shopping caro é cheio de lojas com aluguel alto. Uma loja com aluguel alto costuma atrair por hora grande número de clientes que consomem e carrega nos preços de seus produtos. Atividades de aluguel baixo incluem lojas de quinquilharias e de coisas antigas e também brechós, além do tradicional restaurante chinês no pequeno centro comercial do subúrbio. A decoração está mais para vagabunda que glamourosa.

Quando o aluguel é alto, os restaurantes são ou para o povão ou então são caros demais. O centro de Manhattan está cheio de lugares onde comer, mas os melhores variam de 300 a 400 dólares por jantar, sem incluir o vinho. Esses restaurantes ficam perto das residências de milionários e bilionários, e perto de áreas centrais do turismo, teatro e compras em Manhattan. Por outro lado, alguns bons restaurantes optam pelo aluguel baixo e se localizam junto aos pontos de férias dos ricos.

Embora a maioria dos restaurantes bons fique em áreas de aluguel alto, a maioria dos restaurantes nessas áreas tão valorizadas está longe de ser grande coisa. Manhattan e outras cidades importantes estão cheias de T.G.I. Fridays, Sbarros e Hard Rock Cafes. Esses locais fornecem pratos insípidos e previsíveis e cerveja fraca. O negócio deles está baseado no volume e em geral apelam para o mínimo denominador comum.

Um bom modo de encontrar uma refeição saborosa e barata é procurar áreas de baixo aluguel perto de uma freguesia de alta classe. Em Los Angeles, coma comida mexicana no lado Leste ou comida asiática em Koreatown. Come-se melhor em East Hollywood do que em West Hollywood, onde moram os astros e estrelas de cinema. A comida étnica boa e barata em Manhattan foi empurrada para longe do centro; você pode se dar melhor na Ninth Avenue (no fim do West Side) ou na First Avenue (no fim do East Side) do que na Fifth Avenue ou na Broadway. Queens e Brooklyn têm comida étnica melhor e mais variada do que Park Avenue. Se for experimentar Park Avenue, comece abaixo da 35th Street, e vá aos pontos mais baratos. Se deseja encontrar o pequeno restaurante familiar ainda por descobrir, o catálogo de endereços geralmente é mais útil que um guia de restaurantes *Zagat*.

Os pontos nas avenidas de Manhattan tendem a ser mais valorizados do que os das ruas laterais. Dado o formato comprido e estreito da ilha, as avenidas norte-sul comportam mais tráfego de veículos e pedestres. Um ponto na Fifth Avenue será visto por mais moradores e turistas em um momento ou outro. Uma frente de loja na 39th Street será vista mais por gente que mora na vizinhança. Apenas umas poucas ruas laterais, como 86th, 57th ou 14th, exibem as vantagens econômicas das avenidas. Se você está preso no centro, e quer comida étnica boa e barata, experimente as ruas antes das avenidas. Aquele coreano simples consegue sobreviver na 35th mas seria inviável na Fifth Avenue. Em outras palavras, independentemente de onde você esteja, saindo só um pouco da via principal é possível obter uma refeição bem melhor em função do dinheiro gasto.

Levando essa lógica um passo adiante, deveríamos jantar em galerias comerciais de subúrbio, sobretudo se o bairro em questão tiver muitos imigrantes recentes. A maioria dos restaurantes étnicos nos Estados Unidos procura pontos de menor custo. Os bairros chineses por muito tempo foram ideais para esse propósito, mas o pequeno centro comercial suburbano tornou-se mais importante para estabelecimentos com diversidade étnica. É comum ver bons restaurantes étnicos aglomerados com lojinhas que vendem coisas baratas e tralhas. Meu restaurante chinês favorito na Virginia divide a galeria com a Kinko's, uma portinha minúscula, a Marshalls (mobília e roupas de preço baixo), uma loja que vende uniformes escolares e um saldão japonês de plásticos e itens de cozinha.

Restaurantes em pontos baratos podem se dar ao luxo de arriscar um pouco. Se uma ideia gastronômica não funciona, o proprietário não sofre o ônus do aluguel caro, da decoração chique ou do contrato de longo prazo. É mais fácil um lugar desses ousar do que um outro no shopping center. O restaurante do shopping paga aluguel maior e investiu mais na decoração. Ele precisa atrair um número maior de clientes, o que em geral significa uma comida mais previsível e da moda, um flagelo para a sofisticação culinária.

Se estou em uma região até então desconhecida dos Estados Unidos, e há uma colônia de imigrantes, e estou procurando onde comer, vou para o centro da cidade. Ando pelos centrinhos comerciais. Os melhores deles, em termos de restaurante, são os que não têm nenhum Wal-Mart, Best Buy ou qualquer uma dessas megarredes. Cadeias de lojas muito grandes elevam o preço do aluguel e incentivam grandes multidões, nem sempre a combinação correta para uma comida étnica interessante.

Aluguéis baratos significam também que outras pessoas podem se arriscar a abrir um restaurante. Muito mais pessoas podem tentar comercializar a cozinha familiar. Poucas famílias de imigrantes podem se dar ao luxo de alugar ou comprar um espaço no centro de Filadélfia ou a propósito no meio de um shopping center de classe média alta, como Tysons Corner (norte da Virginia), South Coast Plaza (Orange County) ou Paramus Park (norte de New Jersey). As pessoas com as melhores ideias culinárias nem sempre são as que têm mais dinheiro.

A chave para compreender a atual evolução dos restaurantes nos Estados Unidos é a elevação dos aluguéis. Os lugares caros custam cada vez mais. A cozinha étnica encontrada no meio das cidades caras está se tornando mais chique. Já a cozinha étnica barata, experimental e sem decoração ostentosa está se deslocando para limites geográficos. O mesmo vem ocorrendo em Londres, Paris, Berlim e até na Cidade do México, entre outras grandes áreas urbanas. E assim como aluguéis altos afastam a comida peculiar, igualmente afastam a cultura peculiar, incluindo os clubes noturnos e galerias de arte não convencionais. Em Nova York, tanto a cozinha étnica como a música experimental estão se deslocando para o Brooklyn e o Queens, sobretudo por causa dos altos aluguéis de Manhattan. A revalorização de uma parte deteriorada da cidade pode ser boa para a região, mas nem sempre é uma bênção para a cultura.

Voltemos um pouco agora e façamos algumas inferências sobre o que cozinhar em casa. Se você mora e trabalha em bairros valorizados, aperfeiçoe a mão em restaurantes chineses e mexicanos simples, e não estou me referindo a carne com brócolis ou tacos. Opte por guisados de Sichuan e exóticos *moles* de semente de abóbora. Se você mora em um lugar afastado e não gosta de dirigir por longas distâncias, aprenda a crestar o *foie gras*.

As vantagens culinárias do baixo aluguel ajudam a explicar por que a comida de rua é tão boa quase no mundo todo.

Barracas de comida, como vemos na Ásia, no México e em muitas outras partes do mundo em desenvolvimento, são o extremo do aluguel baixo. É comum que juntem diversas pequenas "cozinhas" sob um só teto. No México, uma única barraca de comida tem espaço suficiente para algumas pessoas de pé e algumas mesas. O mercado central de uma cidade pode abrigar uma centena de lugares como esse, ou *comedores*, como são chamados em espanhol. Os clientes podem experimentar a culinária da vovó e a autêntica cozinha regional por não mais que um dólar ou dois.

Infelizmente, barracas de comida nem sempre sobrevivem ao desenvolvimento urbano; são comumente uma atividade ligada antes a baixos aluguéis do que altos. À medida que o território urbano fica mais valorizado, especialmente no centro, barracas de comida e mercados se deslocam para longe.

Até em Oaxaca, uma capital gastronômica mexicana, as melhores barracas hoje encontram-se fora do centro da cidade. Em centros urbanos, cafeterias e restaurantes mais formais roubaram os clientes antes atendidos pelas barracas de comida. Os pontos renovados oferecem maior variedade, e instalações mais adequadas, mas a comida em geral é mais sem graça e menos fresca.

Comer em Cingapura é bom porque a cidade conservou a magia das barracas de comida. Chineses, indianos e malaios sempre gostaram de comida de qualidade. A riqueza geral da cidade permite às pessoas comer muito, ao passo que leis de ocupação imobiliária impedem que as barracas de comida sejam expulsas por aluguéis mais altos.

Esses estandes de alimentação — ou *hawker centers,** como são chamados — são encontrados por toda parte. Em virtualmente qualquer lugar as barracas vendem uma excelente refeição por dois dólares ou menos. Uma vez que Cingapura é tão rica quanto a França, esse preço é espantoso, sobretudo porque Cingapura serve alguns dos melhores pratos chineses, indianos e malaios do mundo. Os conhecedores cingapurianos insistem que a melhor comida do país está nas barracas, não nos restaurantes.

Um *hawker center* típico é encontrado fora do centro da cidade, em geral sob um enorme teto de metal. Pode conter mais de cinquenta barracas de comida, normalmente da cozinha chinesa, malaia e indiana. A comida chinesa em particular é feita à moda cingapuriana e não corresponde ao que você vai encontrar na China; nas praças de alimentação, a cozinha chinesa tomou emprestadas e incorporou ideias indianas e malaias. Por exemplo, *fish head curry*, que é um prato original de Cingapura, deve seu molho de curry ao Sul da Índia, mas a ideia da cabeça de peixe é chinesa; um indiano usaria filé de peixe. Caranguejo cingapuriano, um dos pratos clássicos do país, combina influências chinesas (pasta de feijão), malaia (pimentas), indiana (textura do molho) e ocidental (molho de tomate).

A maioria das barracas se especializa em um número pequeno de pratos e muitas vezes o ponto ganha reputação por um único prato, ou um único

---

*Literalmente, "centro de mascates" (o inglês é língua oficial). Convém lembrar que a grafia local é *centre*, inglesa. (*N. do T.*)

prato com variações. Assim, há o *nasi goreng* (arroz frito com ovo), mingau de arroz, *roti john* (uma espécie de bolo de carne com molho de pimenta) e raia na brasa.

Os melhores cozinheiros passam vários anos trabalhando por conta própria, aperfeiçoando sua especialidade, antes de oferecê-la ao público em uma praça de alimentação. O dono normalmente está no local, cozinhando ou ao menos supervisionando o preparo. Como inúmeros tipos de barracas estão nas proximidades, uma única barraca pode se especializar em dois ou três pratos principais. Os clientes compram ovas de ostra fritas em um ponto e *laksa* (sopa de macarrão com leite de coco) em outro. Essa especialização, combinada a uma rígida supervisão da qualidade, é mais um motivo pelo qual a comida de Cingapura é tão deliciosa.

Mas assegure-se de ter bastante tempo para comer. Não é fácil para as barracas atender a demanda por comida nos horários de pico, então as filas são longas. Para muitos pratos mais populares, a espera pode levar mais de uma hora.

Até a década de 1960, as barracas em plena rua eram uma visão comum em Cingapura. Em geral não havia mesa e o cliente tinha de comer de pé ou levar o prato para casa. Às vezes o vendedor perambulava a pé, carregando a comida em uma vara sobre os ombros; outros comerciantes usavam triciclos. Gradualmente, os ambulantes se juntaram nesses *hawker centers*, com nomes como Colombo Court, Bugis Street, Hokkien Street, Beach Road e assim por diante. Pode haver de dez a vinte vendedores de comida em cada centro. Com o tempo, um local se tornaria conhecido por um tipo particular de comida; Hokkien Street, por exemplo, ficou conhecida por sua Hokkien Mee, uma espécie de macarrão frito.

Nos anos 60 o governo cingapuriano tentou eliminar as barracas de comida, vistas como anti-higiênicas e desorganizadas. Mas pouco a pouco as políticas mudaram. Na década de 70 o governo se propôs a regularizar os *hawker centers*, levando eletricidade e instalações sanitárias. Em parte porque as praças de alimentação pareciam atrair a população para os conjuntos habitacionais do governo, nas proximidades. Mas também porque, assim se dizia, as autoridades acreditavam que a comida fácil e rápida faria a população trabalhar por períodos mais prolongados, em vez de correr para casa para comer. Alguns cidadãos não tinham cozinha, preferindo recorrer às barracas e *hawker centers* para se alimentar. Mais tarde se percebeu que esse tipo de lugar também era atraente para os turistas.

Os bons ventos da política continuaram a soprar para esses estabelecimentos, hoje vistos como uma espécie de utilidade pública ou direito público. O tecnocrático governo cingapuriano reserva áreas para barracas de comida por todo o território. Os aluguéis devem subir, mas não é fácil bancar a retirada das barracas e construir um grande shopping center no mesmo ponto.

Vale acrescentar que esses locais são extremamente limpos. O governo de Cingapura conta com fiscais sanitários que atribuem uma nota para cada barraca. Todo mundo no país sabe que é barato comer nesses lugares; os clientes podem ver a cozinha e o preparo. A maioria das barracas recebe um "B" do fiscal. A piada local é de que as barracas com "C" ou menos têm a melhor comida e que tirar "A" significa atenção demais com a limpeza e tempo insuficiente dedicado à comida.

Além dos *hawker centers*, Cingapura tem as praças de alimentação propriamente ditas nos shopping centers. Aí o ambiente é mais chique e em geral com ar-condicionado. A comida tende a ser mais sem graça e mais cara e é feita por uma variedade de empregados que se revezam em turnos, em vez de um único chef especializado. O menu é mais extenso, mas não se encontra um prato tão bom como nas barracas. Os clientes pagam pelo conforto, para fugir do calor e pela relativa ausência de filas. Se você quer mesmo ser um bilionário gastronômico, não pode deixar de ir a um *hawker center*.

• • •

SE AS BARRACAS DE comida são um exemplo bem-sucedido de empreendimentos culinários com aluguel baixo, Las Vegas deu um jeito de prosperar com a rápida valorização imobiliária. A cidade conta com uma vantagem especial: o afluxo de jogadores, muitos deles extremamente ricos e à procura de uma boa refeição nas férias. Certo, é muito bom para o paladar, mas nosso Economista Interior nos diz que Las Vegas — ao contrário de Cingapura — já deixou há muito tempo de ser uma pechincha gastronômica.

Durante a década de 1980, os cassinos ofereciam aos clientes saborosos bufês com lagosta, filé e camarão. O bufê clássico no cassino Circus Circus cobrava apenas 1,90 dólar no jantar (e 1,25 dólar no almoço) na década de 70. As filas dobravam a esquina e muitos visitantes ficavam para jogar, financiando assim todo o empreendimento. A teoria era de que a comida atraía os jogadores. Por que comer em um cassino e andar até outro quando está quarenta graus lá fora?

Na prática, os ganhos do cassino subsidiavam os restaurantes. Os cassinos lucravam com o jogo, então usavam a comida para atrair a clientela, o que significava alta qualidade e preço baixo. Essa Las Vegas de antes constitui o clássico exemplo do que os economistas chamam de subsídio cruzado. Um serviço — nesse caso, jogo — subsidia a produção de outro serviço, a saber, boa comida. A presença do jogo torna a comida barata.

Claro que gente que não joga — como eu — é quem sai ganhando. Era possível comer por muito pouco sem precisar alimentar os caça-níqueis. Usufruíamos de estacionamento gratuito e quartos baratos nos hotéis por motivos similares.

Mas para nossa infelicidade esse antigo sistema não se mostrou estável e o subsídio cruzado desapareceu faz tempo. Havia gente demais, incluindo cidadãos locais, usando os bufês ou se hospedando nos quartos sem jogar. Max Rubin escreveu um livro chamado *Comp City: A Guide to Free Casino Vacations* [Cidade cortesia: um guia para férias gratuitas no cassino]. Ele estimou que os cassinos estavam desperdiçando meio bilhão de dólares por ano e garantia a seus leitores que eles poderiam ganhar um dólar para cada dez a trinta centavos gastos no jogo. Jogue só um pouquinho, e prometa jogar mais, e os cassinos vão tratá-lo como um rei.

Assim que as pessoas começaram a se aproveitar do sistema, os cassinos tiveram de controlar e limitar as vantagens para jogadores comprovados. Os cassinos também construíram hotéis maiores, como o gigantesco Luxor, e usaram seus quartos como fonte de lucros. Não fazia mais sentido dar quartos para conseguir mais gente jogando. Os shows, sobretudo dentro dos grandes hotéis, também se mostraram lucrativos. À medida que Las Vegas tentava com mais ardor atrair famílias, o jogo deixou de ser a principal fonte de ganho. Em vez de usar quartos baratos e shows baratos para atrair jogadores, os cassinos atuais usam o jogo para atrair pessoas para os quartos e shows, as novas fontes de lucro.

O jogo em Las Vegas ainda subsidia comida de qualidade, mas só para os jogadores de verdade. Os cassinos sabem identificar quem joga para valer e oferece a essas pessoas — e somente a elas — refeições gratuitas nos principais restaurantes de seus complexos hotéis/shoppings (e outras regalias). Todos os demais têm de pagar. A cidade hoje apoia uma destacada seleção de ótimos restaurantes, incluindo Chinois, Aureole, Emeril's, Le Cirque, Spago, Commander's Palace e L'Atelier de Joël Robuchon, só para mencionar alguns. Os shoppings mais conhecidos de Las Vegas também incluem sushi de primeira linha, boa comida mexicana e muitas outras iguarias.

Os preços resultantes são em geral iguais ou até maiores do que o mesmo tipo de comida em Nova York. Isso pode parecer surpreendente, uma vez que os aluguéis em Manhattan são muito mais elevados do que em Vegas, mas esses altos preços derivam da nova relação entre comida e jogo, ou, como diria o economista, dos novos subsídios cruzados. O cassino compensa o restaurante toda vez que um grande jogador come de graça. O dinheiro que entra incrementa a procura por uma boa cozinha. Fica mais difícil para todo mundo conseguir uma mesa e assim os preços sobem. Além do mais, um jogador "custeado" se impressiona mais com uma refeição de 150 dólares de graça do que com uma de 70 dólares. Os shopping centers, ligados ao cassinos, vão concorrer com restaurantes de preços exorbitantes, nem que seja para fazer seus "presentes" aos jogadores parecer mais generosos.

Não surpreende que Las Vegas seja hoje, depois de Nova York, o principal lugar dos Estados Unidos para jantar com estilo e também gastando muito. Mas com todas as maravilhas da culinária em Vegas, o melhor lugar para comer ainda é Cingapura ou México.

• • •

CERTO, ESSAS FORAM algumas dicas para comer fora, mas o que mais pode ser dito sobre cozinhar em casa? Mencionei em um capítulo anterior que sou o cozinheiro da família. Como cozinheiro da família, tenho grande interesse em cozinhar do jeito certo, além de saudável.

O primeiro princípio econômico — e sem dúvida é um princípio econômico — é que você deve comer comida saudável em casa. Não estou dizendo isso para fazer mais um sermão contra gordura ou em prol do puritanismo culinário. Você vai ingerir uma certa quantidade de comida ruim de um jeito ou de outro e não acho que seja minha função mudar isso, mesmo se eu pudesse. Eu também como coisas pouco saudáveis. Minha intenção é outra. Seja qual for a quantidade de comida não saudável que você pretenda comer, *faça isso fora de casa*. Os restaurantes são melhores para fazer comida pouco saudável. Eles sabem simplesmente como acrescentar as quantidades certas de sal, gordura e açúcar aos pratos. Têm experiência em cozinhar para milhares, milhões ou, no caso do McDonald's, bilhões de clientes. Não há nenhum bom motivo econômico para que você se dedique a dominar essas mesmas técnicas.

Pense nisso como um jeito de dominar a tentação e fortalecer seu eu interior. Talvez você ache difícil resistir a uma comida pouco saudável quando põem o prato na sua frente ou quando você a vê no cardápio de um restaurante. Mas você deve tirar de letra na hora de resistir a aprender sobre como fazê-la você mesmo. Batatas fritas boas de verdade, afinal, não são fáceis e exigem algum treinamento e prática. Não há necessidade de incluir isso no esforço.

O segundo princípio econômico é não levar receitas muito a sério. Trate-as como os museus de arte ou os "grandes" romances clássicos. Sirva-se delas, abuse delas, zombe delas, ria delas, desdenhe delas. Não estão necessariamente ali para fazerem você se sentir melhor. Para entender por que isso é verdadeiro, vamos esmiuçar esse ponto um pouco mais detalhadamente.

Em geral, nossas receitas vêm de livros de cozinha, revistas de gastronomia ou jornais, da internet ou, talvez, de algum amigo. Mas se queremos apreciar a vida — e não apenas a comida — ao máximo, melhor não seguir a receita ao pé da letra. A pessoa que a escreveu talvez não compartilhe de nossos objetivos em todos os sentidos. Gente que escreve receitas nem sempre é altruísta; muitos deles têm seus próprios interesses ocultos.

Consigo pensar em pelo menos duas motivações para receitas. Primeiro, algumas delas são criadas para nos tornar tão felizes quanto possível, levando em consideração os preços dos ingredientes e o tempo e o trabalho envolvidos em cozinhar. Pense em Rachael Ray e na refeição de trinta minutos. Segundo, algumas receitas são pensadas para ficarem tão boas quanto possível, embora ignorando custo, tempo e dificuldade. Viva aquele cordeiro cuidadosamente preparado, com *foie gras* e trufas de acompanhamento. E é melhor bater aquele molho de manteiga no ponto certo, ou então... Você tem o tipo certo de maçarico para fazer um bom *crème brûlée*?

Livros de receitas de chefs famosos têm maior chance de cair na segunda categoria. A ideia é antes impressionar do que respeitar nossas limitações. Pode não parecer que é assim, mas eles têm um pouquinho em comum com o *Finnegans Wake* de James Joyce.

Pense só no motivo. O chef ganha dinheiro não só com o livro de receitas, mas também aparecendo na televisão, com endossos e outros produtos e atividades. Seu principal objetivo não é nos poupar tempo e trabalho, mas antes fazer o máximo para parecerem chefs impressionantes. Isso significa que suas receitas vão ser exigentes demais. Em outras palavras, cozinheiros amadores podem se ressentir de terem gasto tanto com açafrão, mas se o gosto ficou bom vão elogiar o chef e seu livro. Poucas pessoas irão visitar o restaurante de um homem que nos mostra como encontrar *russet potatos* mais baratas, por mais valiosa que seja a informação.

Sabendo disso, como ajustar nossa cozinha pessoal lá em casa? A regra geral é manter sempre a pulga atrás da orelha quanto a receitas muito elaboradas. Podemos cortar um pouco dos ingredientes mais caros, cortar alguns ingredientes de forma geral ou talvez acrescentar mais temperos e comprar uma carne de qualidade inferior à sugerida. O mínimo a fazer é economizar o esforço empregado e tomar atalhos. Isso na verdade é o que a maioria dos cozinheiros de fim de semana faz com as receitas que usa. Você não tira a casca de todas aquelas amêndoas cozidas, tira? Não se sinta culpado, apenas pondere sobre o problema da maximização econômica, sorria e engula o resultado final.

Se a receita for bastante velha, não vai oferecer o grupo certo de ingredientes. Ou há ingredientes novos e melhores à disposição, ou o preço relativo dos ingredientes mudou. Trufas não eram tão caras como hoje. No mínimo, os salários mudaram nos últimos duzentos anos, e isso significa que nosso tempo é mais valioso. Assim, se uma antiga receita exige horas e horas curvado diante do fogão, devemos nos manter particularmente céticos.

Se a receita é encontrada em um supermercado, corte os itens mais caros. Use produtos enlatados e um queijo mais em conta, não o que foi sugerido.

A conclusão é a seguinte: assim como apreciar um restaurante, ou, a propósito, um museu de arte, não vem automaticamente, apreciar uma receita também não. Quem quer que tenha escrito a receita tinha os próprios interesses em mente. Se você quer descobrir seu Economista Interior na cozinha, comece tentando revelar quais os incentivos do autor. Como tantas outras coisas no mundo, a receita não estava lá necessariamente para deixá-lo feliz. Perceber esse fato e usá-lo em seu benefício é um passo fundamental na trilha dos grandes deleites culinários.

8

Evitando os sete pecados capitais (ou não)

TODOS OS DEMAIS capítulos neste livro foram sobre conseguir o que você quer. E o segredo disso é mobilizar o Economista Interior. Mas precisamos preencher mais uma lacuna. O conhecimento é apenas parte do problema — há também a força de vontade. Nem tudo que queremos é bom para nós. E não estou falando apenas das batatas fritas do McDonald's. Estou falando de pecado. Aquele dentre vós que nunca...

Este capítulo não apresenta uma receita grande ou surpreendente para o autoaperfeiçoamento. É na verdade um relato sobre como o sábio pode se desviar do caminho. É uma advertência contra a excessiva presunção. Destina-se a atacar a arrogância e trazer nossos pés de volta ao chão.

Como economista, aprecio a universalidade dos mercados e sua estreita conexão com quase todas as facetas da existência humana. A lógica dos mercados está presente na humanidade desde a aurora da história e provavelmente muito antes disso. Em laboratório, até macacos se entregam a comportamento cooperativo recíproco, se a conduta lhes rende mais comida. Macacos também estão dispostos a trocar gelatina por uvas uns com os outros. Um pesquisador de Yale ficou convencido de que um de seus macacos trocou sexo (com outro macaco) por uma moeda, que depois foi convertida em uma uva. Alguns macacos se dispõem a abrir mão da comida apenas para dar uma espiada em fotos de outros macacos de status superior. Isso sugere que o comércio (e a busca por status) tem raízes profundas na natureza humana.

Sim, os mercados estão em toda parte, mas também precisamos olhar duas vezes para alguns deles — ou melhor, alguns convém evitar. O comportamento irresponsável nos mercados é um problema crescente. A proliferação e o espectro mais amplo dos mercados encorajam muitos tipos de pecado e de fato o pecado parece gozar de uma popularidade jamais vista antes.

Em qualquer dado momento há 16 milhões de itens (em média) à venda no eBay nos Estados Unidos. Isso inclui mercados para necessidades, caprichos, fantasias, sonhos e perversões do ser humano. O mundo moderno compreende uma multiplicação barroca do possível, disseminada através do espaço comercial e concebida para captar nossa atenção. Para praticamente todo desejo ou emoção humana imaginável — incluindo o desejo de pecar — há mercados a serem encontrados. Claro que o pecado nem sempre é sinal de vida ruim. Se há mais pecado no mundo, isso se deve em parte ao maior número de oportunidades, mais riqueza e também mais oportunidades de (às vezes) tomar as decisões corretas.

Por milhares de anos os seres humanos viveram uma existência essencialmente malthusiana, pairando no limite da subsistência. Os padrões de vida subiam e desciam, mas os europeus no início do século XVIII não estavam muito melhor do que os europeus na época do Império Romano, se é que estavam melhor. E o quadro era sombrio. Se havia menos pecado, o que reconheço ser discutível, era porque havia menos tudo.

Durante o século XVIII e no início do XIX, 50 a 75% do orçamento da família europeia típica era gasto com comida. O economista Robert Fogel relata que:

> [...] o valor energético da dieta típica na França do início do século XVIII era tão baixo quanto o de Ruanda em 1965, a nação mais desnutrida nos índices do Banco Mundial para esse ano. [...] Em 1850, a disponibilidade de calorias para os ingleses mal se comparava aos níveis atuais da Índia. Uma consequência dessas dietas de baixa qualidade precisa ser enfatizada: até

> mesmo homens na flor da idade tinham apenas uma quantidade escassa de energia disponível para trabalhar [...] a eficiência média do motor humano na Grã-Bretanha aumentou em cerca de 53% entre 1790 e 1980.

Mais calorias, é claro, significam mais energia e, além disso, mais pecado. Os pecados de uma vida também aumentaram quando a expectativa de vida passou dos 40 anos de idade.

Não devemos ficar pessimistas em relação ao destino da humanidade simplesmente por vermos tanto pecado no mundo moderno. Temos de admitir que os seres humanos são falhos, mas é claro que ao mesmo tempo não devemos incorrer pela direção oposta e perdoar todo tipo de comportamento. Se devemos cortar a autoilusão nociva, precisamos reconhecer que nem tudo que queremos é bom para nós. E isso não é fácil.

Este não é um capítulo muito do tipo "como fazer". Está mais para "ei, por favor, não faça".

• • •

EM VEZ DE CORTEJAR uma mulher real, alguns homens preferem "namoradas imaginárias". Os homens podem tentar agradar suas mães ou impressionar os colegas de trabalho. E quanto a fazer a ex — que agora está vivendo com outro cara — sentir um pouquinho de ciúme?

Uma vez por semana essas namoradas imaginárias — interpretadas por mulheres de verdade — vão mandar-lhe cartões, e-mails, cartas ou seja lá o que for necessário para gerar documentos comprovando uma relação a distância. A ideia começou quando uma certa Judy, de 22 anos, Wichita Falls, Texas, postou seus serviços "imaginários" no eBay; desde então, a ideia se disseminou.

Em Imaginarygirlfriends.com, após passar pelo período de contratação do serviço, o cliente é responsável por terminar com a namorada imaginária. A namorada vai escrever uma carta expressando sua tristeza e implorando para voltarem. Nesse ponto solicita-se ao cliente que antecipe mais um pagamento, talvez em busca de uma nova namorada imaginária, se ele se cansou da antiga.

As prestadoras de serviço avisam: "Qualquer um com dificuldade em distinguir a realidade da fantasia NÃO DEVE utilizar este serviço."

A linda Erica, de Vancouver, oferece:

> Serviços: Cartas, e-mail, fotos produzidas com cartas, fotos digitais produzidas com e-mail, video chats via webcam pelo Yahoo, se possível.
>
> Preço: 45 dólares por período de dois meses.

Ela é grande fã de rock clássico, golfe e luta livre.

Algumas japonesas se contentam com menos de um homem completo. Essas mulheres podem comprar um "Travesseiro de Braço de Namorado" para envolver seus pescoços quando estão dormindo à noite. Os japoneses podem comprar colos de mulheres artificiais, presumivelmente para repousar a cabeça neles. O fabricante anuncia a capacidade dos colos de preencher "necessidades primárias".

Mercados sem valores — ou mercados baseados em valores ruins — podem dar chabu, com resultados horríveis. Olhando pelo pior lado, não é difícil encontrar mercados — em geral extensos e bem organizados — para as categorias prontas dos Sete Pecados Capitais. A *Divina comédia* de Dante (parte II, Purgatório) é a melhor fonte para esses pecados, mas a lista remonta a pelo menos o papa Gregório, no século VI, que explica seus nomes latinos. Bebendo dessa fonte clássica, considere os seguintes tipos de comportamento pecaminoso (segundo alguns) e seus mercados associados:

I. Superbia

Como foi que Andrew Skilling, da Enron, acabou indo parar na cadeia? Ele achou que podia burlar a lei com impunidade e se esconder atrás do sucesso de sua empresa. Poucas pessoas imaginavam que uma gigante como a Enron poderia se desfazer tão rápido como foi. Mas já existe instrução formal disponível para ajudar executivos criminosos a lidar com o prejuízo forjado por sua soberba.

Altos executivos podem pagar 10 mil dólares ou mais por aula para aprender a lidar com a vida na prisão. As aulas ensinam o seguinte:

1. Meditação e rotinas de exercício físico.
2. Acostumar-se ao fato de que nada muda e tudo está fora de seu controle.
3. Manter distância de vícios e maus hábitos.
4. Levar um relógio vagabundo.
5. Não fazer contato olho no olho.
6. "Se você pretende ferir alguém, arraste-o para sua cela, porque então terá a desculpa de que invadiram sua privacidade."

Os responsáveis pelo curso alegam que tiveram 12 clientes por ano nos últimos dois anos.

Lembra-se do capítulo sobre autoilusão? Autoconfiança pode ser um bom motivador, mas quando acompanhada por abuso de influência, parcerias por baixo dos panos e caixa dois, cuidado.

II. Avaritia

Os mercados não são todos baseados na cobiça, em certa medida? Pode ser, mas alguns mercados são mais brutais que outros.

Sequestradores nas Filipinas exigem os nomes de duas outras vítimas sequestráveis e uma estimativa do valor de sua rede, antes de libertar crianças de famílias ricas em sua posse. A indústria do sequestro está avaliada como um negócio de 200 milhões de dólares (livres de impostos) na Colômbia. Até o recente aumento na segurança, um seguro contra sequestro infantil de um milhão de dólares na Colômbia custava de 20 mil a 25 mil dólares por ano. Muitas pessoas e empresas compram apólices ainda maiores, de medo que os sequestradores locais considerem um resgate de menos de um milhão como uma piada.

Estima-se que a taxa de mortalidade em sequestros negociados por consultores de segurança seja de cerca de 2%. Uma vítima tem maior probabilidade de morrer se ele ou ela não tem como pagar por sua liberdade e deve em vez disso alimentar esperanças de um resgate. Uma vítima tem maior probabilidade de conseguir uma libertação segura quando o sequestro é conduzido em parceria com a polícia. Isso minimiza a chance de mal-entendidos e assegura que estejam todos tocando a mesma música. Há probabilidade do tempo de cativeiro da vítima ser maior quando os sequestradores são revolucionários marxistas.

No México, os sequestradores e as companhias de seguro trabalham em estreita parceria. Os sequestradores e a companhia abrem diálogo e uma transferência mútua é arranjada. Uma vez que as partes negociam com frequência e gozam de "confiança" mútua, ninguém precisa mandar uma orelha cortada para comprovar o sequestro. Não é de surpreender que a maioria dos sequestradores prefere apanhar alguém assegurado. Isso é um incentivo, uma vez que a transação corre mais suavemente e todo mundo se comporta de forma profissional, ou ao menos previsível. (Mas existem, a propósito, sequestradores "pilantras" que agem de má-fé e estragam o mercado para todo mundo.) Essencialmente, a companhia de seguros ajuda os sequestradores a firmar compromissos dotados de credibilidade. A companhia procura garantir que os sequestradores vão de fato devolver um corpo pulsante em troca do dinheiro, desse modo tornando a transação possível. A companhia é uma espécie de Better Business Bureau para os sequestradores; eles não saem por aí dando a grana na mão de qualquer pilantra sem orientação. A companhia "regulariza" a experiência de ser sequestrado, mas, ao mesmo tempo, isso faz do sequestro uma possibilidade maior e assim acarreta mais pecado.

Às vezes os gananciosos gastam todo seu tempo atrás de dinheiro, em detrimento de virtualmente todas as outras buscas. Todos nós imaginamos que haja um mercado em "diamantes". Mas quem esperaria encontrar um mercado em "dimantes"? *Arbitrageurs* espertos dão busca no eBay por itens escritos errado e desse modo fora de lugar. Assim, se o anunciante cometeu um erro na descrição do item haverá pouca gente do outro lado oferecendo lances. Um desses especialistas da arbitragem comprou cabos elétricos Hubbell por um décimo de seu custo normal buscando cabos elétricos "Hubell" e "Hubbel". O mesmo sujeito comprou computadores Compaq buscando "Compacts".

Um jornalista fez a experiência por uma hora e descobriu dezenas de itens, como "bycicles", "telefones", "mother of perl", "cuttlery", "bedroom suits" e "antiks".

Uma anunciante listou um *chandelier*, "lustre", mas não tinha certeza sobre como escrever. Após uma pesquisa na internet, ela confirmou alguns resultados para a grafia intuída como sendo "*chandaleer*" (em 2007, achei 2.850 ocorrências dessa grafia). O anúncio foi publicado e algum comprador esperto fez uma bela pechincha.

Hoje existe um site, eBooboos.com, dedicado unicamente a encontrar e divulgar equívocos de grafia no eBay. É um serviço útil, mas também um site para os gananciosos.

III. Luxuria

Na Cidade do México há centenas de prostitutas na casa dos 60, 70 e até 80; 85 é a idade mais provecta citada. Uma mulher alega que: "uma antiguidade pode ser mais valiosa que algo novo". Em geral o preço é 5 dólares ou menos. Se há mercados para qualquer coisa, luxúria não é diferente.

Por um mínimo de 34 dólares, uma empresa russa fornece álibi para a ausência de um adúltero. Às vezes, uma pessoa pode querer se esconder de sua cara-metade. Um serviço chamado SounderCover dá ao usuário a possibilidade de adicionar sons de fundo a uma ligação telefônica. A finalidade é passar a impressão de que o usuário está em outro lugar, e não, digamos, acompanhado da amante. O serviço imita tráfego, ruídos de construção, circo, broca de dentista.

Celebridades, atletas e outros podem comprar formulários para seus parceiros sexuais. Pelo documento a outra parte concorda que o sexo é consentido, desse modo renunciando a subsequentes acusações de estupro ou assédio. "Isso é para alguém que você não conhece mesmo", observou o advogado Evan Spencer, que elaborou o "acordo pré-sexual" para a Protect Condoms, Inc. Segundo o presidente da empresa, eles venderam rapidamente mais de 4 mil formulários a 7,99 dólares cada. O pacote inclui duas camisinhas. Soa útil, mas na realidade provavelmente só vai tornar as pessoas mais propensas a cometer enganos. Não protege contra tarados, sentimentos feridos ou casamentos arruinados.

Luxúria e bebedeira em geral caminham juntas. Todo mundo conhece alguém que pegou no telefone quando não deveria, principalmente estando de fogo. Um levantamento de 409 pessoas feito pela Virgin Mobile descobriu que 95% haviam feito ligações quando estavam bêbados, a maioria para ex-parceiras (30%), 19 para parceiras atuais e 36% para outras pessoas, incluindo chefes. Cinquenta e cinco por cento dessas pessoas olhavam o telefone na manhã seguinte para ver para quem haviam ligado — similarmente, alguém está acordando no mundo neste minuto e verificando quem está dormindo a seu lado.

Para aliviar o problema das ligações na hora do porre, uma empresa de telefone australiana oferece aos clientes montar uma "lista negra" de números bloqueados, selecionados antes de encherem a cara. No Japão, são vendidos telefones celulares com bafômetro, para ver se você realmente pode pegar no volante, ou, se for o caso, fazer uma ligação. Se um motorista de ônibus não pode dirigir, sua localização é enviada imediatamente ao chefe por GPS.

IV. Invidia

Muitas aquisições — de um Mercedes a uma bolsa de 5 mil dólares — são motivadas pela inveja, em geral de nossos colegas imediatos ou vizinhos. Meus colegas professores ficam incomodados com o aumento que ganhou o sujeito no fim do corredor, mas não parecem muito preocupados com a fortuna de Bill Gates ou do sultão do Brunei.

A publicidade vive tentando nos convencer de que se comprarmos o produto vamos deixar as outras pessoas com inveja. PartyBuddys, criado por dois empresários de New Jersey, promete "fazer gente normal se sentir fabulosa para a noite". Isso não implica nenhuma palestra sobre economia, sermões ou conselhos sobre como ajudar os pobres. Na verdade, o pacote de uma noite oferece uma acompanhante de festa para fazer seus clientes passarem por "multidões de invejosos", transporte por limusine e tratamento especial em seis clubes noturnos da moda em Manhattan, bebidas inclusas. Uma noite custa 350 dólares ou mais; o pacote máximo sai por 1.200 dólares por pessoa. Um guarda-costas pessoal custa 45 dólares extras por hora.

Os gerentes do negócio estimam que pelo menos 60% dos clientes é composto por profissionais de meia-idade em visita a Nova York mas que nunca foram a nenhum clube noturno da cidade. Por uma noite essa aventura exótica propicia ao cliente preocupado com status se imaginar como uma daquelas celebridades *cool* que ele viu na tevê. Os nova-iorquinos, é claro, consideram isso o cúmulo da breguice.

Uma matéria da Índia fala de uma empresa que aluga convidados, para que o casamento e a festa não fiquem muito vazios. Os "convidados" podem usar roupas indianas tradicionais ou se vestir à moda ocidental, dependendo do que o cliente determinar. Eles devem dançar e jogar conversa fora e mostrar conhecimento do casal sem deixar entrever que foram contratados. O dono da empresa, o sr. Syed, disse ao jornal: "A ruptura da união familiar e a falta de afeição entre parentes também criam uma demanda por convidados pagos." O Best Guests Centre, em Jodhpur, no Rajastão, está expandindo seu negócio.

Eles é que sabem; quanto a mim, eu pagaria para que certas pessoas *não* fossem ao meu casamento.

V. Gula

Como você deve ter notado, gosto de comer. Mas existe um restaurante na China especializado em servir diferentes tipos de pênis, refogados, fritos e cozidos no vapor. Estou ansioso para conhecer, mas não ansioso para comer.

O World Grilled Cheese Eating Championship oferece 3.500 dólares de prêmio ao competidor que conseguir comer o maior número de sanduíches de queijo quente em dez minutos. A vencedora foi a coreano-americana Sonya "A Viúva Negra" Thomas, pesando 47 quilos, que comeu 23 sanduíches de queijo. Jason Fagone, em seu estudo de 302 páginas sobre competições de comida, *Horsemen of the Esophagus*, usou as palavras "violento" e "ataque" para descrever os métodos de consumo dos competidores. Ele observa que Sonya não tem um "estilo reconhecível" porque "ela sabe que estilo prejudica a velocidade". Sonya, considerada por muitos a comedora rápida mais competitiva do mundo, se exercita duas horas por dia em regime forçado. Ela faz apenas uma (imensa) refeição diária, que leva várias horas. Ela trabalhou no Burger King e sonha em ter seu próprio *fast-food* um dia.

Para mim isso soa simplesmente estúpido, mas quantas pessoas aprovariam minha busca pela melhor comida de rua mexicana, independentemente dos riscos de um estômago revirado ou coisa pior.

VI. Ira

Mercados de assassinato, vendas de armas e morticínios terroristas são evidências nos noticiários todo dia. Deter ou diminuir a raiva humana é um dos problemas mais difíceis do mundo. Isso é quanto basta dizer.

VII. Acedia

Será que a preguiça sempre é um pecado? Provavelmente não. Uma certa dose de indolência é boa para nós, além de ser divertido. Mas esse pacato sétimo pecado capital pode ser levado a um extremo.

Hoje, uma pessoa rica pode contratar um ajudante para virtualmente *tudo*. Muitas dessas tarefas são razoáveis — afinal, o capitalismo não exige divisão de trabalho? —, mas David Beckham e sua esposa contrataram um mordomo que cobra mil libras por dia para abrir seus presentes de Natal. O príncipe Charles conta com um pajem de dois anos de idade em tempo integral e tem também um mordomo para pôr pasta em sua escova de dentes.

Algumas pessoas compram um software que disputa jogos online para elas. Por que se dar ao trabalho? Se foi "você" que jogou, pode usar insígnias que atestam o fato, o que leva a prestígio em comunidades online.

Em alguns hotéis de luxo é possível pedir uma massagem terapêutica no campo de golfe. Alguns Ritz-Carltons oferecem aos hóspedes contato por e-mail permanente com seus mordomos, que andam por aí carregando laptops com rede wireless.

Mas pode não ser tão ruim quanto soa. Talvez esses serviços estejam tornando essas pessoas mais produtivas. Ou talvez esses serviços estejam apenas sinalizando o quanto a pessoa é poderosa. Mas talvez também eles sinalizem uma falta de bom-senso.

• • •

CLARO QUE OS SETE pecados capitais dificilmente podem ser considerados uma lista fechada. O mundo moderno criou formas novas e mais atraentes de pecar, e mercados para essas oportunidades. Pegando a deixa antes de um código moral greco-romano clássico do que cristão, podemos encontrar mercados para a covardia opressiva. Quer se sentir forte ou durão? A BSR oferece dois dias de aulas de volante antiterrorismo, incluindo vigilância e cavalos de pau. Certificados são entregues.

Um acampamento antiterrorista de três dias no Arizona ensina técnicas de espionagem e combate com pistola por apenas 3.800 dólares. Eles oferecem um curso especial em artes marciais russas, prometendo que para o curso "se você vai passar um tempo no hotel, não será um cinco estrelas". Você aprende o "Sistema", um método de defesa pessoal datando (supostamente) da época dos cossacos, que o capacita a atacar de virtualmente qualquer posição. As aulas de direção incluem aprender a guiar um caminhão de corrida.

Claro que nem todo mundo é um patife ou um machão. Muitos de nós vivem com medo e os mercados atendem também esse tipo de personalidade.

Às vezes, somos covardes demais para encarar aqueles que um dia amamos e que talvez ainda amemos. Em www.breakupservice.com, fundado em 2002, os responsáveis elaboram uma carta para Querido João ou Querida Maria destinada a terminar um relacionamento. Mas se a carta for impessoal demais, melhor contratar os serviços de uma ligação telefônica de 15 minutos que faz isso por você, chamando de "aconselhamento". Muita gente, assim que recebe a ligação, acha que é piada. Mas nas palavras do criador do serviço, passada a primeira impressão, eles a chamam de "experiência enriquecedora". E também observa: "Eles desconfiam de que há alguma coisa errada. Agora têm um desfecho com respostas de verdade. Tentamos ajudá-los a ver nisso um novo começo."

A empresa certa vez recebeu o seguinte depoimento:

> Conheci alguém que pensei ser uma garota doce. Nos encontramos umas duas vezes e então me dei conta de que ela era uma completa psicopata. Não sacava nenhuma dica minha de que não a queria por perto, mas uma única ligação seguida de uma carta do breakupservice.com operou o milagre. Nunca mais tive notícias dela. Valeu! Charlie M.

Outra dessas empresas também executa resgate de mobília e animais de estimação perdidos na separação por taxas que chegam a 400 dólares.

O hoje extinto site LadyLoveWriter.com — e sua contrapartida masculina LoveWriter.com — se ofereceu para redigir "A carta delicada de rompimento" para um cliente. Um redator conversa diretamente com o cliente pelo telefone e manda por e-mail uma carta de rompimento apropriada para o contratante do serviço, que então a escreve com sua própria letra, ou quem sabe simplesmente manda um "copiar e colar".

Clientes que encomendam essas cartas têm de preencher um questionário informando que tipo de mensagem é desejada. Também devem especificar se o estilo deve ser "leve e casual", "direto, mas do fundo do coração" ou "super-romântico". Erica Klein, fundadora do serviço, observou: "Nós nos destacamos no carinho e na compaixão."

Tafofobia é o medo de ser sepultado vivo. Um cemitério chileno põe um alarme no caixão por apenas 462 dólares. Em 1995, foi posto à venda um caixão italiano de 5 mil dólares com um bipe de emergência e um aparelho de radiocomunicação com o mundo exterior. O kit de sobrevivência que acompanha o pacote inclui uma lanterna, um tanque de oxigênio e um estimulador do coração, mas não me pergunte quem vai operar esse último troço.

Os mercados também tentam seduzir inúmeras formas variadas de vaidade, outro pecado clássico. Por exemplo, podemos comprar implantes de testículos para nossos animais de estimação. Ao que parece, alguns donos acham que seus cachorrinhos perderam aquele algo mais viril ou o *look* cão perigoso. Até o momento, pelo menos 50 mil pessoas adquiriram o produto.

Para ir um pouco mais além:

> Em seu aniversário de casamento de 17 anos, Jeanette Yarborough queria algo especial para o marido. Além de planejar uma estadia num hotel para o fim de semana, a sra. Yarborough pagou a um cirurgião 5 mil dólares para restaurar seu hímen, de modo que parecesse virgem outra vez.
>
> "É o presente máximo para o homem que foi tudo", diz a sra. Yarborough.

Ao que se diz, esse é um dos segmentos que mais cresce na indústria da cirurgia plástica, e é claro que isso acontece nos Estados Unidos. Nossa cultura não é muito boa em restringir ou regular a vaidade.

• • •

OS MERCADOS NÃO cobrem nem oferecem todas as opções, nem que seja por causa das restrições econômicas e legais. Os economistas se referem a "custos de transação" e "custos fixos". A maioria dessas restrições vem afrouxando com o tempo, e desse modo testemunhamos uma proliferação cada vez mais intensa dos mercados, incluindo os que são citados acima. Isso deposita um maior fardo em nossas faculdades de autocontrole.

Custos de transação refletem a dificuldade de juntar compradores e vendedores e fazer com que entrem num acordo sobre os termos. Por exemplo, continuo a procurar um exemplar extra do CD *The Kampala Sound*, uma coletânea de melodias ugandenses da década de 1960. A internet não serviu e até a Original Music, que a lançou, alega não ter cópias. Mas encontrar um vendedor deve ser apenas questão de tempo. A internet está fazendo os custos de transação caírem a níveis cada vez mais baixos. FedEx, máquinas de fax, empresas de crédito, classificação de compradores do eBay e viagens aéreas mais baratas estão tornando mais fácil fechar negócios e transportar produtos.

Às vezes, as partes envolvidas em uma transação se reúnem com muita facilidade e por canais estabelecidos. Por 430 dólares o pé quadrado, uma pessoa pode comprar o direito de uso do espaço de um edifício com vista desimpedida do Central Park. Isso significa que ninguém pode construir para bloquear a atual vista. Essa transação funciona pelas corretoras imobiliárias padrão de Manhattan.

Por outro lado, homens que queiram comprar pinturas feitas por peitos femininos (nota: não são pinturas *de* peitos femininos, são pinturas feitas *por* peitos femininos) têm de negociar fora do circuito normal. A ideia, que começou na internet, permite a um pequeno número de compradores entrar em contato com as prestativas mas regionalmente dispersas fornecedoras. Isso é possível porque os custos de transação caíram.

Hoje, um dos mercados mais novos e inovadores é o de jogos de computador online. Nesses "mundos sintéticos" é possível comprar, vender, emprestar, tornar-se proprietário ou, se for o caso, roubar. As recompensas dependem do desempenho, e os prêmios do jogo são convertíveis em dinheiro no mundo real. Estima-se que todas as economias sintéticas juntas, com cerca de 10 milhões de jogadores, sejam em termos de valor quase equivalentes ao tamanho das economias de Bósnia e Herzegovina. Dez anos atrás esses jogos não existiam.

A ideia de "custos fixos" — outra limitação dos mercados — é um pouco mais difícil de definir do que custos de transação, mas todo mundo a entende intuitivamente por meio de seu Economista Interior. Custos fixos são o motivo pelo qual não vemos muitas livrarias de grande porte exóticas e boêmias na Nebraska rural. Simplesmente não há compradores suficientes para cobrir os gastos básicos de operação. Mas, assim como custos de transação, custos fixos vêm caindo rapidamente, e por muitos dos mesmos motivos.

Ainda que muitos mais mercados sejam possíveis do que jamais houve, nossos legisladores decidiram que não deve haver mercados para qualquer coisa. Leis restringem o comércio voluntário de ecstasy, sexo, rins para transplante, jogos de apostas e inúmeras alegadas curas para câncer. É muito difícil achar os melhores queijos franceses não pasteurizados nos Estados Unidos; a FDA decidiu que não são bons para nós.

Claro, muitos desses mercados continuam a existir com ou sem sustentação legal. Prostitutas anunciam livremente nas páginas amarelas; a polícia em geral tolera a prática, contanto que os vizinhos não se queixem. (Se os clientes conseguem encontrar essas prostitutas, a polícia também consegue.) Se você quer ir para a frente da fila de doação de rins, doe uma larga soma em dinheiro para o hospital.

Na época da Lei Seca nos Estados Unidos era comum ver a seguinte advertência no suco de uva:

Cuidado: pode fermentar e virar álcool.

A colheita de uvas cresceu dramaticamente.

Muitos mercados são projetados para ajudar as pessoas a evitar ou burlar regulamentações legais. Um empresário britânico vende spray de lama para borrifar a placa do carro. O truque deixa o veículo com aspecto "sujo", mas na prática o objetivo é tampar a visão dos radares para não levar multas por velocidade. A lama vem de Shropshire e contém ingredientes secretos que aderem por longo tempo à placa.

Claro que esses custos não são os únicos nem os obstáculos primários do comércio; às vezes, os seres humanos se sentem ultrajados com a ideia de comercializar qualquer coisa, como mencionei em capítulos anteriores.

Às vezes nos sentimos melindrados, até moralmente ultrajados, quanto a comprar e vender certos direitos e privilégios. Felix Oberholzer-Gee, um professor na Harvard Business School, conduziu alguns experimentos de campo para verificar se era possível criar um mercado para lugares numa fila.

Alguns economistas podem pensar que comprar um lugar numa fila é a coisa natural a fazer. Algumas pessoas ficam mais incomodadas de esperar na fila que outras. Alguns de nós simplesmente são menos pacientes, por temperamento. Outras vezes queremos evitar filas para evitar perder um voo ou um compromisso importante. Se o voo sai em 15 minutos e a fila de segurança do aeroporto está muito comprida, nossa tentação é correr para a frente, gritando e pedindo misericórdia e quem sabe acenando com algumas verdinhas. Contudo, acontece de ser incrivelmente difícil comprar um lugar melhor na fila.

Oberholzer-Gee e uma equipe de pesquisadores foram para lá com dinheiro no bolso. Eles se dirigiam às longas filas e ofereciam pagar em dinheiro mais de 10 dólares se a pessoa deixasse furar a fila.

Quanto mais alto o pagamento oferecido, maior a probabilidade de o pesquisador ter permissão para furar a fila. Mas a maioria das pessoas não aceitava o dinheiro. Elas interpretavam a oferta alta como sinal de desespero e assim tinham pena do folgado e o deixavam furar por nada. (Estudantes e mulheres tinham maior probabilidade de aceitar o dinheiro; homens tendiam a agir com maior "magnanimidade".) Assim, a ordem original da fila não era vista como sacrossanta, mas a maioria das pessoas achava que não tinha o direito de receber dinheiro para um lugar mais adiantado na fila. Eram predispostos a ajudar alguém em necessidade, mas não queriam lucrar com essa ajuda.

Isso posto, as pessoas na fila sentiam generosidade apenas limitada. Quando um *segundo* pesquisador — dessa vez o professor em pessoa, não um assistente — tentava comprar um lugar na fila, os que estavam nela ficaram irritados. Mesmo as pessoas que deixaram o primeiro de fora comprar seu lugar na fila recusaram a segunda oferta. Muitos foram além e quiseram saber o motivo pelo qual o professor queria furar a fila. Na verdade, ele foi obrigado a bater em retirada daquela situação, com medo de apanhar ou até sair machucado. Quando as pessoas sentiram que sua generosidade estava sendo vítima de abuso, não permitiram que os de fora tirassem proveito da situação, com ou sem pagamento em dinheiro.

Um estudo conduzido pelo laureado com o Nobel Daniel Kahneman — baseado em diários de tempo intensivo — buscou identificar as atividades que nos tornavam mais felizes. Descobriu-se que sexo e tempo passado com os amigos (não cônjuges, a menos talvez que praticando sexo) são os modos favoritos e mais apreciados de passar o tempo. Crianças não ocupam um posto muito alto em termos de nos fazer felizes no momento, embora a longo prazo possam trazer satisfação em nossas vidas.

Um segundo estudo, dos economistas David Blanchflower e Andrew Oswald, apoia a visão de uma ligação entre sexo e felicidade. Uma amostra aleatória com 16 mil adultos americanos descobriu "que a atividade sexual pesa positivamente com muita força nas equações de felicidade".

(A propósito, esse estudo fornece outros resultados fascinantes. Maior renda não garante nem mais sexo, nem mais parceiros sexuais. O americano típico faz sexo duas ou três vezes no mês. Casados fazem mais sexo, em média. Sexo está mais estreitamente relacionado com a felicidade se a pessoa tem alto nível de instrução. As pessoas mais felizes tiveram apenas um parceiro sexual no último ano. A educação diminui o número de parceiros sexuais que uma mulher vai ter. Homossexualismo não tem efeito estatisticamente significativo na felicidade.)

Se sexo é tão mais divertido que as alternativas, por que não o temos em maior quantidade? Por que assistimos tanta TV assim, ou passamos tempo no sótão, em vez de fazer mais sexo?

O economista só ficará satisfeito com motivos que desafiam os ganhos de comércio. Talvez o potencial parceiro não esteja interessado nesse exato instante, mas, ei, para que servem negociações, afinal? Entretanto, posso pensar em algumas explicações possíveis — umas fracas, outras mais fortes — do motivo pelo qual as pessoas não fazem sexo com mais frequência:

1. A longo prazo, os custos de adotar um estilo de vida "mais aberto a negociar o sexo" implicam perda de integridade e controle.
2. Temos sexo suficiente e mais sexo seria menos divertido (jargão econômico: a utilidade média do sexo é alta mas as utilidades marginais estão diminuindo rapidamente). Certo, isso pode ser verdadeiro numa dada noite, mas a média do norte-americano é de duas ou três noites por mês.
3. Freud tinha razão e somos reprimidos. A vontade não é uniforme e a parte do eu que está no controle não dá muita bola para a felicidade. Muitas teorias da psicologia evolucionária fazem uma previsão semelhante.
4. O sexo deixa de ser apreciável quando o fazemos para "fechar uma lacuna entre utilidades marginais". Isso exige espontaneidade ou alguma outra qualidade inconsistente com o modelo econômico tradicional do consumidor. Imagine dizer a uma namorada que você morre de vontade de "equacionar suas taxas marginais de substituição", como um economista matematicamente orientado poderia descrever.

5. Sexo não é tão divertido quanto indicam os estudos. Talvez as pessoas mintam sobre a qualidade do sexo ou se lembrem apenas das melhores experiências.
6. As pessoas querem que o sexo consista de picos, em vez de procurar maximizar o prazer ao longo da vida. Thomas Schelling certa vez me disse que nem sempre escuta Bach, mesmo quando sente vontade. Quer manter isso como uma experiência especial.
7. O preço do ajuste de mercado por mais sexo é positivo. Todo homem quer mais sexo do que as mulheres, além do fato de que muitas mulheres são mais seletivas em sua escolha de parceiro. Muitos homens fazem sua oferta, implícita ou explicitamente, por um número menor de mulheres. Contudo, as pessoas sentem vergonha em pagar ou receber dinheiro de forma muito explícita (ver também item 4). Desse modo passamos nosso tempo competindo por status social, em vez de simplesmente negociar para ter mais sexo. Mantemos essa tendência mesmo depois de termos nos fixado com um parceiro.
8. Durante e depois das brigas conjugais, muitas vezes "nos aferramos a nossas armas". Parte de nossa teimosia é para fins de prevenção de hostilidades e estabelecimento de precedentes. Se cedemos muito facilmente, vamos achar difícil barganhar em nosso benefício na próxima ocasião. O resultado é teimosia mútua, intransigência excessiva e menos sexo do que poderia ser o caso.

Independentemente das explicações aventadas, podemos perceber que a negociação do sexo, a um exame detido, não é simples. Adoramos (alguns tipos de) sexo, e contudo não podemos simplesmente sair por aí negociando para ter mais.

As lições são evidentes. Custos de transação, custos fixos e a lei são restrições menos importantes em nosso comportamento do que em tempos passados. Contudo, não devemos fazer toda negociação possível que se apresenta diante de nós. Mesmo quando há sexo em jogo. Às vezes nosso Economista Interior simplesmente deve dizer não.

Sou forte adepto de uma ética de responsabilidade individual, então não acho que podemos ou devemos olhar primeiro a lei para impedir nossos deslizes morais. Em muitas áreas da vida, as pessoas precisam ter liberdade de errar para que suas vidas tenham significado, ou a virtude se tornar possível. Em geral, leis paternalistas não podem ser adequadamente impingidas, ou essas leis criam mercados negros nocivos e contraproducentes.

Independentemente de que opções os mercados oferecem, a regulação social tem de começar no nível do eu racionalmente prudente.

• • •

JÁ OUVI FALAR SOBRE dezenas de truques para encorajar o autocontrole. Muitos deles se valem de mercados, tipicamente, mercados em dispositivos preventivos de algum tipo.

Um dispositivo, chamado DDS System, parece um pequeno retentor que você põe na boca antes de comer. Ele preenche grande parte da cavidade superior da boca e força quem o usa a comer mais devagar e dar mordidas menores. O produto é comercializado pela Scientific Intake de Atlanta e presumivelmente deve ser usado com supervisão do dentista. Os fabricantes alegam que o efeito na fala é "mínimo"; o efeito em seu bolso é de 400 a 500 dólares. O dispositivo foi originalmente concebido a partir de um problema chamado tórus palatino, que é uma proeminência óssea que cresce no centro do palato. Uma mulher com a enfermidade alega que isso a impedia de comer e assim a manteve magra a vida toda. E então nasceu uma nova patente e um novo produto. A empresa admite que é possível trapacear com milk-shakes e outras bebidas muito calóricas.

Outros apetrechos vêm da cultura digital. Por exemplo, viciados em pornografia podem baixar um "software de contabilidade" conhecido como X3. Uma vez instalado, o X3 envia um e-mail a cada 14 dias para um ou mais destinatários de sua escolha. O e-mail lista todos os sites que a pessoa visitou no computador.

Há muita engenhosidade no mercado, mas a maioria desses truques não funciona a longo prazo ou é contraproducente. A pessoa cria dependência do aparelho em vez de desenvolver um estilo de vida mais salutar e uma abordagem melhor quanto às decisões pessoais. A tecnologia ou o truque nos impede de exercitar a força de vontade. Esconder o chocolate amargo Lindt não funciona para mim e na verdade geralmente só faz com que eu queira comer o doce ainda mais.

Eis aqui três pequenos conselhos para superar problemas de autocontrole:

Primeiro, cultive uma autoimagem saudável e uma série de enredos sobre quem você é e por que é importante contribuir para a sociedade, em vez de ceder a qualquer tentação. O capítulo anterior sobre a arte perigosa e necessária de se autoiludir reflete sobre enredos autoimpostos com mais detalhes, assim como o próximo capítulo sobre salvar o mundo. Em resumo, desenvolva uma alternativa construtiva para ajudar o mundo e se convença a acreditar que faz diferença. Quem sabe, talvez faça mesmo diferença.

Segundo, treine-se para usar os mercados melhores e mais salutares, que existem em grande número. Esqueça a namorada imaginária, o álibi russo para adultério e as prostitutas mexicanas. Saia de casa e encontre para si um relacionamento amoroso doce e à moda antiga.

Sim, a virtude é sua própria recompensa, mas a virtude também pode ser divertida. Procure usar os mercados para fazer da virtude algo divertido. Compre uma bela casa para você e sua família.

A terceira lição é a mais simples e mais fundamental de todas. Não diga sim para tudo. Não use todo mercado que parece divertido ou excitante. Julgue por si mesmo o que de fato importa para você. Aja a respeito. Exercite o autocontrole.

E se você tomar as decisões erradas, bem, há um novo mercado do qual talvez você queira participar. Os decididamente arrependidos na cidade chinesa de Nanquim podem visitar um "*crying bar*". Há um sofá, mesas e um bocado de lenços de papel. Por cerca de 6 dólares a hora, os clientes podem sentar e chorar. O proprietário, Luo Jun, alega que a ideia lhe veio quando viu clientes em um outro bar que tinha antes. Eles queriam chorar, mas não davam vazão ao desejo. O bar do choro resolve seu problema tornando a manifestação de emoção sentimentaloide socialmente respeitável e na verdade socialmente esperada.

Espero não encontrá-lo por lá.

9

Como salvar o mundo — Mais presentes de Natal não vão funcionar

POR MUITO TEMPO se pensou que para salvar o mundo você precisa devotar sua vida a uma nova abordagem de alguma coisa. Você pode estar à procura da cura do câncer ou de uma forma de produzir energia limpa e barata. A maioria de nós sente que mesmo após o término do trabalho gostaríamos de ser caridosos e fazer algo altruísta. Gostamos da doação.

Em geral se acredita, contudo, que os economistas sejam estreitos e egoístas. De fato, não podemos rejeitar a ideia de que o estudo da economia corrompe as pessoas. Muitos conceitos-chave em economia, como produto interno bruto, são medidos em termos de dólares e centavos. A maior parte dos estudos econômicos está baseada na ideia de que os consumidores "maximizam utilidade" e que as empresas "maximizam lucro". O que pode ser menos caridoso que isso?

Um economista — Joel Waldfogel — escreveu um ensaio medindo e aparentemente criticando o "ônus de prejuízo" resultante dos presentes natalinos. Será que de fato queremos aquelas travessas novas para a cozinha? Segundo seus cálculos, a economia americana perde cerca de 4 bilhões de dólares por ano dando presentes de Natal. Quem não for professor de economia talvez tenha a impressão de que esses cientistas chatos se opõem à própria ideia de feriados festivos.

Dados de laboratório dão suporte à caricatura do economista como um egoísta. O pesquisador da Universidade Cornell, Robert Frank, pediu a alunos de economia que jogassem uma variedade de jogos em troca de prêmios em dinheiro. A recompensa recebida pelo aluno dependia de quanto estivesse inclinado a participar de estratégias não cooperativas às custas dos competidores. Nesses jogos, os indivíduos que haviam estudado economia comportavam-se de maneira mais egoísta e menos cooperativa do que o grupo de controle. Além do mais, um dado aluno, após estudar economia, jogava mais egoistamente do que antes. Talvez alguns alunos achassem que se esperava deles jogar dessa forma e tentavam crescer aos olhos do instrutor.

Parte da culpa recai sobre os economistas. Nossa ciência — ou eu deveria dizer arte? — é muito frequentemente utilizada para fins egoístas. D. H. Robertson perguntou em 1954: "O que o economista economiza?", e concluiu que a resposta final era amor. Mas poucos economistas prestaram atenção a essa perspectiva. É mais fácil estudar comportamento egoísta porque é mais fácil de reconhecer, mais fácil de mensurar e, também, mais fácil de cobrar taxas de consultoria.

Caridade é uma parte pouco estudada das economias desenvolvidas. Em 2005, os americanos contribuíram com mais de 260 bilhões de dólares para organizações filantrópicas e beneficentes. Isso representa mais de 2% da economia. O número não inclui os 28,4 bilhões de dólares enviados de dentro dos Estados Unidos para outros países. Tampouco inclui a caridade voluntária ou casual das ruas, nem qual parte disso é revertida para a restituição de impostos.

Em termos per capita, Noruega e Dinamarca dão a ajuda mais direta governo a governo estrangeiro. Os noruegueses tendem mais a oferecer seu tempo — espantosos 52% da população adulta se presta a serviço voluntário de algum modo; o Reino Unido vem a seguir na fila, com 30%. (Se você quer saber, dos países mencionados o México é o último, com uma taxa de voluntariedade de 0,1%.)

Suponha que queiramos sair por aí fazendo algum bem ao mundo. Como pode nosso Economista Interior nos ajudar a ser altruístas? Vou considerar esse problema por um ângulo de cada vez, mas alguns temas comuns vão aparecer mais de uma vez. Para obter bons resultados devemos nos perguntar o que é verdadeiramente escasso. Devemos perguntar como as pessoas — tanto doadores como recebedores — reagirão a incentivos. Devemos confrontar nossas verdadeiras motivações e distinguir entre fazer bem ao mundo *versus* nos sentirmos bem com nós mesmos.

• • •

PRESUMA QUE VOCÊ tenha algum dinheiro para dar, mas esteja sem tempo para lidar com qualquer projeto de caridade. Você simplesmente quer dar o dinheiro e deixar por isso mesmo. Para quem irá esse dinheiro?

Enfrentei esse dilema quando visitei a Índia pela primeira vez em 2004. Eu já viajara para cerca de setenta países diferentes, incluindo cinco viagens para o Haiti, uma pela África Ocidental e cerca de uma dúzia para o México rural. De modo que privação não me era pouco familiar.

Contudo, nada havia me preparado para a Índia. Ali estava a pobreza extrema na escala de milhões e milhões. E ao contrário da África, a aglomeração era extrema. No ar pairava uma mistura de cheiros que incluía carvão queimado, lixo apodrecendo, urina humana e fezes. Com toda a falação (justificada) que hoje há sobre a Índia, a maior parte do país ainda vive com tecnologia medieval, mas níveis modernos de aglomeração. A agricultura não mecanizada permanece o setor econômico dominante. Já mencionei que para começar um pequeno negócio na Índia o postulante leva em média 89 dias para obter as autorizações relevantes e licenças legais? O custo desse aborrecimento é cerca de metade da renda per capita anual na Índia.

No início, não pude entender por que tantas ruas, mesmo as ruas sem lojas ou atrações por perto, estavam tão cheias de gente. Logo me dei conta de que aquelas pessoas estavam *morando* na rua. Se eu não via nenhum pertence com elas, é provavelmente porque não tinham nenhum.

Calcutá (hoje oficialmente grafada Kolkata) foi o exemplo mais extremo de pobreza e aglomeração que eu encontrei. O *boom* recente da Índia chegou antes a Calcutá do que a outras partes do país. O estado de Bengala, onde fica a cidade, tivera governos socialista e comunista por um longo tempo, e isso não trouxe benefícios. Calcutá também parece ter desenvolvido melhor uma "cultura da mendicância", talvez por ter sido a capital original do Império Britânico na Índia. Os muito pobres tiveram "objetivos" de mendicância por um período mais longo do que, digamos, em Bombaim (Mumbai). Caminhar pela rua principal diante do meu hotel significava ser importunado uma dúzia de vezes no intervalo de um minuto.

Crianças de 6 ou 7 anos pedem-lhe dinheiro com as poucas palavras em inglês que aprenderam. Aleijados esparramam-se pelas calçadas, acenando com os membros deformados para conquistar sua solidariedade. Eles carregam um cartaz — cuidadosamente escrito — caso não estejam em condição de pedir com maior agressividade. Mães aproximam-se com bebês enrolados junto ao peito. Toda vez que meu táxi parava, pessoas assim se acercavam das janelas.

Mas devemos dar esmolas aos mendigos? Parece cruel não fazer nada. Afinal, temos tanto e eles tão pouco. Podemos ver como estão famintos. Por menos de um dólar eles podem comer durante alguns dias; lentilhas e arroz são baratos. Nem sequer notaríamos se nosso dólar sumisse. Não é um dólar que iremos gastar para tomar um sorvete de casquinha ou comprar uma canção no iTunes. É um erro de arredondamento para a maioria de nós. Se acha que não, tente me dizer quantos dólares você tem no bolso ou espalhados pela casa. E na sua conta corrente?

Quando se trata de mendigos, muitos profetas religiosos recomendaram a caridade. Por outro lado, muitas vezes ouvi os guias turísticos (e minha mãe, a propósito) dizer que não deveríamos dar dinheiro a mendigos, porque isso "só encoraja a mendicância". Há uma dose de verdade nesse argumento, mas ele não vai direto ao ponto. E daí se encorajamos a mendicância? Mendigar — e receber alguma coisa — não é melhor do que morrer de fome? A questão não é encorajar pessoas famintas a conseguir algum dinheiro?

O economista aborda o problema fazendo uma pergunta direta: como um mendigo vai trabalhar para conseguir dinheiro? Em Calcutá a resposta era simples. Eles trabalham duro, em relação ao que ganham. Brigam por espaços favoráveis nas esquinas, defendem seus espaços de outros mendigos, tentam aprender um pouco de inglês, perseguem os táxis, carregam cartazes pedindo esmola etc. Entre outras coisas, tornar-se um mendigo impede muitas pessoas de viver em um setor mais salubre da cidade ou perto de uma fonte mais barata de alimento.

O problema com a esmola é que nós os encorajamos a perseguir o dinheiro. Digamos que uma esquina em Calcutá rende cerca de 100 dólares por ano em dinheiro mendigado. Até onde um mendigo vai brigar para ficar com essa esquina? É difícil responder essa pergunta com precisão, mas é fácil ver que um mendigo talvez tenha de investir até 100 dólares para conseguir e manter o lugar, especialmente se outros pedintes querem o mesmo espaço. Assim, se turistas dão 100 dólares e o mendigo gasta 100 dólares para segurar sua esquina, o ganho líquido do mendigo é zero.

Tem coisa pior. Rumores de longa data insinuam que muitos mendigos indianos cortam os próprios membros para induzir gangrena e gerar compaixão, ganhando mais dinheiro. Essas alegações são difíceis de verificar, mas recentemente uma "armação" foi montada para pegar vários médicos indianos no flagra. Homens vestidos como mendigos visitaram os médicos e pediram para ter os membros amputados. Três cirurgiões concordaram em realizar a operação necessária. O preço para tirar uma perna abaixo do joelho era de cerca de 10 mil rúpias, ou 215 dólares. Um médico perguntou também ao sujeito se gostaria de tirar três dedos da mão esquerda. Acredita-se que alguns médicos saibam suturar vasos sanguíneos de um membro para induzi-lo a enegrecer com gangrena.

A maioria dos mendigos não vai tão longe. Mas mesmo se um mendigo investe 50 dólares de esforço para ganhar 100 dólares, o ganho líquido é de apenas 50 dólares. Existe um jeito melhor de dar dinheiro.

A verdade é que quanto mais damos aos mendigos, maior o empenho deles em tentar. Isso leva ao que os economistas chamam (canhestramente) de "exaustão de empréstimo", o que limita o valor líquido criado pela doação.

Também deveríamos nos perguntar quantas pessoas mais afluirão à mendicância se os ganhos subirem. Em Calcutá, pelo menos, mendigar é uma profissão, tanto quanto engraxar sapatos. Mais dinheiro doado induz mais bengalis a entrar para a mendicância. Isso faz com que a mendicância volte a cair. Nossas doações podem criar um ganho transitório para alguns mendigos, mas no ano seguinte nossos amigos pedintes irão receber menos dinheiro.

Em vez de visar aos mendigos, deveríamos dar nosso dinheiro para os necessitados que não estão tentando com muito empenho. Os economistas chamam isso de "fatores relativamente inelásticos"; a palavra "inelástico" significa que não estão passando seu tempo perseguindo nossos dólares. (Intuitivamente, seu comportamento não "estica" muito, daí o jargão "inelástico".) Isso em geral afasta os mendigos, que estão atrás de um trocado e reagem a incentivos muito rápido.

Se você está decidido a dar esmola, escolha a pessoa pobre que menos espera receber. Dê para bengalis que estão dormindo, bengalis que estão cozinhando e bengalis que no mais estão ocupados fazendo alguma coisa da vida normal. Não é difícil encontrar bengalis muito pobres envolvidos em todas essas atividades. É muito fácil encontrar um bengali dormindo debaixo de um pedaço de papelão. Saberemos se escolhemos a pessoa certa se o objeto de nossa generosidade ficar totalmente surpreso. A surpresa significa que não consumiu tempo e energia valiosos cobiçando esmolas.

Sob essa abordagem, damos para quem não pede. Isso é difícil para muitos de nós. Exige uma postura pró-ativa. E quando os mendigos pedem, acabamos dizendo não. Viramos o rosto quando nos encaram dentro do táxi. Nós nos sentimos mal. Não nos sentimos tão culpados por ignorar o pacato cavalheiro bengali dormindo debaixo de seu papelão. Ele nunca esfregou suas dificuldades na nossa cara. Mas se queremos mesmo ajudar os outros — e *sermos* legais em vez de apenas parecer legais — é para ele que deve ir nosso dinheiro.

Se todo turista seguisse esse conselho, talvez precisássemos variar nossa esmola. Por exemplo, se todos os turistas derem dinheiro para pessoas que estão cozinhando, o resultado final seria muito mais gente fazendo uma exibição dispendiosa de cozinha nas ruas de Calcutá. Se todo mundo tenta "surpreender" os recebedores da mesma maneira, não será uma surpresa de jeito nenhum. O que precisamos fazer — em nosso papel de benfeitores — é encontrar um jeito novo e inusual de levar os recursos aos bengalis pobres.

Há, é claro, exceções. Às vezes, *deveríamos* dar o dinheiro para aqueles que pedem. Em alguns cenários caritativos mais formalizados, a competição por nossos dólares é desejável. A Ópera Metropolitana de Nova York é uma poderosa rede para angariar fundos. Isso, em parte, reflete a qualidade da instituição e sua música. Se eles mandam um cartão de Natal pedindo dinheiro, não devemos nos encolher de horror. Podemos em vez disso tratar a correspondência e a campanha de angariação de fundos como um sinal de sua competência mais ampla em administrar a organização.

Mas não devemos fazer uma inferência comparável sobre o mendigo. Os mendigos que nos solicitam em Calcutá podem ser bons em brigar por um lugar na rua, mas sua competência não significa grande coisa. Se queremos dar dinheiro para o competente, devemos procurar um bengali cuidando de uma loja de doces. Os mendigos estão disputando o "jogo da carência" e sinalizando suas aflições, não sua capacidade de transformar nosso dinheiro em uma pequena fortuna.

Em outros casos, uma solicitação de fundos talvez abra nossos olhos pela primeira vez para a existência de um problema. Eu nunca ouvira falar de déficit de síntese de piruvoiltetra-hidropterina até recentemente, embora talvez os médicos trabalhando no problema mereçam meu apoio. Quantos americanos poderiam descrever os sintomas e resultados do lúpus? Uma campanha de angariação de fundos pode nos informar. Mas mais uma vez essa lógica não se aplica aos mendigos de Calcutá. Todo mundo sabe a respeito de sua miséria geral antes mesmo de pôr os pés na Índia.

A mendicância existe por aí há um bom tempo e pode ser encontrada em inúmeras partes do mundo. Que tantas religiões diferentes se dediquem ao problema é uma evidência do forte papel que isso desempenha na natureza humana. Dada sua importância, o modo como reagimos à mendicância reflete a distinção central entre "querer sentir que estamos fazendo algum bem" e "fazendo algum bem". Não devemos deixar que a autoilusão "sentir-se bem" nos impeça de realmente fazermos alguma diferença. Contudo, ao mesmo tempo devemos impedir que nosso interesse no problema da pobreza deixe de existir e é claro que isso significa que precisamos nos sentir bem quanto a nossa doação. Qual a melhor forma de alcançar esse objetivo?

• • •

O CONSELHO ACIMA é bom para nossas viagens, mas essas são ocasiões especiais. Experimentamos algum tipo de mendicância quase todos os dias. Não podemos escapar de que nos peçam dinheiro simplesmente ficando sentados em nossas salas. Os pedidos de caridade vão atrás de nós, nem que seja pelo correio ou telefone. *Devemos* contribuir com a Ópera Metropolitana?

Em uma semana típica recebo pelo correio cerca de cinco solicitações de dinheiro. Alguns chamam isso de mala direta e outros de lixo. Ninguém sabe exatamente a quantidade de pedidos de contribuição que é enviada pelo correio todo ano. Nos Estados Unidos, 65 bilhões de malas diretas são enviadas todos os anos, mas grande parte desse volume é antes comercial que relacionado à caridade. O que sabemos é que o setor sem fins lucrativos nos Estados Unidos depende pesadamente do correio. A discussão sobre privacidade de dados torna as *mailings lists* menos importantes na Europa ao restringir o uso de nomes e endereços (em geral, o consentimento do recebedor é necessário para que a entrega seja feita). Mesmo assim a caridade na Europa cresce e eles, como sua contrapartida nos Estados Unidos, conseguem benefícios, usam a rede social e mandam emissários em visitas pessoais. Eles gastam dinheiro tentando ganhar dinheiro e a mesma lógica econômica se aplica a suas atividades.

Quando ceder a esses pedidos? A primeira regra é ajudar causas com as quais acabaremos nos envolvendo. Se nosso objetivo é verdadeiramente ajudar as pessoas, caridades ruins não são o pior problema. Nós — isso mesmo, você e eu — normalmente somos o inimigo número um. Com o tempo, a maioria das pessoas perde o interesse em causas caritativas. Não por qualquer bom motivo particular, mas simplesmente paramos de nos importar. Imagens de catástrofes e relatos de sofrimento desvanecem. Doações beneficentes se tornam uma abstração, confrontadas com as exigências muito reais e estressantes de nossas vidas diárias. Se realmente queremos fazer algum bem ao mundo, precisamos pôr um ponto final a nossa indiferença no futuro.

Estamos de volta à questão do economista: qual a escassez relevante? E qual a melhor maneira de cuidar dessa escassez? Nesse caso, a escassez relevante é gente que realmente dê importância. Nossa predisposição a doar deve ser como um vício. Se começamos a doar, e então paramos, deve doer. Deve fazer com que nos sintamos mal, como se houvéssemos abandonado membros da família.

Claro, angariadores de fundos ficam felizes em nos viciar em doações, e sem dúvida isso torna o mundo um lugar melhor. Instituições de caridade (com boa reputação) não vão dizer que não prestamos quando não damos nada, mas não vão deixar de dizer quão maravilhosos somos ao doar. Eles nos enviam cartões de Natal, cartas de congratulações e placas especiais. Acostume-se à sensação e aproveite.

• • •

SE ENCONTRAMOS UMA causa digna e uma instituição de caridade digna, devemos nos manter ligados a ela. Lealdade a nossas causas torna as entidades beneficentes mais eficazes financeiramente. As instituições de caridade obtêm a maior parte do que ganham com o chamado "*house file*". Esse tipo de registro consiste de doadores que se mantiveram fiéis ao longo dos anos. Um bom *house file* é como ouro. Rende muito mais do que custa manter.

Vamos voltar ao tema do que é verdadeiramente escasso nesse contexto. Do ponto de vista da caridade, é muito difícil encontrar doadores que estejam interessados em doar o que quer que seja. Vamos dizer que uma instituição envia correspondência diretamente ou por outro lado solicita uma *mailing list* de nomes. Não chega a ser surpresa que o nível de resposta direta pelo correio seja muito baixo. Na verdade, 1% de respostas é considerado um sucesso em muitos casos. Além do mais, *mailing lists* custam dinheiro.

Você tem de pagar pelos nomes, precisa redigir as cartas e imprimir e é claro que os correios sobem o preço o tempo todo.

Se uma *mailing* traz trinta centavos para cada dólar gasto, é provável que a *mailing* foi relativamente bem para os padrões do setor. Um retorno de cinquenta centavos por dólar é um sucesso estrondoso.

Por que gastar um dólar para receber trinta ou cinquenta centavos? A resposta é simples: a instituição está investindo no desenvolvimento de seu *house file*. Alguns desses novos donos vão "ficar" e no futuro darão muito mais. Em termos econômicos, o "valor presente esperado" de um doador novo mas leal é alto.

Claro que nem toda instituição de caridade encontra novos doadores diretamente pelo correio. Uma rede de amigos e conhecidos também gera novos apoios. Mas a mesma lógica se aplicará. Independentemente do motivo, é muito oneroso encontrar novos doadores. Uma vez que doadores estão nos registros, o valor agregado é alto.

A consequência prática é a seguinte: beneficiamos as entidades beneficentes — se pudermos achar as que valem a pena — permanecendo em seus *house files* e continuando a doar dinheiro. No mais, as instituições de caridade estão gastando mais dinheiro conosco do que valemos.

Agora temos uma nova maneira de tornar o mundo um lugar melhor. Uma vez que encontramos boas instituições de caridade, devemos instruí-las a não alugar nosso nome e endereço numa *mailing list*. Virtualmente, todas as instituições de caridade alugam ou trocam nomes e endereços para grupos semelhantes; que jeito melhor de encontrar novos doadores do que procurar pessoas que já estão doando dinheiro a causas parecidas?

Pedidos de "remover o nome" economiza milhares de dólares de seus custos com mala direta. Considere uma rápida estimativa. Vamos dizer que de outro modo você receberia uma correspondência de instituição de caridade por semana, uma estimativa conservadora se você já doou para alguma instituição. Essa única peça de publicidade custa para a instituição, em média, na faixa de cinquenta centavos a dois dólares cada, dependendo da qualidade do folder. Todo mundo nessa área sabe que o doador tende mais a responder quando a carta vem num papel bonito, comprido, e o envelope parece um convite pessoal. Alugar os nomes pode custar outro dólar, embora essa despesa seja minimizada se as *mailing lists* forem trocadas com outras instituições.

Essa única correspondência semanal envolve custos com o correio de 25 a 100 dólares por ano. Se forem cinco cartas por semana, o custo sobe para 125 a 500 dólares por ano. E nenhuma dessas cifras inclui os possíveis custos de aluguel do nome. Assim, o simples ato de tirar seu nome de uma *mailing list* cria um valor de caridade de pelo menos 50 dólares — talvez mais — pelo período de um ano. Com o tempo, isso pode chegar a centenas ou talvez milhares de dólares.

Só limitar essa correspondência já é um dos modos mais rentavelmente eficazes de contribuir com as instituições de caridade. Não custa mais do que o selo e o tempo de escrever a carta, ou talvez um e-mail. Haja vista o modo de funcionamento das *mailing lists*, tudo que temos a fazer é manter nossos nomes fora das listas das instituições de caridade que ajudamos. Nossas instituições iniciais não venderiam, ou pelo menos não deveriam fazê-lo, nossos verdadeiros nomes e endereços. Em vez disso, os nomes são alugados para um intermediário, que se corresponde solicitando doações para uma outra causa mas não passa adiante os nomes. Assim, não precisamos rastrear cada instituição que envia correspondência para nós; só precisamos descobrir as instituições que estão de posse de nossos endereços.

Claro que todo o procedimento parte do pressuposto de que já encontramos causas que amamos e apoiamos. Talvez seria melhor se pudéssemos parar, aceitando completamente nossa fragilidade altruísta, e preencher um grande cheque todo ano para a "causa mais eficiente". Mas isso provavelmente é impossível. É melhor se outras pessoas estão sempre ocupadas, importunando-nos para doar mais.

Muitos de nós (embora não eu) gostam de receber correspondência das instituições de caridade para poder identificar novas causas. Sem dúvida *alguém* responde a essas malas diretas, de outro modo ninguém as enviaria.

Acreditem ou não, alguns tentam receber o maior número de malas diretas possível; leem isso como forma de entretenimento e edificação.

Mas existe um jeito mais barato de pôr em contato doadores e instituições, caso os doadores cooperem.

Sai muito caro para a instituição procurar o doador. Para elas, não passamos de nomes e endereços numa lista e, é claro, códigos de endereçamento postal. Um dado doador é a proverbial agulha no palheiro. É mais fácil e barato que o doador procure a instituição de caridade. Já temos uma ideia das causas em que estamos interessados. Assim, se queremos poupar dinheiro às instituições de caridade, deveríamos ir atrás delas em vez de esperar que viessem atrás de nós. Não fique simplesmente esperando a mala direta. Que tal dar uma busca na internet pela biblioteca pública local? Que tal ler um colunista de aconselhamentos? Perguntar aos amigos? Escreva uma carta ou um e-mail ao seu autor favorito pedindo dicas. Prometo não alugar seu nome e endereço para um intermediário.

Essas considerações têm uma implicação extra mas muito importante. Se damos apenas uma pequena soma para uma instituição de caridade, e nosso nome continua a ser passado adiante em *mailing lists*, estamos contribuindo para piorar a caridade em geral. Deixe-me repetir. Se damos apenas uma pequena soma para uma instituição de caridade, e nosso nome continua a ser passado adiante em *mailing lists*, estamos contribuindo para piorar a caridade em geral. Trazemos prejuízo exatamente aos grupos que queremos ajudar.

Você pretende doar 50 dólares por ano? *Não deixe que seu nome vá parar numa dessas listas de malas diretas que são arrendadas de uma instituição de caridade para outra.* Se você não pretende impedir que seu nome e endereço sejam passados adiante, tenho uma sugestão melhor. Não mande um cheque pelo correio de jeito nenhum. Encha mais os bolsos da próxima vez que for passear em Calcutá — ou talvez Cancun — e dê esmolas nas ruas. Mesmo sem o abate no imposto de renda, estaremos fazendo mais pelo mundo dessa forma.

A inferência mais lateral é que podemos subverter o setor sem fins lucrativos de que não gostamos. Você fica injuriado com Ralph Nader ou talvez ache que a PETA (People for the Ethical Treatment of Animals)* vai longe demais? Os comitês nacionais dos partidos Republicano ou Democrata o deixam furioso? Arruíne seus custos operacionais.

Escolha uma entidade sem fins lucrativos de que você não gosta e mande-lhes vinte pratas. Uma vez basta. Mencione que está pensando em colocá-los em seu testamento, ou talvez deixe escapar que você joga no clube de polo local ou é dono de um iate. Mantenha seu nome na *mailing list* deles. Comunique sempre que mudar de endereço. Essa ação vai sugar os recursos da causa e de outras similares em centenas de milhares de dólares nos anos futuros.

• • •

ALGUNS PEDIDOS não vêm pelo correio, mas sim invadem nossa tevê e nossos jornais. É um verdadeiro dilúvio assistencialista.

Para muitos de nós, o tsunami na Ásia em 2004 foi um evento sem precedentes. Trezentas mil pessoas morreram diretamente por causa das águas e de danos colaterais, muitas vezes com pouco mais do que alguns minutos de aviso prévio. É difícil imaginar o terror que sentiram quando começaram a correr em busca de terras elevadas. Para piorar, os cientistas sabiam que um novo maremoto estava a caminho, mas não havia rede de comunicações estabelecida para divulgar uma advertência crível.

Estima-se que os americanos tenham enviado pelo menos 480 milhões de dólares (mais a ajuda governamental de 350 milhões de dólares) para entidades ligadas ao tsunami, a maioria surgidas alguns meses após o desastre. A contribuição global é maior, sem dúvida, embora eu não tenha visto nenhum número abrangente do total.

Poucos de nós se perguntaram seriamente se essa era a melhor destinação caritativa de nossos fundos. A maioria de nós contribuiu numa reação visceralmente emocional. *Todo mundo* deu alguma coisa. Houve um concerto em que Michael Schumacher saiu na frente doando 7 milhões de libras. Minha esposa, tão inteligente e zelosa do orçamento doméstico, entrou

*Pessoas pelo Tratamento Ético de Animais. (*N. do T.*)

na sede de instituições de caridade ligadas ao tsunami e contribuiu sem pensar duas vezes para onde iria o dinheiro e sem me consultar. E eu não objetei quando soube. Como poderia tagarelar sobre os procedimentos conjugais quando tantos indonésios pobres aguardavam em barracos por água potável e uma nova vida?

Refletindo um pouco, defender a doação não é algo tão óbvio. As histórias das vítimas são de partir o coração, mas a miséria extrema não é nova no mundo. Por que não mandamos dinheiro para Calcutá ou o Haiti há alguns anos, ou até ontem, se for o caso? Com todos os seus problemas, muitas das vítimas do tsunami que sobreviveram tinham uma vida melhor nos campos de reconstrução — e melhores perspectivas de vida — do que as pessoas mais pobres do mundo.

Pouca gente manda dinheiro para o Haiti em parte porque o sofrimento do país recebe menos atenção da mídia. Um golpe de Estado é notícia, sobretudo se tem envolvimento norte-americano. Vemos na telinha como os haitianos são pobres, mas esse não é o mote da reportagem. O Haiti não passou por muitas catástrofes naturais específicas e identificáveis. Na verdade, dada sua localização no Caribe, a ilha é surpreendentemente afortunada no que diz respeito a furacões. Alguns haitianos creditam isso ao vodu.

Então por que doar dinheiro sem vacilar a vítimas do tsunami mas não aos haitianos?

Pode-se argumentar que a ajuda é mais eficaz quando muitos doadores visam a um único desastre de uma maneira concentrada. A chegada da ajuda pode ser facilitada ou talvez a ajuda possa ser estendida para um esforço de mais ampla escala. Mas as evidências não corroboram isso inteiramente. Grande parte da ajuda no tsunami foi desperdiçada ou não encontrou mecanismos apropriados de apoio. Grande parte da ajuda no Katrina se perdeu devido à corrupção e má gestão dos recursos. A ajuda do 11 de Setembro não contava com apoio institucional e não tinha literalmente um lugar para onde ir. Por exemplo, a Cruz Vermelha redirecionou mais de 200 milhões de dólares doados às famílias do 11 de Setembro para seus próprios objetivos de longo prazo e custos administrativos. Ajuda concentrada não necessariamente é mais eficaz.

Mas para calcular as doações a desastres, devemos mudar de um lado do setor caritativo para o outro. Nosso olhar para os mendigos de Calcutá e as malas diretas visou as consequências de nossas doações para *o lado de fornecimento da caridade*; isso incluía os custos incorridos pelos pedintes e as instituições. Agora devemos considerar como nossa doação afeta *a demanda pela doação da caridade*.

Prefiro um argumento simples em favor da doação para as vítimas do tsunami. Devemos contribuir com causas altamente públicas porque isso motiva o próximo a doar mais para as mesmas causas.

Voltando ao tema central da escassez, doadores são frágeis em seu altruísmo. A maioria de nós se preocupa mais com uma gafe social do que com milhares de mortos na China. Vá na internet e procure a taxa de mortalidade infantil em Angola; segundo a CIA, ela é de 185 por 1.000 nascimentos, a mais alta do mundo. Contudo, poucos de nós vão chorar lendo esse fato. Poucos de nós vão pensar sobre essa mesma estatística amanhã.

Lembram-se da manchete BALSA EGÍPCIA AFUNDA NO MAR VERMELHO; 1.000 POSSÍVEIS DESAPARECIDOS, que saiu em 4 de fevereiro de 2006 no *New York Times*? Isso mudou alguma coisa na sua vida? E RECEIO DE CENTENAS DE MORTOS EM INUNDAÇÕES NA CHINA mereceu apenas a página 5 do *New York Times* (4 de junho de 2005).

Notícias sobre o Holocausto, durante a Segunda Guerra Mundial, podiam ser encontradas em diversos jornais norte-americanos, mas não ocupavam as manchetes ou sequer as primeiras páginas. Os jornais achavam que a maioria não se importava de fato. Talvez os editores do jornal tampouco se importassem. Nenhum clamor público se fazia ouvir e os jornais aparentemente não achavam que pudessem criar um clamor por sua própria iniciativa. Deixaram que os episódios continuassem ocorrendo. Entretanto, ficamos mortificados se cuspimos nossa bebida no vestido de alguém em uma festa ou fazemos uma observação estúpida para o anfitrião. É impensável aparecer em público usando pijama. Sentimos imensa satisfação de contar uma anedota esperta em uma reunião social.

Deveríamos pegar essa faceta da natureza humana e dirigi-la em prol da caridade.

Quando o público está interessado em um ato de caridade, a atenção se alimenta sozinha. Mesmo que a maioria dos doadores apenas finja se importar, de todo modo contribuem com tempo e dinheiro. O interesse na tragédia tem um efeito de bola de neve, às vezes em ritmo acelerado. Surge uma "Causa do Mês" E quando a causa é *in*, todos querem participar. Muitos de nós gostamos de estar ligados a ela.

Assim, uma vez que uma bola de neve da publicidade caritativa começar a rolar, vá na onda. Bolas de neve maiores têm maior probabilidade de ganhar força e atingir outros. Malcolm Gladwell escreveu sobre o *tipping point* como uma série de pequenas ações resulta numa sequência ampla de efeitos finais. A maioria de nossas atividades caritativas não contribui para esse tipo de efeito de bola de neve, então, quando surge uma chance para alavancar nossos esforços, devemos fazê-lo.

Pode parecer simplório participar de um processo tão irracional. Mas você não precisa ser simplório ou irracional. Mesmo que a mentalidade Causa do Mês não caracterize pessoas sóbrias e austeras como você, ela se aplica a muitos outros. Assim, tampe o nariz, una-se à causa e fale a respeito por aí. Isso vai induzir mais caridade dos demais, sobretudo dos que gostam de seguir a moda e dos que são muito ciosos da própria imagem mas sofrem de altruísmo frágil.

É difícil saber em que medida o efeito Causa do Mês redunda em doações extras. Mas os dados em 2005 são ilustrativos, especialmente porque depois desse ano houve uma série de grandes catástrofes. Relativamente a 2004 e ajustadas pela inflação, as doações subiram em 2,7 pontos percentuais. Desses 15 bilhões de aumento em doações, cerca de metade foi direcionada a um dos três maiores desastres naturais: o tsunami, furacões do golfo do México e o terremoto no Paquistão. Nesse mesmo ano, doações para a categoria de "serviços sociais" subiram 28%, após três anos de queda. Mais da metade desse crescimento (16,7%) pode ser atribuído a socorros do desastre.

O Economista Interior pode reconhecer a racionalidade por trás da doação à Causa do Mês. A forçosa questão econômica outra vez é: qual a escassez relevante? No caso da caridade, a resposta é geralmente "pessoas que não dão a mínima". Contudo, nesse caso podemos levar as pessoas a se importar mais, embora elas nem sempre reajam por motivos racionais ou se preocupem devido ao altruísmo.

Abordagens alternativas — que podem de um modo não caritativo ser atribuídas a um "coração de manteiga" — concentram-se em saber que vítimas são as mais merecedoras. Mas esse método, embora soe caridoso, ignora a escassez do verdadeiro altruísmo. Em vez disso, deveríamos tentar encontrar o jeito mais alavancado de dirigir a atenção humana para o problema da pobreza. Se podemos influenciar outras pessoas, deveríamos doar para as vítimas do tsunami ou seja lá qual for a atual Causa do Mês; muitos de nós vão se esquecer de ser gentis um dia, uma semana ou um mês depois.

O economista vai além e pergunta sobre a extensão apropriadamente dita da doação, ou, em linguagem econômica, a *margem* apropriada. Se causas bem divulgadas criam um efeito de bola de neve, por que deveríamos doar a *alguma* outra causa? Será que devemos deixar para lá Jerry Lewis e o March of Dimes? Mais ajuda ao tsunami ainda poderia ter feito mais bem. Mas não, não abandone correndo outras causas. O vício em caridade tem valor real. Em algum momento a causa do tsunami vai desaparecer, independentemente do tamanho de nossa dedicação inicial. A maioria das vítimas do tsunami — pelo menos as que continuam vivas — voltou a alguma coisa próxima da existência ordinária. Se dermos todo nosso dinheiro para a Causa do Mês, cortaremos os laços com nossos vícios de causas caritativas regulares. E uma vez que paramos de doar para a caridade, dificilmente voltamos. Os angariadores de doações sabem que, para o bem ou para o mal, somos criaturas de hábitos. Se largamos nossas outras instituições beneficentes pode acontecer de não voltarmos mais.

Devemos ir atrás da Causa do Mês da caridade com parte de nossa contribuição, mas não toda ela. Não devemos cortar nossas ligações com causas caritativas em andamento. O mundo está melhor uns dias que em outros e nem sempre há uma Causa do Mês. Mas nesses períodos mais tranquilos ainda devemos doar alguma coisa para alguém em algum lugar de algum modo.

Então, vicie-se em suas causas favoritas, mas vicie-se também em procurar a Causa do Mês.

Dados esses argumentos, vamos revisitar a questão sobre os pedintes de Calcutá antes de seguir em frente. Talvez você argumente, baseado na lógica do caso do tsunami, que deve dar esmola para mendigos porque se não fizer assim vai esquecer inteiramente dos pobres... Improvável.

A visão de enormes massas de mendigos, se alguma coisa muda, endurece a pessoa contra a ideia da pobreza. Passamos a ver a pobreza como um problema comum e na verdade como uma causa sem remédio. "Como ter esperança de tirar todos esses mendigos da miséria?" é uma pergunta comum. Redefinimos o problema em termos com os quais conseguimos lidar e isso em geral significa ignorá-lo. O resultado é preguiça de doação, não ânimo de doação. O livro e o filme *City of Joy** focavam a pobreza em Calcutá, mas essa Causa do Mês acabou, se é que algum dia decolou. Então os mendigos bengalis, lamento dizer, pouco contribuem para o espírito caritativo geral. Eles não estão em vias de se tornar a nova Causa do Mês.

Se você deseja levar outras pessoas a se interessarem por doações, não encoraje mais mendigos de Calcutá. Eles estão muito longe e não recebem grande atenção da mídia nos países abastados. Mais importante, pouca gente o vê dando dinheiro em Calcutá. Se você sonha em fazer desse tipo de contribuição uma tendência social, experimente em vez disso escrever sobre ela.

• • •

QUANDO EM DÚVIDA, deixe-nos medir. John A. List, economista da Universidade de Chicago, deu uma olhada de perto no universo do assistencialismo e especialmente no comportamento dos doadores. List já trabalhara como consultor em meio período para campanhas de levantamento de fundos e introduziu deliberadamente variações nas técnicas de angariação e depois tabulou os resultados. Ele acha que os doadores são irracionais ao contribuir, pelo menos para os padrões de um economista. Por exemplo, doadores não reagem a oportunidades de receber alguma coisa em troca de nada.

*No Brasil, livro e filme intitularam-se *A cidade da alegria* e *A cidade da esperança*, respectivamente. (N. *da* E.)

Como vimos, a "lei da procura" é uma das proposições mais básicas sobre o comportamento humano. À medida que as atividades se tornam mais baratas, nós as fazemos em maior quantidade. Se cai o preço das maçãs, compramos mais maçãs. Certo, talvez *você* não compre mais maçãs, mas outro vai comprar. Custa menos conseguir uma maçã. O que poderia ser mais direto?

Mas as complexidades da motivação humana podem solapar ou modificar a lei da procura, pelo menos como os economistas em geral imaginam a lei. Se o preço de ajudar os outros falha, os doadores nem sempre dão mais. Estranhamente, doadores também poderiam dar *menos* e ainda assim continuar ajudando como antes, dada a maior eficácia de uma doação. Mas doadores não se ajustam dessa forma, tampouco. O comportamento de um doador exibe uma notável "constância": as pessoas tendem a dar quantias fixas e não se ajustam muito às variações de circunstâncias. Isso sugere uma combinação de duas possibilidades. Primeiro, quem doa dinheiro não calcula muito bem. Segundo, os doadores não dão grande importância às pessoas que ostensivamente tentam ajudar.

Considere os experimentos de John List. É notoriamente sabido que uma "competição de compromisso" — se você dá um dólar algum outro doador se compromete a dar mais um — incrementa contribuições caritativas. Os doadores são seduzidos pela ideia de contribuir com maior empenho. Contudo, a proporção da disputa não parece importar. Quando algum outro doador se compromete a dar dois ou até três dólares para se equiparar a contribuições de fora, nós, no agregado, não doamos mais. List descobriu isso após estudar um banco de dados de mais de 50 mil doadores prévios.

O resultado é intrigante. Se o páreo está em 1 para 3, e nosso objetivo havia sido conseguir levar 800 dólares à instituição de caridade, temos de doar apenas 200 dólares. Com o páreo 1 para 1 temos de doar 400 dólares para atingir o mesmo fim caritativo, o que claramente é uma proposição mais dispendiosa. Contudo, nossos instintos altruístas parecem irredutíveis ante a perspectiva de auxílios mais amplos e substanciosos. O preço da ajuda diminuiu, embora as doações estudadas não tenham, no agregado, reagido com maior ajuda.

A interpretação mais provável desses resultados é um pouco cínica. Pode acontecer de que o ato de doar tenha mais a ver com afiliar-se a algo do que com ajudar outras pessoas em si? Queremos ser parte de organizações grandes e bem-sucedidas. Queremos participar de times que vencem, queremos trabalhar para empresas de sucesso e queremos dar nossa ajuda para as instituições de caridade melhores e mais influentes. Estar do lado vencedor nos traz a sensação de fazer diferença. Pense só como a maioria das pessoas — por mais que expressem seu cinismo à mesa do jantar — daria pulos de excitação se fosse convidada para visitar a Casa Branca. Competição por contribuições normalmente vem de doadores estabelecidos e prestigiados. Afinal, é preciso ser uma pessoa ou instituição rica para se comprometer a competir com a doação alheia. Muitos doadores parecem gostar da ideia de empreender um projeto conjunto com pessoas ou instituições bem-sucedidas. Alguma competição, por menor que seja, cria uma sensação mais forte de afiliação a uma causa justa.

Mas uma competição mais poderosa não constitui um chamariz maior para doar mais. A despeito do que dizemos a nós mesmos, muitos doadores não estão tão preocupados com *quantas* crianças irão receber a imunização para difteria. Contribuições de 1.000 dólares significam vinte, quarenta ou sessenta crianças imunizadas? Bem, isso depende do tamanho do páreo. Aquilo são detalhes, e não constituem a principal preocupação dos doadores verdadeiramente magnânimos. "Grandes" doadores concentram-se na nobreza do empreendimento como um todo e das alianças que estão construindo. Uma vez que esses doadores ganham o status de afiliados ao páreo, aparentemente deixam de pensar no real objetivo da caridade.

"Plantar dinheiro" também encoraja as pessoas a doar mais para caridades. Plantar dinheiro refere-se à prática de conceder grandes subvenções de antemão, antes de anunciar uma "campanha capital" para levantar determinada soma em dinheiro, muitas vezes de 100 milhões de dólares ou mais. O dinheiro "plantado" mostra que doadores prestigiosos e ricos já estão comprometidos com a causa.

Quando o dinheiro plantado inicial é alto, a angariação de fundos subsequente tende a ir muito bem. Um dos experimentos de List revelou que angariar dinheiro plantado de 10 a 67% leva a um aumento de quase seis vezes nas contribuições subsequentes. Como numa corrida de contribuições, o dinheiro plantado sinaliza que a caridade é parte de um esforço nobre e poderoso; a caridade é o time vencedor, por assim dizer.

"Reembolso" de caridade tem um efeito positivo porém muito menor na doação. Em mais um dos estudos de List, uma política de reembolso impulsionou a doação para apenas 20%; isso foi muito menos eficaz do que o dinheiro plantado. Um reembolso significa que se a campanha de caridade não atingiu sua meta especificada, os doadores recebem o dinheiro de volta. Mas a maioria dos doadores não se empolga com a ideia de reembolso. Querem acreditar que a causa está fadada ao sucesso. Ser reembolsado sugeriria que sua doação inicial foi na verdade um equívoco. Por que afinal uma instituição de caridade sinalizaria que pode ser financeiramente mais fraca, ou talvez menos sólida na execução, do que os doadores querem acreditar? Equipes vencedoras — seja os New York Yankees ou o Chicago Bulls de Michael Jordan — não têm por hábito distribuir reembolsos por desempenhos fracos. Quando ouço a palavra "reembolso", penso numa loja de departamentos vagabunda ou num rádio que não funciona.

List e sua equipe conduziram outra pesquisa em doações de caridade. Eles realizaram um experimento de angariação de porta em porta por mais de 5 mil domicílios. O grupo experimentou uma variedade de métodos e é claro que alguns funcionaram melhor do que outros. Eles então mediram a diferença entre o método mais eficaz (nesse contexto, vender bilhetes de loteria) e o método menos eficaz (apenas pedir dinheiro).

Para fins de comparação, List e sua equipe tentaram mais um experimento. Punham mulheres mais bonitas para bater de porta em porta pedindo dinheiro. Quanto mais atraente a mulher (um "único desvio padrão aumenta a atratividade", em termos estatísticos), mais positivo o impacto sobre a doação, movendo-se em escala semelhante à da diferença entre o método menos bem-sucedido de angariação de fundos para o mais bem-sucedido. Esse tipo de distração, é claro, só dá certo se os doadores não estão concentrados nos efeitos finais de suas ações caritativas.

Em 2004, a Kellogg Foundation foi criticada por gastar 836.316 dólares em uma viagem de dez dias para 19 doadores testemunharem seus programas de diminuição da pobreza na África durante o dia enquanto passavam as noites em um alojamento para caçadores a mil dólares a pernoite. O executivo que dirigiu a United Way por 27 anos se confessou culpado pelo desvio de meio milhão de dólares. O diretor financeiro da United Way mais tarde pediu demissão, queixando-se de que os números de doações haviam sido exagerados de modo que o executivo chefe pudesse alegar que estavam em alta mais uma vez. De modo geral, muitas instituições de caridade gastam muito dinheiro em salários corporativos, privilégios e angariação de mais dinheiro.

Quando um empreendimento comercial é tão ruim assim, geralmente vai à falência bem rápido. Se o hambúrguer está gorduroso demais, o atendimento é ruim ou os preços são altos demais, os consumidores param de dar seu dinheiro para o produto. Mas o mesmo mecanismo nem sempre regula as más instituições de caridade.

Quem se sente bem em doar dinheiro para um grupo que gasta seus fundos em tapetes felpudos e verbas para despesas do presidente? Ninguém. Mas os doadores nem sempre examinam as instituições muito bem, nem insistem em verificar resultados mensuráveis. Muitas pessoas se tornam doadores cativos. Vão ignorar qualquer informação desfavorável sobre a instituição de caridade porque não querem se sentir mal com a doação anterior. Quando nosso orgulho está em jogo, geralmente não olhamos a verdade muito de perto. Lembra-se da autoilusão? Resultado: muitas instituições de caridade desperdiçam nosso dinheiro.

• • •

MUITAS ATIVIDADES caritativas, em termos líquidos, não ajudam ninguém. Por exemplo, uma atividade conhecida como "paraquedas caritativo" é praticada na Escócia. Alguns médicos escoceses examinaram o esporte e seus custos. Muitos novatos são atraídos para a atividade, talvez porque isso ajude a sentir que estão dando duro para salvar os pobres bebês africanos. Mas a taxa de feridos é alta: 11% para ferimentos leves e 7% para ferimentos graves. Ferimentos leves custam ao National Health Service 3.751 libras, em média, e ferimentos graves custam 5.781 libras, em média. O paraquedista médio levantava apenas 30 libras por um dia de trabalho.

Vamos chamar isso de *caridade negativa*. Outro exemplo é treinar por semanas para disputar corridas de caridade. Se a corrida é uma maratona, às vezes algumas pessoas morrem.

E dar dinheiro para igrejas? Grupos religiosos recebem de 40 a 60% de todas as doações pessoais nos Estados Unidos; decerto o povão alguma sabedoria há de ter. Mas a maior parte dessas doações serve antes para manter as igrejas do que para ajudar os pobres. São usadas para construir novos prédios e pagar os salários dos ministros. Dependendo de óptica religiosa, isso *pode* ajudar os pobres no mundo do porvir. Mas se você quer ajudar os pobres neste mundo, contribua com uma igreja que faça o dinheiro chegar às mãos dos pobres, mesmo que não seja *a sua* igreja. Se você insiste em contribuir com a sua igreja, procure uma que tenha uma congregação mais pobre.

A moda atual é comprar café "*fair trade*". Um produto com o selo *fair trade* é vendido a um preço premium, sob a premissa de que os trabalhadores são mais bem-tratados e ganham mais, ou pelo menos recebem regularmente. Soa muito bonito. Recebemos nossa agradável dose de cafeína exótica, com um tantinho de creme e leite, numa atmosfera grã-fina, pensando que a África não está mais condenada. Mas esse tipo de compra beneficia algum pobre?

Depende. Que tal um produto chamado "café de exploração"? Você paga menos e eles prometem tratar os trabalhadores particularmente mal. A expressão constitui uma estratégia comercial menos eficaz, mas é a isso que o conceito de "comércio justo" acima acaba conduzindo. Se valorizamos uma opção ou desvalorizamos a outra é só questão de semântica. Uma expressão mais neutra não seria nem "comércio justo" nem "café de exploração", mas "diferenciação qualitativa". Ou temos duas classes de café (e trabalhadores) ou uma única classe de café (e trabalhadores). Dividir o mercado em classes é bom para os trabalhadores no extremo mais elevado, mas nem sempre ajuda os trabalhadores na base. Na verdade, pode prejudicá-los. O júri permanece de fora, com a ideia. Você compraria um café de "diferenciação qualitativa"? Provavelmente não.

Nicholas Kristof, repórter do *New York Times*, teve uma ideia nova para a diminuição do sofrimento. Entrou num avião para o Camboja e decidiu comprar e libertar duas escravas. Custou 150 e 203 dólares, respectivamente, libertar cada escrava, além é claro dos gastos com o voo mais as despesas. As garotas estariam, muito provavelmente, destinadas a viver na prostituição, sofrer estupro e talvez pegar aids. Várias instituições de caridade compraram e libertaram escravos no Sudão.

Essas atividades soam virtuosas, mas existe um perigo: se você compra escravos para lhes dar a liberdade, eleva seu preço de mercado. Em contrapartida, mais vítimas serão escravizadas. (Planos de comprar armas de mão, uma ideia comum para o combate ao crime nas cidades, enfrenta problema semelhante, assim como programas de reaquisição de automóveis altamente poluentes.) As duas compras de Kristof foram provavelmente pequenas demais para afetar o mercado geral de escravos ou para elevar o preço. Mas se muitos de nós começássemos a fazer o mesmo (será que alguém poderá tentar vender a libertação de escravos no eBay?), o preço subiria. A escravidão, a captura e opressão que a acompanham podem se tornar um problema maior. Uma pessoa específica pode permanecer como escrava por um período menor de tempo, mas mais pessoas circulariam na escravidão por um período.

Esse problema não é novo. Por muito tempo os economistas debateram a melhor forma de usar a especulação para desencorajar o desenvolvimento de um mercado. A resposta é contraintuitiva, mas faz sentido quando refletimos a respeito: *compre uma grande quantidade do item*. Quando outros vendedores estiverem prontos para colher seus lucros, *despeje todo o estoque no mercado de uma vez, baixando assim o preço*. Outros atuantes no mercado não irão receber muito lucro, se é que algum receberá. Uma vez que a existência dessa estratégia se torna conhecida, o mercado vai antes murchar que florescer.

Não, não estou sugerindo que compremos estoques de escravos e os seguremos para vender depois. Mas em muitas circunstâncias é essa estratégia — deixar de comprar escravos para vê-los em liberdade — que desencoraja a escravidão. Comprar a liberdade de escravos pode acabar se revelando contraproducente, então devemos ir atrás de ideias melhores.

• • •

ESTÁ CERTO OLHAR em volta para ajudar os outros, é claro, mas não devemos ver uma gorjeta ao garçom como um elogio a nós mesmos. A gorjeta é um modo relativamente dispendioso de ajudar outras pessoas. Além do mais, sentimo-nos virtuosos e caritativos e assim deixamos de lado a real benevolência com os verdadeiramente necessitados.

Tentei um experimento simples. Havia acabado de comer a sopa de macarrão Pho na minha espelunca vietnamita favorita. Se você alguma vez já foi a um restaurante de Pho, sabe que o cliente paga se dirigindo ao caixa, onde a conta está a sua espera (embora às vezes eles não acreditem que o sujeito branco pediu a sopa com tripa).

Peguei meu troco e já ia deixando a gorjeta. Mas pensei que talvez uma experiência estivesse em andamento: por que não deixar a gorjeta em *outra* mesa, servida pelo mesmo garçom, em vez de minha mesa? Assim, no último momento, pus o dinheiro em outra mesa. Eu sabia que o mesmo garçom a receberia. Mas ao refletir rapidamente me encolhi de horror e agarrei rapidamente o dinheiro de volta. Aquele garçom pensaria que eu o ludibriei. Pensaria mal a *meu* respeito.

Percebi que não me importo em quanto o garçom ganha. Mas quis de fato — fortemente — segurar minha barra no intercâmbio comercial da janta. Deixar dinheiro em outra mesa não vai ao encontro desse fim. Deixei o dinheiro na minha mesa e joguei umas moedas extras para aliviar minha tensão mental. Senti que foi por pouco, quase como se eu estivesse saindo da Nordstrom sem pagar pela nova camisa em minha mão.

Uma oportunidade de gorjeta tem alguns elementos de extorsão. A pessoa que atende participa. Se bem treinado, o garçom não é nem um pouco insistente ou exigente. Nós nos imaginamos sendo servidos por um mordomo gracioso com luvas brancas e sotaque de BBC. Ou talvez nossa garçonete seja uma linda garota do Meio-Oeste com cabelos encaracolados e um grande sorriso. Sua ideia é ir para a faculdade assim que juntar dinheiro suficiente.

Nós reagimos nessas situações. Devido às expectativas culturais, sabemos que se espera de nós uma gorjeta. Há um intercâmbio implícito. Damos dinheiro ao garçom. Ele fica particularmente grato: "Muito obrigado. Tenha uma ÓTIMA noite." O intercâmbio reafirma nosso senso de nós mesmos como PESSOAS JUSTAS E GENEROSAS QUE RECOMPENSAM A QUALIDADE. Se é uma garçonete, talvez tenhamos sorte. Ela pode dar um tapinha em nossas costas.

Não sou contra a prática da gorjeta, assim como não sou contra pagar um professor de piano ou pagar alguém para cortar a grama. Mas, como maneira de ajudar o mundo, a gorjeta é um furo n'água. As gorjetas são recebidas por pessoas que já têm um emprego. A maioria das gorjetas ocorre em países relativamente ricos. Muitos dos jovens trabalhadores que recebem gorjetas têm pouca renda no presente mas grandes perspectivas na vida. Eles ainda terão anos e anos a sua frente: casamento, filhos, novos filhotes, muito sexo e um bocado de novos filmes e programas de tevê para assistir. Talvez nunca venham a ser milionários, mas por que ajudar? *Eles* precisam de ajuda?

Eis um argumento final, direto da caixa de ferramentas do economista. Vamos dizer que *todo mundo* dê 25 em vez de 15% de gorjeta. O que aconteceria? O mercado de garçons é competitivo e a maioria dos garçons recebe o justo, nem mais nem menos. Se os clientes pagam mais aos garçons, os empregadores se safam pagando-lhes menos. Os garçons não vão receber mais dinheiro, mas os donos do restaurante sim, e às expensas dos clientes. É esse o tipo de altruísmo que temos em mente?

Se você quer usar gorjetas para ajudar os pobres, comece dando gorjetas menores. Não deixe que o hábito da gorjeta contribua para sua autoimagem mais favorável ou se torne um substituto da caridade. Fique nos 15%, mesmo que a garçonete seja bonitinha, toque em você ou use uma flor no cabelo. Mande o resto do dinheiro para o exterior. Você também estará poupando às garçonetes algum esforço. Não queremos terminar como o mendigo de Calcutá que gasta dinheiro e recursos tentando obter... mais dinheiro e recursos.

• • •

SE GORJETA NÃO É uma forma digna de caridade, que tal presentes para os amigos e os entes queridos? Suspeito que inúmeros leitores, tendo visto o capítulo sobre como manter uma boa imagem, já saibam a resposta.

O *Financial Times* noticiou a história de uma tal de Karen Davis, que começou uma empresa de um presunto cozido especial na Georgia em 1979. Ao longo dos vinte anos seguintes, ela ganhou de 400 a 500 diferentes presentes em forma de porco. Não devemos concluir, como alguns economistas o fariam, que dar presentes é um desperdício. Dar presentes é divertido, ou pelo menos pode ser. Mas não é o melhor modo de ajudar as pessoas.

O economista Joel Waldfogel, mencionado no início desse capítulo, tentou estimar quantos presentes têm valor para quem recebe. Ele descobriu que a maioria de nós não valoriza os presentes recebidos em proporção ao que foi gasto. Em termos de porcentagem, se excluímos presentes em dinheiro, Waldfogel descobriu que as pessoas valorizam seus presentes em 83,9% do custo. Esse número foi obtido com um levantamento e francamente acho que a maioria dos que responderam estava mentindo. Eu ficaria surpreso se a verdadeira média de avaliação fosse 40% do valor gasto. Mas se tomarmos a estimativa muito conservadora de Waldfogel tal como foi dada, o "ônus de prejuízo" de dar presentes vai para no mínimo 4 bilhões por ano. Essa cifra visa expressar a diferença entre o que foi gasto em quanto valor foi recebido.

Muitos presentes são tralhas, seja o velho peso de papéis de ônix ou o suéter vistoso que não serve. Mesmo que nossos amigos sejam capazes de adivinhar o que queremos, em geral não sabem o que já temos. Um levantamento Harris Interactive mostrou que metade dos adultos americanos admite repassar presentes. Setenta e oito por cento dos pesquisados achavam que repassar presentes era aceitável pelo menos em uma ocasião. Quatro por cento admitiram que faziam isso não por causa do presente em si, mas porque não gostavam da pessoa que dera o presente.

Os piores para dar presentes parecem ser gente velha. O valor do que dão é considerado pelos que recebem menos da metade do dinheiro que gastaram. Muitos idosos não fazem a menor ideia sobre os interesses de seus netos. Então, se você é avô, dê dinheiro, se é que já não o faz. Waldfogel descobriu que tios e tias também são mal qualificados para julgar a utilidade de um presente. Essa estimativa de prejuízo deixa de levar em conta o tempo passado comprando presentes, que pode somar várias horas.

A questão não é atacar o ato de dar presentes, uma instituição maravilhosa. Mas o caso é que é uma instituição autocentrada; não tem a ver com salvar o mundo.

Vamos dizer que você deu para sua irmã ingressos de 100 dólares para o futebol, mas ela acredita que eles valham 50 dólares. Da parte dela, há um prejuízo de 50 dólares, mas de jeito nenhum a oferta é um simples engano. Afinal, talvez você tenha *apreciado* dar a ela os ingressos. Você estremecia de emoção imaginando sua irmã no jogo de futebol. Por semanas não viu a hora de vê-la abrir o envelope com os ingressos. Você consegue saborear a expressão em seu rosto por meses ou até mesmo anos a fio. Quanto prazer você extrai de ajudar sua irmã? Bem, provavelmente seu prazer excedeu o valor de 100 dólares — ou pelo menos você assim esperava —, pois esse é o tanto de dinheiro que você gastou com os ingressos.

Assim, vamos voltar e calcular o valor total da experiência de dar presentes. Sua irmã ganhou o equivalente a 50 dólares. Você ganhou 100 dólares ou mais de satisfação. Ganho total: 150 dólares. Custo total: 100 dólares. Esse é um bom negócio: quantos fundos mútuos dariam um retorno de 50% em um período de tempo tão curto? Os números vão variar com os detalhes do exemplo, mas é fácil de ver por que o hábito de presentear continua a existir.

Mas observe que os ganhos egoístas de quem dá são exigidos para criar o valor líquido do presente. Se tiramos o prazer de presentear, o presente não torna o mundo um lugar melhor. Então temos duas regras simples: 1) presentes são maravilhosos e o mesmo vale para a instituição de dar presentes; e 2) presentes são um jeito precário de ajudar outras pessoas.

Claro que damos presentes por várias razões. Eu estava sendo generoso quando presumi que presenteamos para trazer alegria aos nossos corações. Muitas pessoas presenteiam apenas para se exibir. Querem sinalizar que são ricas, mostrar que têm acesso a presentes maravilhosos ("como conseguiu os ingressos?") ou impressionar outros membros da família. Já vi gente dando presente como uma forma de hostilidade. Um homem pode dar para a esposa um romance complexo e longo de aniversário, em parte para mostrar como está incomodado com o tempo que ela dedica à tevê. Se uma pessoa está se exibindo ou demonstrando ressentimento ao dar presentes, outras pessoas em volta podem se sentir inadequadas ou pouco apreciadas. Isso não ajuda o mundo.

Outras vezes damos presentes para controlar as pessoas. O presente não é presente nenhum, é apenas um sinal de que, se a outra pessoa nos fizer favores, pode esperar mais pagamentos no futuro. B. Douglas Bernheim, Andrei Shleifer e Larry Summers conduziram um estudo abrangente de heranças parentais; o documento foi intitulado "The Strategic Bequest Motive" [A motivação legatária estratégica]. Os resultados não surpreenderão nenhum leitor do *Volpone* de Ben Jonson, em que puxa-sacos buscam cair nas graças de um nobre para ganhar uma grande herança. Nos Estados Unidos modernos, quanto mais os filhos ligavam para os pais ou os visitavam, maior a probabilidade de receber um legado significativo. Os resultados combinam com a riqueza dos pais, assim isolando o efeito de uma maior atenção no tamanho do presente final. Ambos os filhos e os pais estão se comportando de forma egoísta, mais do que mostrando amor incondicional.

Por que não dar dinheiro, simplesmente? Está mais comum do que nunca dar presentes em dinheiro nos casamentos. A prática de fazer uma lista não é a mesma coisa que receber o dinheiro, mas sem dúvida impede as pessoas de dar o lixo inútil de costume. Presentes em dinheiro são uma prática antiga em *bar mitzvahs*. Em geral a intenção é que o dinheiro ajude a pagar a faculdade. Entretanto, em outro contexto, se você dá a sua irmã 50 dólares de aniversário, ela provavelmente se sentirá insultada. Iria preferir um jantar pago pelo mesmo valor, mesmo que ela própria não fosse gastar tanto dinheiro assim com comida. A refeição "cai bem" como presente, mas o dinheiro não.

Não está óbvio por que presentes em dinheiro são geralmente (mas nem sempre) considerados de mau gosto. Talvez dar presentes seja um exercício que mostre como compreendemos os entes queridos. Assim como outras formas de sinalização, dar presentes nos faz passar por um teste. As pessoas com quem nos importamos veem quanto estamos ligados no que querem. *Qualquer um* pode usar um presente em dinheiro. Mas quantos homens são capazes de escolher o tipo certo de flores ou levar a garrafa certa de vinho para um encontro romântico?

Dar dinheiro mostra, na melhor das hipóteses, que somos bons em ganhar dinheiro. Mas pouca gente quer admitir que dinheiro é um critério relevante para o modo como escolhem seus amigos. Ao mesmo tempo, se precisamos levar milhares de dólares para um *bar mitzvah*, dinheiro vivo ou investimentos de longo prazo são as únicas opções sensatas.

Quando pequenas somas estão em jogo, pessoas muito inteligentes ou muito sensíveis devem ser capazes de dar presentes *mais valiosos* que dinheiro. Um CD custa apenas uns 17,99 dólares, mas um CD maravilhoso vale mais de 100 dólares para mim. Uma pessoa capaz de escolher o CD certo me faz um bem maior do que simplesmente me dar o dinheiro. Mas isso é bem difícil para a maioria das pessoas. Mais uma vez, o ato de presentear sinaliza tanto ligação pessoal como dotes individuais. Se você e eu estamos sempre dando presentes um para o outro, isso sugere que somos capazes de intercambiar alguns benefícios verdadeiramente prazerosos. Mas estamos nos afastando da ideia de caridade.

Acima de tudo, devemos desconfiar de pessoas que procuram presentes. Tom Locke entrou em uma cruzada de um homem só para ganhar o maior número de presentes possíveis da América corporativa. Ele escreveu cartas, como esta:

> Prezado Senhor ou Senhora,
>
> Talvez gostem de me ver sorrindo, mas eu, entretanto, gosto de me ver comendo. Por favor, enviem-me cupons para produtos gratuitos do McDonald's, de modo a que eu continue a comer (e a sorrir). Agradeço desde já,
>
> Tom Locke, entusiasta da comida

A rede farmacêutica CVS recebeu esta:

> Prezado Senhor ou Senhora,
>
> Sou um viciado na saúde e no bem-estar. Por favor, enviem-me um produto qualquer que achem que eu vá gostar. Não precisa ser nada grande, só algo bom! Gosto de surpresas. Obrigado desde já,
>
> Tom Locke, entusiasta da saúde

Locke enviou uma centena de cartas de teor similar para as principais companhias norte-americanas. Muitos responderam com produtos gratuitos, mas a Wrigley's teve a ideia certa. Disseram-lhe para ir comprar seu próprio chiclete. A Smucker's simplesmente disse "não".

A propósito, muitas pessoas sentem necessidade de ser apreciadas. As pesquisas indicam que as experiências são lembradas por mais tempo que possuir algo. Dê ingressos para um concerto em vez de um CD. Dê uma viagem ao exterior para sua filha em vez de dinheiro para um carro.

• • •

E AGORA VAMOS ao que vem se mostrando uma ideia revolucionária para melhorar as vidas dos pobres no mundo todo. Que tal emprestar nosso dinheiro em vez de dá-lo? Contraintuitivamente, sugeriu-se que deveríamos abandonar o papel de anjo caritativo pelo de emprestadores de dinheiro. Daniel Akst, escrevendo para Slate.com, se refere a microcrédito como "a melhor forma de gastar um pouco de dinheiro para ajudar os cidadãos mais pobres do mundo".

Microcrédito é a prática de fazer empréstimos bem pequenos — em geral, não mais do que 100 dólares — para os pobres do mundo. Milhões de pessoas pelo globo afora usam microcrédito para criar pequenos negócios ou às vezes apenas pagar suas despesas médicas. O microcrédito é particularmente conhecido por ajudar mulheres a abrir lojas de costura ou pequenas lojas de produtos diversos em suas comunidades.

A revolução do microcrédito começou em 1976, quando um professor de economia, um certo Muhammad Yunus, começou o Grameen Bank Project em Bangladesh. Eis aí alguém que contribuiu com algo muito bom para o mundo, de fato. Em 2006, seus esforços lhe valeram o Nobel da paz. *Grameen*, a propósito, é a palavra bengali para "rural". Yunus estava convencido de que é possível emprestar dinheiro para os pobres, mesmo sem garantias. Em geral, os empréstimos são feitos para pequenos grupos de cinco ou dez pessoas e o credor usa a responsabilidade mútua e a pressão coletiva para assegurar a restituição. Se o colega não pagar, cada membro do grupo é responsável. Muitos projetos de microcrédito contam com taxas de restituição de até 98%. Grupos que pagam seus empréstimos são escolhidos para empréstimos maiores da próxima vez.

Muitas vezes fundos de microcréditos vêm de instituições de caridade, governos ou agências multilaterais, como o Banco Mundial. Mas bancos comerciais privados estão criando um interesse cada vez maior em microempréstimos como uma forma de lucrar. À medida que o crescimento econômico se espalha pelo mundo, os bancos percebem que muitas necessidades de empréstimos individuais são um tanto quanto pequenas. Além do mais, o microemprestador de hoje pode ser o depositante de amanhã.

Podemos ver por que o microcrédito é capaz de fazer mais que a caridade. Os pequenos negócios novos se alimentam da economia local. Os donos dos negócios desenvolvem capacidades duradouras. A necessidade de saldar o empréstimo — pagamentos regulares são em geral exigidos com a frequência semanal — reforça a disciplina e o trabalho. Mais do que tudo, doar para uma instituição de microcrédito mantém a maior parte do capital original intacto para continuar emprestando. Há uma chance de que a doação vá levar a um lucro autossustentado e muitos anos de assistência.

O microcrédito também ajuda a resolver os problemas dentro das famílias. Quando *damos* dinheiro para o pobre empreendedor, seus amigos, parentes ou membros de suas redes semelhantes muitas vezes aparecem para pedir uma parcela dos ganhos. Dado que muitas dessas sociedades operam numa base fortemente familiar e comunal, pode ser difícil dizer não. O resultado é a dissolução dos fundos e uma disseminação de impacto potencial. Os fundos acabam antes sendo gastos do que investidos. Mas quando o dinheiro é emprestado e a restituição é exigida numa base frequente, as pessoas que tomaram emprestado acham mais fácil manter os parentes a distância.

Claro que o microcrédito pode sair pela culatra. Muita gente abriria novos negócios de todo modo. Vão utilizar seus empréstimos de microcrédito para sustentar parentes preguiçosos. Alguns indivíduos emprestam de microemprestadores a uma baixa taxa de juros e usam o dinheiro como garantia para financiamentos mais extorsivos a taxas muito maiores de emprestadores locais. O dinheiro é gasto em um aparelho de tevê e o resultado é a insolvência perpétua e o desespero, não uma nova empresa.

Em Hyderabad, na Índia, os economistas estão estudando como o microcrédito muda a vida das pessoas. Uma empresa indiana chamada Spandana começou a estender sua carteira de microcrédito para milhares de indivíduos da classe média baixa nas favelas urbanas. Mas nem todos tiveram acesso a esses empréstimos. Dois anos mais tarde, um levantamento posterior investigará em que medida o microcrédito mudou alguma coisa. As rendas familiares estão maiores? Quantas novas empresas começaram depois que o microcrédito foi disponibilizado? O status das mulheres melhorou?

Aguardamos os resultados finais, mas este economista está esperançoso. Visitei esses mercados de microcrédito em Hyderabad e conheci muitas indianas cheias de energia, responsáveis e diligentes. Nenhuma delas havia cortado a própria perna em busca de solidariedade e esmolas maiores. Numa entrevista, perguntei à diretora da Spandana, Padmaja Reddy, como podia ter certeza de que a empresa estava fazendo bem ao mundo. A resposta dela foi simplesmente que as mulheres continuavam saldando os antigos empréstimos e voltando para buscar novos. Pode-se dizer dessas mulheres que elas estão descobrindo suas Economistas Interiores.

Seja como for, há um novo sistema de microcrédito que não exige que você faça uma jornada tão longa como a que eu fiz. Agora, você pode fazer seu empréstimo pela internet. Eis uma notícia do blogueiro (americano) Cornelius:

> Me sinto bem. Acabei de emprestar 25 dólares para Chritopher Odeke. Ele é um taxista de Bukedea, Uganda, e precisa de 1.200 dólares para comprar um novo motor para sua van.
>
> Me inscrevi no Kiva.org, um serviço que lista gente empreendedora de países em desenvolvimento que necessitam de pequenas quantias de dinheiro e permite a qualquer um se envolver pessoalmente em ajudá-las. O site fornece um diário onde as pessoas que tomam emprestado podem descrever como seus negócios andam e os doadores de empréstimos podem fazer comentários.

Kiva significa “acordo” ou “união” em suaíli. Você pode emprestar míseros 25 dólares, o Paypal.com vai proceder ao seu empréstimo sem cobrar taxa alguma e você receberá e-mails sobre o progresso do negócio que está subsidiando.

Daqui a dez anos a Kiva continuará sólida? Não sei. Haverá novos modos ainda mais imaginativos de combater a pobreza? Sem dúvida.

10

Seu Economista Interior e o futuro da civilização

AS SUGESTÕES PARA ajudar outras pessoas apresentadas no capítulo anterior culminaram em uma ideia simples mas poderosa: ajude outros ajudando a si mesmo, cumprindo antes de mais nada seu próprio potencial. Penso neste livro como um guia para ajudar a si mesmo de uma maneira socialmente responsável, e assim um guia para ajudar outras pessoas.

Seu Economista Interior compreende os incentivos, mas também compreende os valores humanos como necessários para fazer os mercados funcionarem suavemente.

Quando os mercados e os valores humanos trabalham juntos, os ganhos são imensos. A economia de mercado e o capitalismo estão entre os grandes potenciais da civilização. Nossas vidas são confortáveis, e não arruinadas pelo trabalho físico pesado, desnutrição crônica e perdas maciças de mulheres e bebês no parto, para mencionar apenas alguns fatores presentes em épocas mais antigas. Sejam nossas opiniões políticas de esquerda, de direita ou de qualquer parte do espectro, podemos todos concordar com esses fatos.

Imaginem um viajante do tempo do século XVIII visitando a vida de Bill Gates. Ele testemunharia televisão, automóveis, geladeiras, aquecimento central, antibióticos, comida abundante, descargas, celulares, computadores pessoais e viagens aéreas disponíveis, entre outros benefícios inestimáveis.

Mas as características mais impressionantes da vida de Bill Gates, de um ponto de vista histórico, são compartilhadas por qualquer americano de classe média atualmente.

Os mercados não se referem apenas ao motor a vapor, fundições de ferro ou fábricas de chips de silício atuais. Os mercados também sustentaram Shakespeare, Haydn e a moderna megalivraria. A ascensão da pintura a óleo, da música clássica e da cultura do livro impresso foi tudo parte de um mesmo desenvolvimento social e econômico mais amplo, a saber, a ascensão do capitalismo, da moderna tecnologia, do domínio da lei e da sociedade de consumo. O Renascimento ocorreu quando cidades em crescimento e rotas comerciais reabertas criaram riqueza suficiente para estimular a demanda por arte elevada. Beethoven deu aulas de música para uma classe média em crescimento e depois vendeu a ela partituras; para isso contou com o papel impresso, a popularização do piano nas casas e a maior disponibilização de se viajar pela Europa.

Os mercados, é claro, também têm um lado mais feio. Em Bangalore, na Índia, a enfermeira muitas vezes leva o recém-nascido embora, trazendo-o de volta apenas quando os pais pagam uma propina; o preço é de 12 dólares se o bebê for menino e 7 dólares se for menina. Um levantamento de 1999 registrou que nove de cada dez famílias a ter filhos nos hospitais precisam pagar essas propinas. Também correm notícias de propinas para realizar o parto, para vacinar o bebê ou para obter remédios supostamente "grátis".

Durante um distúrbio público em Michigan, uma mulher vendeu pedras para os arruaceiros. Segundo a polícia, ela usou o dinheiro para pagar sua conta de tevê a cabo. Pedras pequenas saíam por um dólar, as maiores por 5 dólares. A maior parte das pedras era jogada na polícia. Há uma justiça poética doentia nessa história. A mulher alegou ter conseguido cerca de 70 dólares com sua iniciativa, mas parou quando ela própria foi atingida por uma pedra.

Tem coisa pior.

Uma propina de mil rublos — cerca de 34 dólares na época — bastou para uma comissária de bordo permitir que um checheno subisse em um avião russo pouco antes da decolagem. A comissária embolsou o dinheiro e em uma passagem que o checheno tinha para outro voo ela escreveu "Admitir a bordo Voo 1047". A mulher explodiu o avião. Ou recorde que atiradores chechenos tomaram um teatro em Moscou em 2002, levando à morte de 129 reféns. Os terroristas haviam pago à polícia pela permissão de transportar uma pequena carga de armamentos até Moscou.

Propinas para a polícia e forças de segurança não são um caminho rumo a um futuro glorioso.

O Ocidente se tornou bem-sucedido como é porque abraçou os valores da autocrítica, dos direitos individuais, da ciência e da ideia de que o governo é o servo do povo, não vice-versa. A corrupção, por mais que continue a existir, é vista mais como uma coisa ultrajante do que como inevitável. Mas não devemos achar que esses valores são líquidos e certos. Nem tampouco todo exemplo de mercado vai dar sustentação a esses valores. A antiga União Soviética tentou passar a uma economia de mercado mas sem estar alicerçada nas mesmas fundações culturais. Embora os cidadãos russos vivam melhor do que em tempos passados, o resultado foi um colapso no tecido social e um regresso parcial à tirania.

O futuro de nossa civilização está baseado na prudência, na autorreflexão crítica, na crença em valores elevados e na sabedoria quanto a assuntos comuns da vida cotidiana. Não diz respeito a agarrar tudo que você puder o mais rápido possível. Assim como a cultura geralmente se baseia nos mercados, estes igualmente exigem alicerces culturais. Seu Economista Interior é fonte de conselhos práticos, mas no contexto mais amplo ajuda a sustentar a ordem social. Superficialmente, este é um livro sobre nossas vidas, mas as correntes subterrâneas que o alimentam também têm a ver com sustentar e propagar a sociedade livre.

Então, vá em frente, use o Economista Interior para melhorar a si mesmo, seus amigos e sua família. A sociedade depende disso.

Referências

Capítulo 2

Para o levantamento de Camerer em Davos, uma citação é de www.stnews.org/altruism-2792.htm, *Science and Theology News*, edição online. O estudo sobre alunos organizados, e exemplos relacionados, está em *The Age of Propaganda*, de Anthony Pratkanis e Elliot Aronson, Nova York: Owl Books, 2001.

O estudo sobre multas de estacionamento é de Raymond Fisman e Eduard Miguel, "Cultures of Corruption: Evidence from U.N. Parking Tickets", National Bureau of Economic Research, documento n. 12312, junho de 2006. Para reportagens sobre o Chade, ver http://www.travel-island.com/interesting.places/chad.html e http://www.washingtonpost.com/wp-dyn/content/article/2006041301897.html. Sobre deficiência na Noruega pesquisei em uma matéria do *New York Times*, entre outras fontes: http://select.nytimes.com/search/restricted/article?res=F40B14FE3F590C768EDDAE0894DC404482.

Para um levantamento da pesquisa sobre quando incentivos financeiros são eficazes, ver Colin F. Camerer e Robin At Hogarth, "The Effects of Financial Incentives in Experiments: A Review and Capital-Labor-Production Framework", *Journal of Risk and Uncertainty*, 1999, 19:1-3, 7-42. Outro artigo relevante é o de Sarah E. Bonner, Reid Hastie, Geoffrey B. Sprinkle e S. Mark Young, "A Review of the Effects of Financial Incentives on Performance in Laboratory Tasks. Implications for Management Accounting", *Journal of Management Accounting Research*, 2000, 12, 19-64.

Sobre a diferença entre motivações intrínsecas e extrínsecas, fui influenciado por Bruno Frey, *Not Just for the Money*, Cheltenham: Edward Elgar Publishing, 1997; e Alfie Kohn, *Punished by Rewards: The Trouble with Gold Stars, Incentive Plans. A's Praise, and Other Bribes*, Boston: Houghton Mifflin, 1995, entre outras fontes.

Sobre como altos prêmios e importância da tarefa podem induzir a um pensamento de grupo, ver Robert S. Baron. Joseph A. Vandello e Bethany Brunsman, "The Forgotten Variables in Conformity Research: Impact of Task Importance on Social Influence", *Journal of Personality and Social Psychology*, 1996, 71, 5, 915-927.

Sobre a tendência de indivíduos de reagir de forma ruim a incentivos quando percebem uma falta de controle, ver Edward L. Deci, Richard Koestner e Richard M. Ryan, "A Meta-Analytic Review of Experiments Examining the Effects of Extrinsic Rewards on Intrinsic Motivation", *Psychological Bulletin*, 1999, 125, 6, 627-668. Ver também Sharon S. Brehm e Jack V. Brehm, *Psychological Reactance: A Theory of Freedom and Control*, Nova York: Academic Press, 1981.

Sobre como bonificações incrementam o desempenho quando sinalizam competência na tarefa, ver Edward L. Deci, "Applications of Research on the Effects of Rewards", em *The Hidden* Costs *of Reward: New Perspectives on the Psychology of Human Motivation*, editado por Mark R. Lepper e David Greene, Hillsdale, New Jersey: Lawrence Erlbaum Associates, 1978, pp. 193-203.

Sobre o problema de pagar por notas, ver John Condry, "The Role of Incentives in Socialization", em *The Hidden Costs of Reward: New Perspectives on the Psychology of Human Motivation*, editado por Mark R. Lepper e David Greene, Hillsdale, New Jersey: Lawrence Erlbaum Associates, 1978, pp. 179-192.

Sobre suportar a dor, ver Sharon L. Baker e Irving Kirsch, "Cognitive Mediators of Pain Perception and Tolerance", *Journal of Personality and Social Psychology*, 1991, 61, 3, 504-510. Sobre tentar demais, ver por exemplo Hal R. Arkes, Robyn M. Dawes e Caryn Christensen, "Factors influencing the use of a decision rule in a probabilistic task", *Organizational Behavior and Human Decision Processes*, 1986, 37, 93-110.

Capítulo 3

Sobre efeitos nos colegas e bebida, ver o trabalho de H. Wesley Perkins, como "Misperceiving the College Drinking Norm and Related Problems: A Nationwide Study of Exposure to Prevention Information, Perceived Norms and Student Alcohol Misuse", *Journal of Studies on Alcohol*, julho de 2005, 470-478.

Para Randall Parker sobre reuniões, ver seu blog Futurepundit.com, http://www.futurepundit.com/archives/001913.html#001913NetscapeMarkup\Shell/Open\Command.

Para os levantamentos sobre reuniões e seus custos, ver Roger K. Mosvick e Robert B. Nelson, *We've Got to Stop Meeting Like This!* Indianapolis: Park Avenue Productions, edição revista, 1996.

Sobre Roland Fryer, recorri a duas postagens de meu colega blogueiro Alex Tabarrok e às fontes mencionadas ali; ver http://www.marginalrevolution.com/marginalrevolution/2005/11/paying_for_perf.html e http://www.marginalrevolution.com/marginalrevolution/2004/12/milton_friedman. html.

A estimativa de custos de atrasos é de um artigo em *The Economist*, "The Price of Lateness", 3 de novembro de 2003, online em http://www.economist.com/displayStory.cfm?story_id=2238214. Alex Tabarrok trouxe o artigo ao meu conhecimento. Alguns posts de blogs sobre o tópico estão em http://www.marginal-revolution.com/marginalrevolution/2003/11/how_to_change_s.html e em http://www.marginalrevolution.com/marginalrevolution/2004/03/punctuality.html.

Sobre taxas de RSVP em declínio, ver meu post anterior em http://www.-marginalrevolution.com/marginalrevolution/2004/02/why_rsvp.html.

Um leitor de MarginalResolution.com, Robert Ayres, sugeriu-me a ideia de inserir os salários de todo mundo numa reunião em um computador.

Capítulo 4

Sobre o que é vendido em quartos de hotéis, ver *Forbes*, 7 de junho, 2004, p. 124. Sobre os ingressos de museus não cobrirem os custos dos visitantes, a American Association of Museums publicou um levantamento de informação financeira, *2003 Museum Financial Information*; um press release sumariado está em https://69.63.132.61/pressreleases.cfm?mode=list&id=54.

O material de James Twitchell sobre obras de arte superexpostas é de seu *Branded Nation: The Marketing of Megachurch, College Inc., and Museumworld*, Nova York: Simon and Schuster, 2005.

Para entender por que alguns quadros vendem mais que outros, ver "Why Some Pictures Go for More Than Others", no número de maio de 2004 de *The Art Newspaper*, http://www.marginalrevolution.com/marginalrevolution/2004/05/what_makes_a_pa.html.

A citação de Harold Bloom é de seu *How to Read and Why*, Nova York: Scribner, 2001.

A estimativa de Jerrold Jenkins aparece em muitos lugares, mas não pude averiguar em que medida está baseada nos fatos. Não deve ser levada ao pé da letra nem como nada além de achismo pessoal. Mas ver http://parapublishing.com/sites/para/resources/statistics.cfm e http://www.google.com/search?hl=en&lr-=&q=jenkins+group+books+%22never+reads+another+book%22&btnG=Search.

Sobre o motivo de as pessoas comprarem e carregarem livros, ver *The Guardian*, 24 de outubro de 2005, http://books.guardian.co.uk/news/articles/0,6109,1599060,00.html.

Uma variedade de resenhas engraçadas do site da Amazon pode ser vista em http://www.themorningnews.org/archives/reviews/lone_star_statements.php.

Para um olhar nos estudos musicais sobre o heavy metal, o gosto cosmopolita e gêneros de baixo status, ver Bethany Bryson, "Anything but Heavy Metal: Symbolic Exclusion and Musical Dislikes", *American Sociological Review*, 2006, 61, 5, 884-899.

Sobre listas musicais de artistas e grupos mais vendidos, eis uma fonte: http://www.2blowhards.com/archives/001550.html 001550.

Capítulo 5

Para o monólogo sobre a propriedade, ver http://www.mises.org/story/2058. A citação para o dr. Rangel pode ser vista em http://www.marginalrevolution.com/marginalrevolution/2003/12/impressing_a_wo.html.

A abordagem de Richard Harter da teoria dos jogos para o problema do assento da privada pode ser vista em http://www.scq.ubc.ca/?p=108. Foi publicada em *The Science Creative Quarterly*, set.-nov. 2006, 2.

Sobre cantadas, o documento está em http://www.sciencedirect.com/science?ob=ArticleURL&_udi=B6V9F-4HC:76VB-I&_coverDate=03%2F31%2F2006&alid=366110572&_rdor-l&_fmt=&_orig=search&qd=l& cdi=5897&_sort=d&view=c&_acct=C000035118&_version=l&_urlVersion=0&_userid650615&md5=41c72be12383dc18082f57c8f8f6d5ec. "Chat-Up Lines as Male Sexual Displays", por Christopher Bale, Rory Morrison e Peter G. Caryl em *Personality and Individual Differences*, março de 2006, 40, 4, 655-664.

Sobre algumas reportagens a respeito de Nor Malena Hassan, ver http://www.marginalrevolution.com/marginalrevolution/2004/09/de_gustibus.html.

A citação de Bryan Caplan sobre Robin Hanson está em: http://econlog.econlib.org/archives/2005/03/robin_radon_and.html.

Para Prudie sobre o casamento, ver http://www.slate.com/id/2102755/.

O anúncio de Megan está em http://fromthearchives.blogspot.com/2006/07/beyond-parody_08.html. Você encontra sua argumentação em http://fromthearchives.blogspot.com/2006/07/i-would-change-it-but-im-already-tired.html e em http://fromthearchives.blogspot.com/2006/07/second-degree.html.

Sobre como a tortura tenta quebrar completamente a sensação pessoal de controle sobre o ambiente, ver Alfred W. McCoy, *A Question of Torture: CIA Interrogation, from the Cold War to the War on Terror*, Nova York: Metropolitan Books, 2006, capítulo 3. Sobre a resistência bem-sucedida à tortura, ver o mesmo livro, p. 204. Sobre prisioneiros de guerra americanos no Vietnã, ver Stuart I. Rochester e Frederick Kiley, *Honor Round: American Prisoners of War in Southeast Asia, 1961-1973*, Annapolis: Naval Institute Press, 1998, capítulo 8. Sobre experiências de americanos em resistir à tortura na Somália, ver Michael J. Durant, *In the Company of Heroes*, Nova York: G. P. Putnam's Sons. pp. 92, 102-105, 2003.

Sobre Mark Frank, ver http://www.buffalo.edu/news/fast-execute.cgi/article-page.html?article=7930009. As citações de Bella DePaulo e Maureen O'Sullivan são de *Science News Online*, 31 de julho de 2004, vol. 166, n. 5, "Deception Detection: Psychologists Try to Learn How to Spot a Liar". Um bom levantamento sobre o que se sabe sobre mentir está em "Suspects, Lies and Videotape: An Analysis of Authentic High-Stake Liars", *Law and Human Behavior*, junho de 2002, 26, 3, 365-376. Para um estudo da frequência com que as pessoas mentem, em um bom levantamento geral de nosso conhecimento sobre a mentira, ver Aldert Vrij, *Detecting Lies and Deceit: The Psychology and Lying and the Implications for Professional Practice*, Nova York: John Wiley & Sons, 2000. A nova tecnologia para "monitorar seu encontro" foi escrita em Nature.com, http://www.nature.com/news/2005/050314/full/050314-14.html, publicado em 17 de março de 2005, "Utensils Divulge Dinner Date's Feelings", por Roxanne Khamsi. Sobre escaneamento do cérebro e dos olhos, ver Jeffrey Kluger, "How to Spot a Liar", *Time*, domingo, agosto de 2006, na Internet em http://www.time.com/time/magazine/printout/0.8816.1229109.00.html.

O artigo de Rick Harbaugh e Theodore To é "False Modesty: When Disclosing Good News Looks Bad", versão de janeiro de 2006, disponível em http://www.bus.-indiana.edu/riharbau/FalseModesty.pdf.

Capítulo 6

Extraí a ideia de frustrações crescentes de conversas com minha colega Robin Hanson.

Sobre as vantagens da autoilusão para o amor romântico, ver em particular o trabalho de Sandra L. Murray, como "The Quest for Conviction: Motivated Cognition in Romantic Relationships", *Psychological Inquiry*, 1999, 10, 1, 23-34; ou Sandra L. Murray, John G. Holmes e Dale W. Griffin, "The Benefits of Positive Illusions. Idealization and the Construction of Satisfaction in Close Relationships", *Journal of Personality and Social Psychology*, 1996, 70, 1, 79-98; ou Sandra L. Murray, John G. Holmes, Dan Daolderman e Dale W. Griffin, "What the Motivated Mind Sees: Comparing Friends' Perspectives to Married Partners' Views of Each Other", *Journal of Experimental Social Psychology*, 2000, 36, 600-620. Ver também o trabalho de Norm O'Rourke e Phillipe Cappeliez, como "Marital Satisfaction and Self-Deception: Reconstruction of Relationship Histories Among Older Adults", *Social Behavior and Personality*, 2005, 33, 3, 273-282.

Sobre pesquisas com pessoas variadas que pensam estar acima da média, ver Thomas Gilovich, *How We Know What Isn't So*, Nova York: Free Press, 1991, p. 77. Sobre os sociólogos, ver Frank R. Westie, "Academic Expectations of Professional Immortality: A Study of Legitimation", *The American Sociologist*, fevereiro de 1973, 8, 19-32. Sobre pensar que dirige acima da média, ver "Are We All Less Risky and More Skillful Than Our Fellow Drivers?" *Acta Psychologica*, 1981, 47, 143-148. Sobre a crítica a um eu anterior da pessoa, ver Anne E. Wilson e Michael Ross, "From Chump to Champ: People's Appraisals of Their Earlier and Present Selves", *Journal of Personality and Social Psychology*, 2001, 80, 4, 572-584. Uma boa introdução geral ao tópico da autoilusão é o estudo de Eduardo Giannetti, *Lies We Live By: The Art of Self-Deception*, Londres: Bloomsbury, 2001.

Para bons levantamentos sobre a pesquisa com autoilusão e supervalorização dos talentos e qualidades pessoais de alguém, ver Justin Kruger e David Dunning, "Unskilled and Unaware of It: How Difficulties in Recognizing One's Own Incompetence Lead to Inflated Self-Assessments", *Journal of Personality and Social Psychology*, dezembro de 1999, 77, 6, 1121-1134. Outro artigo útil é o de Shelley E. Taylor e Jonathan D. Brown, "Illusion and Well-Being: A Social Psychological Perspective on Mental Health", *Psychological Bulletin*, 1988, 105, 2, 195-210.

Para evidência experimental de que as pessoas tendem mais a achar que suas alegações são justas, ver James Konow, "Fair Shares: Accountability and Cognitive Dissonance in Allocation Decisions", *American Economic Review*, setembro de 2000, 90, 4, 1072-1091. Para o estudo sobre frequência à academia de ginástica, ver Stefano

DellaVigna e Ulrike Malmendier. "Paying Not to Go to the Gym", *American Economic Review*, junho de 2006, 96, 3, 694-719.

Sobre a relutância das pessoas em acatar especialistas, e o que isso significa, ver meu trabalho com Robin Hanson, "Are Disagreements Honest?" em http://hanson.gmu.edu/deceive.pdf search=%22hanson%20cowen%20most%20disagreements%20honest%22.

Sobre a probabilidade de que deprimidos se autoiludem menos, ver Delroy L. Paulhus, "Self-Deception and Impression Management in Test Responses", em *Personality Assessment via Questionnaires: Current Issues in Theory and Measurement*, editado por A. Angleitner e J. S. Wiggins, Berlim: Springer-Verlag, 1986,143-165.

Sobre esquemas do 11 de Setembro, ver, por exemplo, Erica Goode, "Finding Answers in Secret Plots", *The New York Times*, domingo, 10 de março de 2002, WK3.

Para algumas observações sobre OVNIs, ver Douglas Kern, "Internet Killed the Alien Star", em http://www.techcentralstation.com/110905A.html, acessado em 16 de outubro de 2006.

A coluna Prudie pode ser encontrada em Slate.com, em: http://www.slate.com/id/2134915/.

O site sobre gorjetas de celebridades pode ser visto em: http://www.stainedapron.com/celebs.htm, acessado em 2 de outubro de 2006.

Sobre gastos excessivos, me baseei em "The Shopping Momentum Effect", de Ravi Dhar, Joel Huber e Uzma Khan, em http://cci.som.yale.edu/docs/Shopping-_Momentum.2004.pdf, acessado em 16 de outubro de 2006; também saído no *Journal of Marketing Research*.

Sobre perda de produtividade em grupos, o meta-estudo referido é de M. Diehl e W. Stroebe, "Productivity Loss in Brainstorming Groups: Toward the Solution of a Riddle", *Journal of Personality and Social Pyschology*, 1987, 53, 497-509. Conclusão similar é encontrada por B. Mullen, C. Johnson e E. Salas, "Productivity Loss in Brainstorming Groups: A Meta-Analytic Integration", *Basic and Applied Social Psychology*, 1991, 12, 3-24. Sobre os 80% que acham que brainstorming em grupo é melhor, ver Bernard A. Nijstad, Wolfgang Stroebe e Hein F. M. Lodewijkx, "The Illusion of Group Productivity: A Reduction of Failures Explanation", *European Journal of Social Psychology*, 2006, 36, 31-48. O artigo também considera a evidência sobre os custos de fazer as pessoas esperarem sua vez de falar. Ver também Bernard A. Nijstad, Wolfgang Stroebe e Hein F.M. Lodewijkx, "Production Blocking and Idea Generation Does Blocking Interfere with Cognitive Processes?", *Journal of Experimental Social Pyschology*, 2003, 39, 531-548.

Para o relato de Alex Tabarrok de por que ele aprecia meu conselho sobre calcular probabilidades, ver http://www.marginalrevolution.com/marginalrevolution/2004/01/taking_expected.html.

Sobre a questão da vacina, ver Brian Zikmund-Fisher, Brianna Sarr, Angela Fagerlin e Peter Ubel, "A Matter of Perspective: Choosing for Others Differs from Choosing for Yourself in Making Treatment Decisions", *Journal of General Internal Medicine*, junho de 2006, 618-622. Sobre a economia de negação da morte, ver, por exemplo, Wojciech Kopczuk e Joel Slemrod, "Denial of Death and Economic Behavior", National Bureau of Economic Research, documento n. 11485, 2005. Sobre como o medo da morte molda nossos pensamentos, ver Sheldon Solomon, Jeff Greenberg e Tom Pyszczynski, "Pride and Prejudice: Fear of Death and Social Behavior", *Current Directions in Psychological Science*, dezembro de 2000, 9, 6, 200-204. Ver também o ensaio de Robin Hanson online, "Fear of Death and Muddled Thinking — It Is So Much Worse Than You Think", disponível em http://hanson.gmu.edu/feardie.pdf search=%22fear%20of%20death%20and%20muddled%20thinking%22.

Para meu post sobre cuidar de todos, ver http://www.marginalrevolution.com/marginalrevolution/2005/11/can_we_take_car.html.

Capítulo 7

Sobre localizar o Afeganistão, ver um levantamento da *National Geographic*, em http://news.nationalgeographic.com/news/2006/05/0502_060502_geography.html, acessado em 7 de novembro de 2000.

Sobre as barracas de comida cingapurianas, ver, por exemplo, Ooi Giok Ling, *Future of Space: Planning, Space and the City*, Cingapura: Marshall Cavendish International, 2004; Selina Ching Chan, "Consuming Food: Structuring Social Life and Creating Social Relationships", em *Past Times: A Social History of Singapore*, editado por Chan Kook Run e Tong Chee Kiong, Cingapura: Times Editions, 2000, pp. 123-135; Sylvia Tan, *Singapore Heritage Food: Yesterday's Recipes for Today's Cook*, Cingapura: Landmark Books, 2003: Chua Beng Huat, *Life Is Not Complete Without Shopping: Consumption Culture in Singapore*. Cingapura: Singapore University Press, 2003.

Sobre o bufê do Circus, ver Pete Earley, *Super Casino: Inside the "New" Las Vegas*, Nova York: Bantam Books, 2000, p. 111. Sobre "cortesia", ver Max Rubin, *Comp City: A Guide to Free Casino Vacations*, Las Vegas: Huntington Press, 2001, segunda edição e também Michael Konik, *The Man with the $100,000 Breasts and Other Gambling Stories*, Nova York: Broadway Books, 1999.

Capítulo 8

Para a questão do comércio entre macacos, ver "Monkey Business", Stephen Dubner e Steven Levitt, *The New York Times Magazine*, 5 de junho de 2005, sobre o trabalho de Keith Chen.

O número de itens do eBay é tirado de uma estimativa feita pela *Auction Software Review*, em http://www.auctionsoftwaerereview.com/article-ebay-statistics.asp. Provavelmente estará desatualizada quando você estiver lendo isto.

Sobre namoradas imaginárias, um site é http://imaginarygirlfriends.com/; para uma cobertura mais geral, ver http://www.foxnews.com/story/0,2933,107336,00.html. Sobre as inovações japonesas, o travesseiro de braço é da Kameo Corp., localizada em Fukuoka; ver, por exemplo, http://www.msnbc.msn.com/id/6141895/. Os colos artificiais são feitos pela Trane KK, ver em http://www.senseworldwide.com/snacks/?m=200412&paged=2.

Sobre executivos lidando com a prisão, ver "Horn Insider Traders Cope Inside", Christopher Bowe, *The Financial Times*, 30 de agosto de 2004, http://www.ft.com/cms/s/a30595cc-fa20-11d8-b984-00000e2511c8.html. A discussão sobre sequestro se baseia sobretudo em, entre outras fontes, Robert Young Pelton, *The World's Most Dangerous Places*, Nova York: HarperCollins, quinta edição, 2003.

Sobre itens em leilão escritos erradamente, ver "In Online Auctions, Misspelling in Ads Often Spells Cash", Diana Jean Schemo, *The New York Times*, 28 de janeiro de 2004, http://select.nytimes.com/search/restricted/article?res-=F30811F63E5C0C7B8EDDA80894DC404482.

Sobre comprar álibis russos para adultério, ver "*Harper's* Index", fevereiro de 2004. Sobre Soundercover.com, ver também "Cell Phone Software Creates Bogus Backgrounds", TheNewScientist.com News Service, 5 de março de 2004, http://www.newscientist.com/article.ns?id=dn4749. Sobre Virgin Mobile, ver "Cell Phone Hangs Up on Drunken Dialers", Iain Ferguson, 30 de novembro de 2004, http://news.com.com/2100-1039_3-5472053.html. Sobre prostitutas da Cidade do México, ver "Aging Prostitutes Find Champion in Mexico City Mayor, Critics Say Populist Trying to Curry Favor", por Mary Jordan, *Washington Post*, 10 de abril de 2005, p. A20.

Sobre www.partybuddys.com, ver também Frank Owen, "An In with the In Crowd, for a Fee", *The New York Times*, 16 de janeiro de 2005. Sobre aluguel de convidados de casamento, ver BBC News, sábado, 17 de setembro de 2005, em http://news.bhc.co.uk/2/hi/south_asia/4242936.stm.

O "restaurante de pênis" foi escrito no *The Telegraph*, "On the menu today: horse penis and testicles with a chilli dip", Richard Spencer, 17 de fevereiro de 2006. Para *auto-players* de jogos, ver http://gameotter.com/. A história de Beckham saiu no *Daily Mirror*; esta é uma das principais fontes online: http://www.femalefirst.co.uk/celebrity/17802004.htm. Sobre treinamento antiterrorista, fontes podem ser encontradas em meu blog, em http://www.marginalrevolution.com/marginalrevolution/2003/11/how_to_outfox_t.html. Para proteção contra ser enterrado vivo, ver fontes em http://www.marginalrevolution.com/marginalrevolution/2004/07/markets_in_ever_3.html. Sobre implantes testiculares, ver "Florida Canine 50.000th to Receive Silicone Testicles", presbox.co.uk, 12 de novembro de 2000, http://www.pressbox.co.uk/Detailed/347.html; um vendedor é http://www.neuticles.com/index1.html. A história de Jeanette Yarborough é de *The Wall Street Journal*, 15 de dezembro de 2005, p. A1.

Sobre direitos de usar o espaço urbano elevado, ver, por exemplo, "Price of Air Hits Record in New York", cnn.com, 30 de novembro de 2005, http://money.cnn.com/2005/11/30/real_estate/air_rights/index.htm?cnn=yes. Sobre pinturas feitas por seios femininos, ver uma matéria australiana de Sian Gard, "Replacing brushes with breasts", 16 de dezembro de 2005, http://www.abc.net.au/northwestwa/stories/s1532637.htm. A discussão sobre jogos sintéticos e mundos virtuais é de Tim Harford, em resenha sobre Edward Castronova, "Synthetic Worlds: The Business and Culture of On-Line Games", *The Financial Times*, 14 de janeiro de 2006, p. W5.

Sobre o trabalho de Felix Oberholzer-Gee, ver "Harvard Business School: Working Knowledge for Leaders", 8 de maio de 2006, http://hbswk.hbs.edu/item/5319.html.

O estudo sobre como o sexo nos deixa mais felizes, conduzido por Daniel Kahneman, foi publicado em 3 de dezembro de 2004, *Science*. Coautores foram o economista Alan B. Krueger e os psicólogos David A. Schkade da Universidade da Califórnia em San Diego, Norbert Schwas da Universidade de Michigan e Arthur A. Stone da Stony Brook University. Ver também David Blanchflower e Andrew Oswald. "Money, Sex and Happiness: An Empirical Study", *Scandinavian Journal of Economics*, setembro de 2004, 106, 3, 393-415.

Para a citação de Robert Fogel, ver seu *The Escape from Hunger and Premature Death, 1700-2100*, Cambridge: Cambridge University Press, 2004.

Capítulo 9

Sobre maior índice de voluntários, ver *Global Civil Society*, por Lester M. Salamon, S. Wojciech Sokolowski e Associates, Kumarian Press, 2004. A homepage do projeto associado é http://www.jhu.edu/~cnp/.

Os mendigos que pedem para ter membros cortados é tirado de Yahoo News; http://news.yahoo.com/s/nm/20060801/od_nm/india_beggars_dc_1. Sobre o tempo que leva para iniciar um negócio na Índia, ver *Law, Liberty and Livelihood*. Nova Délhi: Academia Foundation, 2005, um novo livro editado por Parth Shah e Naveen Mandava do Center for Civil Society in New Delhi.

A informação sobre angariação de fundos deriva de conversas de minha própria experiência e conversas com angariadores profissionais; Kevin Gentry foi particularmente útil.

Sobre como desastres naturais levam à caridade, ver Charity Navigator, http://www.charitynavigator.org/index.cfm/bay/content.view/cpid/42, dados extraídos de *Giving USA 2006, The Annual Report on Philanthropy*. Informação sobre doações de tsunami vem de *The Chronicle of Philantropy*, ver http://philanthropy.com/free/update/2005/01/2005011901.htm.

Sobre paraquedas da caridade, ver C. T. Lee, P. Williams e W. A. Hadden, "Parachuting for Charity: Is It Worth the Money? A 5-year Audit of Parachute Injuries in Tayside and the Cost to the NHS", *Injury*, 30, 4, 283-287.

Sobre a porcentagem de caridade que vai para igrejas, ver http://www.slate.com/id/2135721/, e ver também http://www.charitynavigator.org/index.cfm/bay/content.view/cpid/42 para uma estimativa mais baixa.

Para o trabalho sobre John List, ver, por exemplo, Craig Landry, Andreas Lange, John A. List, Michael K. Price e Nicholas Rupp, "Toward an Understanding of the Economics of Charity: Evidence from a Field Experiment", *Quarterly Journal of Economics*, 2006, 121, 2, 747-782, e John A. List e David Lacking-Reiley, "The Effects of Seed Money and Refunds on Charitable Giving: Experimental Evidence from a University Capital Campaign", *Journal of Political Economy*, 2002, 110, 1, 215-233.

Para informação sobre Kristof e compra de escravos, ver http://kellyaward.com/mk_award_popup/kristof_n.html e Nicholas Kristof, "Leaving the Brothel Behind", *The New York Times*, 19 de janeiro de 2005, p. A19. Ver também "Some Simple Analytics of Slave Redemption", por Dean S. Carlan e Alan B. Krueger em http://aida.econ.yale.edu/karlan/papers/redemption_may20-2005.doc. Ver também Michael Kremer e Charles Morcom, "Elephants", *American Economic Review*, março de 2000, 90, 212-234; e Paul Lewis, "U. N. Criticism Angers Charities Buying Sudan Slaves' Release", *The New York Times*, 12 de março de 1999, p. A7.

Sobre presentes de porco, ver http://www.marginalrevolution.com/marginalrevolution/2003/09/you_can_always_.html, "So Scrooge Was Right After All", 24 de dezembro de 2003.

Sobre o trabalho de Joel Waldfogel a respeito das compras de Natal, ver seu "The Deadweight Loss of Christmas", *American Economic Review*, 1993, 83, 1328-1336. Sobre repassar presentes, ver, por exemplo, http://news.scotsman.com/latest.cfm?id=1473412006 para um relato do levantamento de Harris, baseado em 1.505 entrevistados.

Sobre a história de Tom Locke, ver http://www.marginalrevolution.com/marginalrevolution/2006/03/an_epistolary_r.html.

Sobre que presentes mais provavelmente serão lembrados, ver a pesquisa de Leaf Van Boven; por exemplo, seu artigo com Thomas Gilovich, "To Do or to Have? That Is the Question", *Journal of Personality and Social Psychology*, 2003, 85, 1193-1202.

Sobre Kiva, ver http://www.voanews.com/specialenglish/archive/2006-08/2006-08-27-voa4.cfm e o depoimento de Cornelius: http://matchboxcreative.com/2006/11/kivaorg-person-to-person-micro-credit.html.

Agradecimentos

Meus agradecimentos primeiro para minha família, Natasha e Yana. Meus amigos Alex, Bryan e Robin contribuíram com dados e discussões essenciais. Melhores colegas não existem. Importante também foi a sabedoria coletiva proporcionada pelos leitores e comentadores de Marginalrevolution.com e pela blogosfera, de um modo geral. Teresa Hartnett tem sido uma agente maravilhosa e fonte de sabedoria e sugestões sempre. Jeff Galas e Stephen Morrow, com seus conselhos e edição, fizeram muita coisa para melhorar o original e transformá-lo em um livro de verdade. O Mercatus Center forneceu a assistência na pesquisa essencial.

Índice

Nota. Números de páginas em **negrito** indicam capítulos.

Este livro foi composto na tipologia
Electra LH Regular, em corpo 11/16, e impresso
em papel off-white 80g/m^2 no Sistema Cameron
da Divisão Gráfica da Distribuidora Record.